RYC

Ryc

Lleucu Fflur Jones

GWASG Y BWTHYN

ISBN: 978-1-912173-35-8

Cyhoeddwyd gyda chymorth ariannol
Cyngor Llyfrau Cymru.

Dyluniad y clawr: Olwen Fowler

Cyhoeddwyd ac argraffwyd gan
Gwasg y Bwthyn, Caernarfon
gwasgybwthyn@btconnect.com
www.gwasgybwthyn.cymru
01286 672018

I LLEW AC EILA

NOS WENER, IONAWR 11, 2019

'Lawr y lôôôôôn goch! Lawr y lôôôôôn goch! Gruffydd, paid â jibio …!'

Llyncodd Gruffydd gegiad arall o'r concoshiyn afiach i gyfeiliant hanner dwsin o chwaraewyr rygbi mawr, blewog. Teimlodd gyfog yn codi i'w wddw eto, a daliodd ei wynt am eiliad.

'Fedra i ddim, bois! Wir i chi! Ne fydda i 'di chwydu dros y carpad 'ma i gyd!'

'Tyd 'laen, *lady lumps!*' slyriodd Glyn, yr hwcar. 'Ti'n gwbod be 'di'r *deal*. Ma' bob pleiar newydd yn gorfod gneud *initiation* cyn cawn nhw wisgo'r crys. 'Dan ni i gyd 'di gorfod gneud ar un adeg. Paid â bod yn *spoil sport!*'

'A be sy'n digwydd os dwi'n gwrthod?'

'Glywish i bo'r tîm merched yn chwilio am *water boy!*' meddai'r nymbyr êt, Rhys Creep. Chwarddodd pawb, a theimlodd Gruffydd ei fochau yn gwrido i gyd. Roedd hi fel bod yn ôl yng ngwersi Huw Sports.

'Mi fysa hi'n biti dy golli di 'fyd, 'de,' meddai Aron, y capten, oedd yn edrych i lawr ar bawb o ben stôl uchel fel rhyw farnwr meddw. 'Ro i un tsians arall i chdi. Gei di neud *forfeit* … Tynna dy ddillad i gyd a gna laps rownd y cae.'

'Ond mae'n rhewi! Mi gychwynnodd hi bluo eira pan oeddan ni allan gynna! Fydda i 'di cael blydi niwmonia, siŵr!'

'O, 'na chdi 'ta,' meddai Aron, gan godi oddi ar ei stôl a throi ei gefn ato. 'Dowch, hogia. Awn ni i'r Bull.'

Ymlwybrodd gweddill y criw am allan, gan adael Aron a'i ddau gyfaill pennaf yn llusgo rhoi eu cotiau amdanynt yn bryfoclyd. Hen deimlad cas oedd peidio cael bod yn rhan o'r gang. Roedd o'n brofiad cyfarwydd iawn i Gruffydd, ond doedd o fyth wedi dychmygu y byddai'n ei brofi rŵan, yn ddau ddeg pum mlwydd oed.

'Ocê! Ocê! Mi 'na i o! Ond dwi mond yn mynd rownd unwaith!'

'Da'r hogyn!' meddai Aron, gan gynnig swig o'i Jack Daniels iddo.

Tynnodd Gruffydd bob cerpyn oddi amdano gan afael yn y pethau pwysig â'i ddwy law. Rhedodd drwy'r drws cefn a chamu i oerni brwnt y nos. Allai o weld dim ond y pyst yn wyn budr yn y pellter. Rhedodd yn droednoeth hyd y gwair gwlyb, a sŵn chwerthin gwyllt yr hogiau yn mynd yn bellach ac yn bellach o'i glyw ... Un waith o amgylch y cae ac mi gâi o fynd yn ôl i gynhesrwydd y clwb ... Aeth rownd y pyst a'i chychwyn yn ôl at y golau croesawgar. Ond doedd yna ddim golwg o'r hogiau wrth y drws. Craffodd eto i'r pellter a'i ben yn troi, a chafodd gipolwg ar ddau neu dri ohonynt yn rhuthro drwy'r adwy am y stryd fawr.

'Blydi hel!' bloeddiodd, gan garlamu tuag at y clwb.

Prin y gallai weld yr adeilad erbyn hyn. Roedd ei olwg yn niwlog i gyd, a'i goesau *corned beef* yn rhoi oddi tano â phob yn ail gam. 'Cachwrs!' poerodd drwy ei wefusau stiff, gan dynnu'n wyllt ac ofer ar handlen y drws. Rhedodd i'r ochr arall yn y gobaith y byddai drws yr ystafelloedd newid ar agor, ond roedd hwnnw wedi'i gloi hefyd. Rhyw bum munud i lawr y lôn oedd y Bull, ond allai o ddim martsio i mewn i fanno a'i bidlan yn swingio yn awel y nos! Doedd dim amdani ond ceisio ffeindio'i ffordd adref drwy'r caeau.

Dim ond ers ychydig fisoedd yr oedd o a'i wraig newydd yn byw yn Ffrwd. Roedden nhw wedi bod yn ddigon ffodus i gael prynu darn o dir yn rhad gan ewythr iddi, ac roedden nhw ar ganol troi'r hen dŷ fferm yn gartref newydd. Y garafán oedd adra ar hyn o bryd, ond roedd hi'n ddigon cysurus yno. Ac roedd gweld y tŷ yn dod yn ei flaen yn ddyddiol yn codi ei galon bob bore.

Neidiodd dros giât arall a theimlodd y mwd oer yn tasgu ar gefn ei goesau eto. Roedd ei ddwylo'n ddiffrwyth erbyn hyn a ias y nos yn llosgi ei wyneb i gyd. Gwyddai nad oedd yr hen garafán yn bell, ond roedd pob cam yn gymaint o ymdrech erbyn hynny. Craffodd o'i flaen, ond allai ei lygaid ddim canolbwyntio ar ddim. Roedd y cur yn ei ben yn annioddefol. Sylwodd ar ddarn o hen fag llwch yn nhin clawdd ac aeth i eistedd arno, gan gofleidio ei gorff noeth gorau gallai. Dim ond pum munud i gael ei wynt ato, meddyliodd, ac mi âi yn ei flaen. Rhoddodd ei ben yn ei ddwylo a chau ei lygaid.

DYDD SADWRN, IONAWR 12, 2019

'Os nad wyt ti'n codi o'r gwely 'na rŵan, dwi'n dod i fyny yna 'fo llond bwcad o ddŵr rhew o'r ardd!'

'Ocê! Rho tsians i fi!'

Agorodd Glyn ei lygaid yn araf a thaflu'r gobennydd oddi arno. Tynnodd ei drôns o rych ei ben ôl, cyn swingio'i goesau dros ochr y gwely. Lapiodd ei hen gôt nos dyllog am ei floneg blewog ac ymlwybro i lawr y grisiau.

'Bora da,' meddai'n gryg, gan agor drws yr oergell a swigio o'r botel lefrith.

'Bora da, wir!' bytheiriodd ei wraig. 'Ma'i jest yn amsar cinio! Mi 'nes i dy rybuddio di cyn i chdi fynd allan neithiwr 'mod i'n mynd i siopa efo Mam heddiw! Ond fath ag arfar, ti'm yn dod adra nes ma'i jest yn hannar awr wedi dau! O'n i'n meddwl bo' chdi am fynd â nhw i'r lle chwarae meddal 'na yn dre heddiw?'

''Nawn ni rwbath,' meddai, a'i geg yn llawn Crunchy Nut Cornflakes.

'Gwnewch, gobeithio! A ma' rwbath yn golygu mwy na jest ista ar 'ych tina o flaen y bocs 'na yn gwatsiad Iggle Piggle drw' dydd, dallta! Maen nhw isio rywfaint o *stimulation*, y petha bach! ... A dim

10

gormod o Haribos! Ti'n cofio be ddigwyddodd tro dwytha!'

'Fyddwn ni'n iawn, Haf, paid â poeni. Dos di i fwynhau dy hun. Fydd hi'n neis i chdi gael brêc bach a cinio allan, bydd.'

Estynnodd hen dun te o ben y ddresel a thynnu deugain punt ohono.

'Hwda, pryna rwbath bach i chdi dy hun. Ti'n haeddu trît.'

Gwenodd Haf arno'n amharod a'i waldio.

'Argol, ti yn 'y ngwylltio i weithia!' chwarddodd, gan afael yn ei chôt a'i bag a brysio at y drws.

'Cofia fi at Doris!'

Caeodd Glyn y drws ar ei hôl, a chododd law arni drwy'r ffenest.

'Reit 'ta! Awel? Huw? Pwy sy ffansi mynd i McDonald's?'

Carlamodd y ddau o'r parlwr.

'Chdi sy'n edrach ar 'yn ôl ni heddiw?' gofynnodd Huw yn obeithiol.

'Ia, boi.'

'Ies!'

''Dach chi ffansi mynd i'r lle chwarae meddal 'na wedyn?'

'Ia!' cynhyrfodd Awel, gan ddal ei breichiau allan iddo'i chodi.

'Ma' Mam yn deud bo'i'm yn syniad da gneud gormod o gampa ar ôl byta,' meddai Huw yn bryderus.

'Dydi Mam ddim yma, nadi,' gwenodd Glyn. 'A rhaid i Dad fyta cyn gneud dim byd ne fydd o

11

wedi ffeintio. Ewch chi i'r parlwr i witsiad ac a' i i newid yn sydyn.'

Fel yr oedd yn rhoi ei drywsus amdano, clywodd gnoc galed ar y drws. Rhedodd i lawr y grisiau a'i grys-T yn ei law.

'Lle ma' Haf?' gofynnodd Aron wedi cynhyrfu.

''Di mynd i siopa hefo'i mam. Be sy?'

'Mond chdi sy adra?'

'Mae'r plant drwadd yn gwatsiad teli.'

'Ga i ddod i mewn?'

'Cei siŵr, boi, awn ni i'r gegin ... Ti isio panad?'

'Maen nhw 'di'i ffeindio fo, Glyn!' meddai Aron, bron yn ei ddagrau.

'Ffeindio pwy?'

'Gruffydd ... Welish i'r fan blismyn yn dod o Ffrwd ryw awran yn ôl.'

'Paid â deud wrtha i bod y crinc 'di'n reportio ni am neithiwr?!'

Eisteddodd Aron wrth y bwrdd a'i ben yn ei ddwylo. Roedd y dagrau yn powlio erbyn hyn.

'Mae o 'di marw, Glyn!'

'Be?!'

'Mi ffeindiodd un o hogia Cae Du ei gorff o pan oedd o'n hel gwartheg bora 'ma.'

'Ond ... Ond sut?! Mi roedd o'n hollol iawn pan adawon ni o!'

''Di rhynnu, ma'n siŵr, 'di bod allan drw' nos. Mae'r stori'n dew rownd dre!'

'Blydi hel!'

'Be 'dan ni'n mynd i neud?!'

'Be ti'n feddwl be 'dan *ni'n* mynd i neud?!'

'Ein bai ni ydi o ei fod o wedi marw!' bloeddiodd Aron.

Caeodd Glyn ddrws y gegin rhag i'r plant eu clywed.

'Ar dy sgwydda di ma' hon, dallta!' meddai Glyn yn fygythiol. 'Chdi 'di'r captan! A dy syniad di oedd y blydi dêr gwirion 'na!'

'Mi roeddan ni i gyd yno, Glyn! Ac mi roedd pawb yn ei bryfocio fo.'

'Mond chydig o hwyl diniwad oedd o i fod! Est ti â petha rhy bell!'

'Mi roeddan ni i gyd cyn waethad â'n gilydd! A chlywish i mo neb yn protestio!'

Closiodd Aron ato a rhythu yn ei wyneb.

'Ac os dwi'n mynd lawr, dallta, dwi'n dod â chi i gyd lawr hefo fi.'

DYDD SADWRN, MAI 12, 2018

Tarodd Gruffydd y gwydr siampên â'i gyllell yn nerfus a llacio rhywfaint ar ei dei *baby pink*.

'Ga i ddeud gair bach, os gwelwch yn dda?' gwichiodd.

Parhaodd pawb i siarad.

'Oi! Ma'r dyn yn trio gneud *speech* yn fama!' bloeddiodd y gwas priodas.

Disgynnodd distawrwydd llethol dros yr ystafell i gyd, a throdd pawb i edrych ar Gruffydd. Llyncodd ei boer fel pe bai ganddo lond ei geg o grîm-cracyrs.

'Diolch, Dewi ... ym ... Ar ran fy ngwraig a finna ...' Cymeradwyodd pawb, a throdd at Beca yn wên i gyd. 'Ar ran fy ngwraig a fi, ga i ddiolch i chi i gyd am ddod heddiw i fod yn rhan o'n diwrnod arbennig ni. Ga i ddiolch i'n rhieni yng nghyfraith am ddod â hogan mor dlws i'r byd 'ma.'

Gwnaeth Dewi ystumiau cyfogi wrth ei ymyl, a chwarddodd pawb unwaith eto.

'Dwi'm 'di cychwyn eto, Dewi!' chwarddodd. 'Diolch yn fawr i chi, Glenda a John, am fy nerbyn i fel un o'r teulu. Mae o'n golygu lot i mi. Diolch i Mam, y ddynas arall yn 'y mywyd i, am bob dim 'dach chi 'di neud i fi. Dwi'n gwbod ei bod hi'm 'di bod yn hawdd i chi heb

Dad. Ond ma' raid eich bo' chi 'di gneud job reit dda ar 'yn magu i i mi fod wedi medru bachu rhywun fel Beca! Dwi'n gwbod ei fod o'n sbio i lawr arnan ni heddiw …'

'Neu i fyny os 'di'r straeon amdano fo'n wir!' chwarddodd Dewi i gôr o ochneidiau a thwt-twtian.

Rhoddodd Gruffydd gic slei iddo o dan y bwrdd.

'Diolch i'r gwas priodas am ei … gyfraniad heddiw.'

'Ti'm 'di clywad y *speech* eto!'

'O fy Nuw!' meddai dan ei wynt. 'Diolch i'r morwynion, sy'n edrach yn hyfryd heddiw, gyda llaw.' Trodd i edrych ar y ddwy lwmpen ar ei chwith, Helen a Gwenno, oedd wedi'u stwffio i ffrogiau sidan heb strapiau a'u brestiau yn gorlifo dros y top. 'Ac yn ola wrth gwrs, ga i ddiolch i Beca, fy ngwraig newydd i, am adael i mi'i charu hi.' Tynnodd Beca ar ei thraed gan ei chusanu o flaen pawb. 'Chdi 'di 'myd i, Beca, a dwi'n gaddo treulio gweddill fy oes yn dy neud di'n hapus … I Beca!'

'I Beca!' meddai pawb gan godi eu gwydrau.

'Mi gariwn ni 'mlaen hefo'r areithia ar ôl pwdin. Diolch!'

Llanwodd yr ystafell â sŵn sgwrsio a chwerthin unwaith eto, ac eisteddodd Gruffydd yn ei gadair gan sychu'r chwys oddi ar ei dalcen â syrfiét.

'I be nest ti hynna?!' gofynnodd Beca'n flin.

'Be?'

''Y nghodi i ar 'y nhraed felna o flaen pawb! Ti'n gwbod 'mod i'm yn licio ffỳs.'

'Dy ddiwrnod di 'di hwn, 'de! Ma'i'n iawn i mi neud ffỳs ohona chdi!'

Gwenodd Beca arno a thynnu ei hun o'i afael.

'Dwi 'di deud wrtha chdi pa mor anhygoel ti'n edrach heddiw?' gofynnodd Gruffydd iddi'n bryfoclyd.

'Ryw unwaith neu ddwy 'de.'

'Wel mi dduda i eto 'ta! Ti'n edrach fath â bo' chdi 'di camu allan o un o'r magasîns *Bridal* 'na yn y ffrog 'na.'

'"Di hi'n plesio felly?'

Nodiodd Gruffydd fel rhyw gi bach yn ffenest car.

'Gwitsia i weld be dwi 'di brynu i fynd ar yr *honeymoon!*' sibrydodd.

Llowciodd Gruffydd gegiad arall o boer crîmcracyr.

'Sori, Gruffydd, ond dwi'n mynd i orfod dwyn Mrs Jones am dipyn bach.'

Plygodd Helen dros ei ysgwydd fel na allai weld dim ond rhych chwyslyd rhwng dwy frest.

'Be sy, Helen?' gofynnodd Beca'n bryderus.

'Gwenno sy'n cael un o'i *moments* eto. 'Di rhedag i toilets i grio ar ôl *speech* Gruffydd.'

'Oedd hi mor ddifrifol â hynna?' pryfociodd.

'Fydda i'm yn hir, del,' meddai Beca gan ei gusanu ar ei foch.

'Na fyddi, gobeithio. Fydd y pwdin yma'n munud. A chditha 'di mynnu bo' ni'n cael ryw *fondant* yn lle *cheesecake*. Well bo' chdi yma i'w fyta fo.'

Cymerodd Gruffydd lymaid arall o'i siampên. Allai o ddim dioddef y stwff i fod yn berffaith onest. Ond roedd o wedi bod yn gwneud *overtime* ers bron i bedwar mis i dalu amdano, felly doedd o ddim yn barod i'w wastraffu.

'Croeso i *death row*,' meddai Dewi, gan ddod i eistedd i gadair Beca, a'i geg yn llawn cacen.

'Doniol iawn ... lle gest ti'r gacan 'na? 'Dan ni'm 'di cael yn syrfio eto.'

'Yn fanna 'fo cyllall wrth ei hochr hi.'

'Ein cacan briodas ni 'di honna, y crinc! Sylwaist ti ddim ar y dyn a'r ddynas yn sefyll ar ei thop hi?!'

'Naddo ... O'n i'n meddwl na rhan o'r *buffet* oedd hi, *help yourself*. Mond darn bach o'r cefn gymish i. 'Nei di'm sylwi, 'sti.'

'Paid â deud wrth Beca, wir!'

'Lle ma' hi 'di diflannu, eniwe? 'Di mynd i tsiecio pryd ma'i'n ofiwletio nesa?'

'Be ti'n rwdlan?'

'Dyna fydd nesa 'de. 'Dach chi 'di priodi. 'Dach chi'n codi tŷ. Babi fydd nesa. A dyna chdi wedyn, dy *social life* di lawr y Swanee.'

''Di pawb 'im fath â chdi 'sti, Dewi. Mae 'na rei ohonan ni sy'n gweld priodi a chael plant yn gychwyn antur fawr.'

'Dyna ddwedodd pobl cyn mynd ar y *Titanic*.'

'Os oes raid i chdi gael gwbod, ma' Beca isio i fi fynd allan yn amlach a chymdeithasu mwy. A ninna'n mynd i fod yn byw yn Aberysgo o hyn 'mlaen, ma' hi isio i fi neud ffrindia newydd.'

'A be sy'n bod ar y ffrindia sgen ti?!'

'Dim!' meddai'n amddiffynnol. 'Ond fyddwn ni'm yn gweld 'yn gilydd mor amal, na fyddan. Meddwl amdana i ma'i 'de.'

'Deud ti.'

'A be ma' hynna fod i feddwl?'

'Ma' hi isio i chdi fynd allan yn amlach fel bo' hi'n cael mynd allan yn amlach. Felly maen nhw'n gweithio, 'sti. Merchaid. Ti'n meddwl bo' hi'n meddwl amdana chdi, ond y gwir amdani ydi, cwbl mae hi'n neud ydi plannu hadyn iddi hi gael mynd heb deimlo'n euog.'

'Rhyfadd bo' gen ti'r holl *inside knowledge* 'ma am ferchaid ond yn methu dal d'afael ar un dy hun, 'de.'

'Ma' gynnyn nhw ofn i fi refilio eu cyfrinacha nhw i gyd, does!'

Chwarddodd y ddau, a rhoddodd Dewi ei fraich am ysgwyddau ei ffrind.

'*All jokes aside*, boi, dwi'n falch iawn drosta chdi. Ti'n haeddu bod yn hapus … Os ti'n hapus, dwi'n hapus.'

Gwenodd y ddau ar ei gilydd.

'Diolch, Dewi … Be sgen ti yn y *speech* 'ma 'ta?'

''Sa hynny'n sboilio'r syrpréis, bysa!'

Cododd Dewi o'r gadair a cherddded tuag at y bar, gan ddod wyneb yn wyneb â Beca.

'Mrs Jones,' cyfarchodd.

'Dewi,' meddai hithau'n ffwr-bwt.

'Lle ma'r *bridesmaids* 'na gen ti? Dwi'n siŵr bo'r un ar y pen 'di bod yn rhoi *come to bed eyes* i fi drw'r *main course*.'

'Mae hi'n chwydu'n toilet.'

Oedodd Dewi am eiliad.

'Dwi ddim yn ffysi.'

'Ych! Ti'n afiach!' meddai Beca, gan fartsio tuag at y bwrdd top.

'Jest mewn pryd,' meddai Gruffydd, gan gymryd y

gegiad gyntaf o'i bwdin. 'Wsti be. 'Di o'm yn bad o gwbl. 'Stedda ... Gest ti drefn?'

'Ryw fath,' meddai gan bigo'i phwdin fel dryw bach.

'Be oedd yn ei phoeni hi tro yma?'

'Hormons.'

'Be?'

'Mae hi'n disgwl.'

DYDD GWENER, IONAWR 18, 2019

Rhusiodd Ffion ei mab bach drwy'r drws ffrynt at y Mercedes C-Class lliw arian yn y dreif. Strapiodd y bachgen i'w gadair arbennig yn y sêt ôl â'r fath gymhlethdod fel y gallech daeru ei bod yn mynd ag o ar daith i'r gofod. Eisteddodd hithau yn sêt y dreifar gan daenu ei lipstig coch dros ei gwefusau yn y drych, cyn tanio'r injan.

'Mam, gawn ni tsioclet o'r garej heddiw?' gofynnodd Wil yn obeithiol.

'Ella gawn ni ar y ffordd adra, siwgr lwmp. Ma' Mam yn rhedag yn hwyr braidd.'

'Be sy 'na i swpar heno?'

'Be am i chdi ddewis i ni?'

'Gawn ni tsips siop tsips?!' cynhyrfodd.

'Ar un amod ... bo' chdi'n gorffan y gwaith tabla 'na i Mrs Pritchard cyn mynd i dy wely heno.'

'Ocê 'ta. Ges i tsips a pys slwtsh pan oeddan ni'n dŷ Dad tro dwytha.'

'Do'n i'm yn meddwl bo' chdi'n licio pys.'

'Dwi'n licio pys slwtsh.'

'O, deud ti.'

''Dan ni'n cael mynd yna fory?'

'Gawn ni weld, ia. Dwi'm yn siŵr os ydi o adra, cofia.'

Sbeciodd Ffion yn y drych, a gwelodd y siom gyfarwydd yn dod i'w wyneb unwaith eto.

'Gawn ni hwyl 'run fath, cawn,' meddai ei fam. Brin bum can medr o'r tŷ dyma'i ffôn yn canu wrth ei hochr. Stwffiodd y teclyn *hands-free* i'w chlust yn flin.

'Be sy rŵan, Geth?' harthiodd. 'Faint o weithia sy raid i mi ddeud? Dwi'm yn gweithio ar ôl pump rŵan, nadw, dyna oedd y *deal* ... Yndw ... Ia ... Be, heno?'

Sbeciodd ar y bachgen bach yn y drych unwaith eto.

'Wel, dwi'n mynd yno i nôl Ben erbyn hannar awr wedi yn digwydd bod. Mi arhosa i yna am hannar awr i sgwrsio hefo nhw, dim mwy. Mi geith rywun arall neud *follow up* bora fory ... Hwyl.'

''Dan ni dal yn cael tsips, Mam?'

'Ydan siŵr. Ma' Mam jest yn gorfod aros i siarad hefo rywun am dipyn bach. Gei di fynd i'r stafell chwarae hefo Anni i witsiad os wyt ti isio.'

Trodd Ffion i mewn drwy adwy'r ysgol a pharcio mor agos ag y gallai at y drws ffrynt. Sylwodd Anni arni o'r cyntedd a rhuthrodd allan yn ei thwtw pinc, yn wên o glust i glust.

'Haia Mam!'

'Haia, 'mach i. Gest ti hwyl?'

'Do!' meddai'r fechan wedi cynhyrfu. 'Fuon ni'n gneud ein pirowéts heddiw, a ddudodd Anti Linda na fi oedd y gora yn y dosbarth!'

'Waw, 'na chdi dda! Ti'n barod i fynd 'ta?'

'Ydw.'

'Lle mae dy fag di?'

'O, dwi 'di'i anghofio fo yn y neuadd!'

'Anni bach! Wel rhed i'w nôl o'n sydyn.'

Cymerodd Ffion gipolwg ar ei horiawr a rhyw neidio yn yr unfan i gadw ei hun yn gynnes. Gwelodd Linda'n agosáu at y drws yn ei leotard oren, patrymog, a rhuthrodd yn ei hôl at y car rhag iddi ei gweld. Doedd hi ddim yn y mŵd am *mummy talk* heno. Ond fel yr oedd yn agor drws y gyrrwr, gwaeddodd honno 'Ffi-on!' ar ei hôl yn ddramatig.

'Wel gawson ni *lesson* dda heddiw,' meddai Linda yn ei Wenglish lliwgar arferol.

'Ro'n i'n clywad. Anni wedi mwynhau yn ofnadwy.'

'Roedd Anni yn seren heddiw! Mi wnawn ni ddawnswraig ohoni eto.'

'Falch o glywad.' Ac meddai dan ei gwynt wedyn, 'Dwi'n talu digon.'

'Dyna drist oedd yr hanes am y bachgen ifanc yna, *twenty-five years old. Tragic!*'

'Ia, trist ofnadwy.'

'Ydyn nhw'n gwybod mwy am be ddigwyddodd iddo fo?'

'Fedrwn i'm deud wrthach chi.'

'Chi sy'n gweithio ar y *case*, Insbector?'

'Mae o'n achos sensitif iawn, Linda, cha i'm deud dim, chi.'

'*I see*,' meddai Linda gyda winc.

Rhedodd Anni allan a'i bag yn ei llaw.

'Wel, raid i ni fynd,' meddai Ffion, gan hysian y

ferch fach i'r car. 'Angen mynd i nôl Ben o'r clwb. Deud diolch wrth Anti Linda.'

'Diolch,' meddai Anni'n llawen.

'Croeso ... A chofia, Anni, *lift those arms up*. Wela i ti wythnos nesa.'

Martsiodd Ffion i gyfeiriad yr ystafelloedd newid a thaflu'r drws yn llydan agored. Yno'n sefyll o'i blaen yn ei drôns pŷg roedd Glyn. Taflodd Aron grys oddi ar y peg i'w gyfeiriad, a phrysurodd gweddill y criw i roi eu dillad amdanynt.

'Dwi'n synnu'ch gweld chi'n ôl yn y clwb mor fuan ar ôl be sy 'di digwydd,' meddai wrth Glyn yn uchel, fel y gallai pawb ei chlywed.

'Jean, mam Gruffydd, oedd isio i ni gario ymlaen, Insbector,' atebodd yntau'n nerfus. 'Ma'r deseidar mewn pythefnos ac mi roedd hi isio i ni ei chwara hi er cof amdano fo ... Ma'r hogia bach ar dop y *league* hefyd, dydyn, fel 'dach chi'n gwbod. 'Sa'n biti iddyn nhw orfod tynnu allan.'

'Bysa siŵr ... Hen sefyllfa annifyr, hefyd. Colli un o'r aelodau mor ddisymwth felna. Trist ofnadwy.'

'Yndi, dipyn o sioc i bawb. Er, 'swn i'm 'di deud ei fod o'n aelod chwaith.'

'O?'

'Be dwi'n feddwl ydi ... Chwaraeodd o'm gêm i ni, jest dod i ambell sesiwn ymarfer ar ôl iddo fo symud ... doedd 'na 'run ohonan ni yn ei nabod o'n dda iawn.'

'Mi ddaeth o i'r treining nos Wener, do?'

'Ym ... naddo,' meddai mewn panig.

'Naddo? 'Swn i'n gallu taeru fod Beca wedi deud ei bod hi wedi rhoi lifft iddo fo i fama ar ei ffordd i'w *night shift* … A doedd 'na'm hanas o'i fag dillad o yn y tŷ.'

'Mi roeddach chdi'n hwyr noson honno, Glyn, ti'n cofio?' camodd Aron i mewn yn sydyn. 'Mi roedd hi mor oer, mi dorron ni'r treining yn fyr.'

'Faint ohonoch chi oedd yma?'

'Ryw ddeg ohonan ni oedd yn y treining, mae'n siŵr. Gafodd amball un ohonan ni beint neu ddau yn y clwb wedyn.'

'Enwa,' mynnodd Ffion, gan estyn darn o bapur a beiro iddo o'i phoced. 'Wnaeth Gruffydd aros am beint?'

'Do ond mi ddiflannodd reit handi. Methu handlo ei ddiod, mae'n siŵr.'

'Mi roedd o wedi meddwi felly?'

'Doedd o'm yn llwch, ond mi roedd o chydig yn chwil, oedd.'

'A sud aeth o adra? Doedd gynno fo'm car, nag oedd.'

'Cerddad, ma'n siŵr, 'de. Ryw ddeng munud mae'n gymryd i Ffrwd o fama hyd lôn fawr.'

'Ond welodd neb mohono fo'n gadael?'

Edrychodd y criw ar ei gilydd cyn ysgwyd eu pennau yn dawel.

'Gwranda, del,' meddai Aron yn nawddoglyd. 'Mae'n sesiwn ni i fod i gychwyn mewn pum munud. Felly os nad oes gen ti fwy o gwestiyna i ni, 'swn i'n licio cael yr hogia allan ar y cae 'na cyn i'r glaw ddod. Dwi'n siŵr bo' gen titha betha difyrrach i'w gneud ar

24

nos Wener na wastio dy amsar mewn stafall newid chwyslyd. Golchi dy wallt, ella? Ne drîtio dy hun i *face pack?*'

Gwenodd Ffion arno.

'Diolch i chi am y sgwrs, hogia. Hwyl i chi ar y treining.'

Gafaelodd mewn pêl wrth y drws a'i pheledu at Aron. Ochneidiodd yntau wrth iddi lanio yng nghanol ei stumog. Caeodd y drws yn dawel ar ei hôl.

'Be ddiawl sy'n mynd ymlaen?' rhuodd Rhys Creep dan ei wynt. 'Pam ddiawl bo' chdi 'di deud clwydda, Glyn? Os ffeindian nhw allan be ddigwyddodd go iawn nos Wener fyddwn ni i gyd yn y blydi cach!'

'Os sticiwn ni i'r stori 'ma rŵan fyddwn ni'n ocê,' meddai Aron yn hyderus.

'Mond cychwyn 'di hyn, siŵr! Fyddan nhw yma'n sniffian o gwmpas bob munud rŵan! Lle ddiawl ma'i ddillad o?!'

'Dwi 'di sortio petha,' meddai Aron eto.

'Be ti'n feddwl ti 'di sortio petha?'

'Ddois i i'w nôl nhw bora dydd Sadwrn ar ôl i mi dy weld di, Glyn.'

'A lle ma' nhw rŵan?' holodd Rhys wedyn.

'Yn llwch yng ngwaelod yr ardd wedi'u llosgi.'

'Blydi hel, Aron!' bloeddiodd Glyn. 'Ma' petha'n mynd yn siriys rŵan! *Perverting the course of justice* 'di peth felly! Fyddwn ni i gyd yn y blydi clinc ar ein penna! Iawn i chdi, sgen ti'm plant! Be 'sa Haf yn neud hebdda i?'

'Sgen i'm plant, ond dw inna'm ffansi treulio deng

mlynadd mewn cell chwaith!' meddai Rhys. 'Be 'dan ni'n mynd i neud?'

'Dim,' meddai Aron.

'Wel dwi'n cynnig bo' ni i gyd yn mynd lawr i'r stesion rŵan hyn, *come clean*,' meddai Rhys. 'Deud be ddigwyddodd a gobeithio am y gora. 'Di o'm fath â bo' ni 'di'i ladd o, nadi! Chwarae'n wirion oddan ni, 'de. Ella na jest *slap on the wrist* gawn ni.'

'Fedrwn ni'm mynd rŵan, na fedran, a finna 'di llosgi'i ddillad o!' protestiodd Aron.

'Dy broblam di ydi hynny, capten! Pwy sy hefo fi?' Rhythodd Aron ar Glyn yn fygythiol.

'Dwi'n cytuno hefo Aron,' meddai'n ansicr. 'Cadw'n dawel fysa ora ... A dyna 'sa ora i chitha hefyd, hogia,' meddai wrth weddill y criw. 'Raid i ni i gyd sticio i'r un stori. Ma'r boi 'di marw o'n hachos ni. *Manslaughter* 'di peth felly. 'San ni'n cael mwy na *slap on the wrist* os 'san nhw'n 'yn ffeindio ni'n euog.'

'Stwffio chi!' bloeddiodd Rhys. 'Dwi'm yn mynd lawr am hyn! Aron ddudodd wrtho fo am dynnu'i ddillad! A mi dduda i hynny wrthyn nhw hefyd!'

'Ti 'di clywad am *joint enterprise*, Rhys?' meddai Glyn. ''Dan ni i gyd yn ei chanol hi.'

Dyrnodd Rhys un o'r loceri nes roedd y glec yn atseinio ar draws yr ystafell newid.

'Tecstia weddill yr hogia, Glyn, i ddeud wrthyn nhw ddod yma ASAP,' meddai Aron. 'Raid i ni gael ein storis yn strêt at y tro nesa.'

'Dwi'm yn coelio bo' ni'n gneud hyn,' meddai Rhys. 'Meddyliwch am Beca druan 'di colli ei gŵr newydd. Un ohonan ni 'di Beca. Hogan Aberysgo, a 'dan ni'n gneud hyn iddi. Ma' hi'n haeddu cael gwbod be ddigwyddodd iddo fo.'

'Ti am fod yr un sy'n deud wrthi?!' bloeddiodd Aron.

Ysgydwodd Rhys ei ben yn drist.

'Ma'i'n well bo' hi ddim yn gwbod dim,' meddai Aron wedyn. ''Dan ni'm jest yn achub 'yn hunain yn fama, 'dan ni'n ei hachub hi hefyd.'

NOS SADWRN, MAWRTH 18, 2017

'Dau beint o Carlsberg, peint o Strongbow a chwech Sambuca plis, del.'

Tyrchodd Rhys am ei bres ym mhoced ôl ei drywsus.

'Oes 'na ddathlu i fod heno, 'lly?' gofynnodd Idris y regiwlar wrth ei ochr.

'Glyn sy 'di'n joinio ni lawr ar yr iard, 'lly naethon ni benderfynu dod allan am un ne ddau ar ôl gwaith i selebretio.'

'Ew, go dda. Mae 'na griw da ohonach chi lawr yna rŵan, does. Braf gweld busnas yn cyflogi'n lleol.'

''Dan ni'n cael uffar o laff, pawb yn nabod ei gilydd. Mi roedd dau ohonyn nhw yn yr un dosbarth cofrestru â fi yn 'rysgol.'

''Di'r hen gwch bach 'na dal gen ti?'

'*Sapphire Daydream*? Yndi tad, mae hi dal i fynd. Edrach ymlaen i gael mynd allan arni pan fydd hi wedi brafio. Dwi 'di bod yn gweithio dipyn arni ers chydig o wicends rŵan yn ei sbriwsio hi. Fydd hi'n barod mewn chydig wythnosa.'

Talodd am y diodydd a chodi'r tre gorlawn oddi ar y bar yn ofalus. Gweodd drwy'r dorf, gan sblasio

28

ambell un blin ar ei ffordd, cyn dod at y bwrdd lle'r oedd y criw yn disgwyl yn eiddgar amdano.

'Lle fuest ti, Rhys, tyfu hops?' pryfociodd Aron.

'Gei di fynd tro nesa, yli!' meddai yntau'n flin. 'Reit 'ta, ga i neud llwncdestun i Glyn Owen sy'n 'yn joinio ni ar yr iard gychod. Bydded i dy ddyfodol di fod yn un disglair iawn.'

'Argol, gwatsia dy hun, Glyn!' chwarddodd Aron. 'Beryg fydd o'n cracio potal siampên arna chdi'n munud a dy lansio di i'r môr!'

'Doniol iawn!' meddai Rhys. 'i Glyn!'

'I Glyn!' bloeddiodd pawb ar ei ôl.

Cododd pawb eu gwydrau cyn llowcio'r Sambuca mewn un llowciad.

'Blydi hel, mi roedd hwnna'n afiach!' tagodd Rhys.

'Diolch, bois,' meddai Glyn. 'Ella bysa'r botal siampên 'na ddim yn bad o syniad chwaith, Rhys.'

'O?'

'Gan ein bod ni i gyd hefo'n gilydd,' meddai'n nerfus ... 'Mi roedd gynna i ryw newyddion bach i chi 'fyd ...'

'Ma'r misus 'na sgen ti 'di sylweddoli bo' hi rhy ddel i chdi o'r diwadd ac wedi dy ddympio di?' pryfociodd Aron.

'Ti *on a roll* efo'r jôcs 'ma heno, dwyt!' meddai Glyn, gan daflu llond llaw o *salted peanuts* i'w gyfeiriad. '*As a matter of fact*, mae Haf yn meddwl 'mod i mor ddel fel ei bod hi am gael *mini me* bach arall yn rhedag o gwmpas y lle!'

'Ti'n mynd i gael sbrog arall?!' gofynnodd Rhys yn gynhyrfus.

'*Due* yn yr haf,' meddai yntau'n falch.

'Congrats, boi!' meddai Aron gan ysgwyd ei law.

'Hapus drosta chdi.'

'Pwy fysa 'di meddwl y bysa Glyn Owen wedi llwyddo i fachu ac impregnetio un o genod dela 'rysgol?' chwarddodd Rhys.

'*Miracles do happen* yn amlwg, Rhys bach,' gwenodd Glyn.

'Wel, *un* o genod dela'r ysgol 'de, Glyn. Gollon ni un arall i hogyn o ffwrdd, 'do.'

'Pwy?'

'Beca 'de! Beca Davies. Uffar o bishyn o hyd. Welon ni hi allan wicend dwytha, 'do, Aron? Mi roedd hi'n gwisgo ryw ffrog ddu dynn a'i gwallt i fyny ar un ochr. Mi roedd hwn yn ei ll'gadu drw'r nos!' meddai, gan bwyntio at Aron.

'Nag o'n tad!' bloeddiodd yntau gan gochi.

'Siŵr bod olion o'r hen grysh 'na dal yn fflôtio o gwmpas y brên 'na!' chwarddodd Rhys.

''Di'r ffaith 'mod i'n meddwl bo' rywun yn ddel 'im yn meddwl bo' gynna i grysh arni, nadi!'

'Nadi ... ond dim jest am rywun 'dan ni'n sôn, naci. Sôn am Beca Davies 'dan ni rŵan. Yr hogan nest ti ista yn ei hymyl hi ar bỳs adra bob diwrnod am dair blynadd. Yr hogan nest ti ddreifio'r holl ffordd i Lerpwl er mwyn iddi gael cipolwg ar Lady Gaga yn dod o hotel. Yr hogan nath dorri dy galon di.'

'Gad iddi rŵan, ia, Rhys?' meddai Glyn wrth weld y dafnau chwys yn dechrau hel ar dalcen Aron.

'Sori, boi,' meddai, gan daro cefn ei ffrind yn gyfeillgar.

'Pwy 'di'r hogyn 'ma o ffwrdd, eniwe?' gofynnodd Glyn. ''Di o'n chwarae rygbi?'

''Swn i'n meddwl 'sa fo fwy *at home* ar gwrt *netball* na chae rygbi, 'de!' meddai Rhys.

Chwarddodd Aron.

'Un o'r *metrosexuals* 'ma 'di o, Glyn, sy'n moistyreisio a siafio'u coesa,' meddai Rhys wedyn.

'Sud ddiawl wyddost ti fod o'n siafio'i goesa?' gofynnodd Aron.

'Golwg felly arno fo. Golwg lân. Dwn i'm be ma' hi'n weld yno fo, wir.'

'Ynde! Pwy gloman 'sa isio mynd allan 'fo dyn glân!' chwarddodd Glyn.

'Mi oedd Gavin Henson yn siafio'i goesa, chi,' meddai Aron.

'A sbia be ddigwyddodd i hwnnw!' meddai Rhys.

Chwarddodd y criw.

'Oes 'na ddynas arall ar y go ar y funud 'ta, Aron?' gofynnodd Glyn.

'Fuish i ar ddêt hefo ryw Saesnes nos Lun. Alwodd hi mewn hefo *jetski* wythnos dwytha. Peth bach 'igon del. Ond wela i'm byd yn dod ohono fo, chwaith. Gormod o waith calad gen i.'

'Mi roedd Gwenno 'di cymryd dipyn o ffansi ata chdi pan welon ni hi 'fo Beca, doedd,' meddai Rhys.

'Pa Gwenno ... Gwenno Hughes?!' chwarddodd Glyn.

'Ia!' meddai Aron gan dynnu stumiau.

'Eidîal os na rywun *low maintenance* ti isio 'fyd, Aron!' pryfociodd Glyn. ''Di hi'n golchi'i gwallt dyddia yma?'

'Yndi, dwi'n meddwl. Ond 'di hi'm 'di taclo'r *monobrow* 'na eto chwaith. O'dd hi fath â cael 'yn tsiatio i fyny gan Noel Gallagher!'

'Siŵr 'sa'i 'igon del 'sa hi'n mynd ar un o'r rhaglenni *makeover* 'na 'fyd, chi,' meddai Glyn. 'Ac eniwe, dim *looks* 'di bob dim, naci. Ma' Gwenno ddigon annwl.'

'Digon hawdd i chdi ddeud, dydi, Glyn,' meddai Rhys. 'Ti'n *made*! Diawl lwcus.'

'Ma' gan y boi bwynt, 'sti, Rhys,' meddai Aron. ''Sa well gen i fod hefo rywun fath â Gwenno o lawar na stynar fath â Beca ac 'im yn gwbod lle ma'i o un wicend i'r llall. *Looks* yn gneud pobl yn annifyr weithia. Meddwl cawn nhw get awê 'fo bob dim os 'dyn nhw'n fflytro'u *eyelashes*.'

'Reit 'ta, rownd pwy 'di?' gofynnodd Rhys, gan lowcio cegiad olaf ei beint.

'Chdi!' meddai'r ddau arall mewn unsain.

'Blydi hel, hogia!'

Llanwodd Rhys y tre â'r gwydrau gwag a stwffio'i hun yn ôl drwy'r dorf swnllyd at y bar.

'Nest ti siarad hefo hi o gwbl?' gofynnodd Glyn yn dawel.

'Pwy?'

'Pwy ti'n feddwl? Beca 'de!'

'Dim llawar.'

'Ddudodd hi'm byd am y tecst 'na?'

'Jest deud bo'i 'di cael munud wan ar ôl bod ar y gwin 'fo'r genod ac i beidio darllen dim i mewn iddo fo.'

'Ac felly naethoch chi adael petha?'

Nodiodd yn dawel cyn llowcio dyrnaid o gnau.

'Gwatsia dy hun hefo honna, boi,' meddai Glyn yn bryderus. 'Newyddion yn trafaelio'n sydyn rownd Aberysgo 'ma.'

DYDD SADWRN, MAWRTH 17, 2018

'Be ti'n feddwl o hwn 'ta?' gofynnodd Gruffydd am y chweched tro'r prynhawn hwnnw. 'Hwn oedd yr un oedd yr *estate agent* wedi sôn amdano fo wrthan ni, 'li. Sbia, mae gynno fo dair llofft, garej a gardd anfarth. Ti 'di deud erioed 'sa chdi'n licio gardd fawr, 'do. Digon o le i gi ... plant. Anamal iawn weli di rwbath felma yn ein *price range* ni, 'sti. Mae hi'n dipyn o fargan. Dipyn o waith, dwi'm yn deud. Ond 'san ni'n gallu'i neud o wrth ein pwysa, bysan.'

'Yndi, mae o'n lyfli ... Ond ma'r lleoliad braidd yn ...

'Braidd yn be, Beca?' gofynnodd Gruffydd, fymryn yn flin y tro hwn.

'Allan o'r ffordd braidd, dydi.'

'Hanner awr i ffwrdd o dy waith di ydi o, Beca. Ti'n cymryd jest i awr ar hyn o bryd. Mae 'na siop fach a thafarn lawr lôn, cymuned fach dda ... Be arall ti isio?'

'Ond dydi o ddim yn ...'

'Dydi o ddim yn Aberysgo, dyna ti'n drio ddeud 'de?'

'Wel, ia.'

'Be 'di obsesiwn pobl Aberysgo 'fo blydi Aberysgo, wir! Ma' 'na fyd tu allan i'r dre 'ma 'sti, Beca!'

'Be sy'n bod ar dre?'

'Dim byd ... Jest, dy fyd di 'di hwn 'de. Ac ar hyn o bryd, dwi jest yn teimlo fath â ryw blydi fisitor! Pam na fedrwn ni greu rwbath newydd hefo'n gilydd?'

'Fama ma' 'nheulu a'n ffrindia i gyd, Gruffydd!'

'A be am 'y nheulu a'n ffrindia i? 'Im ots bo' Mam yn byw dros dri chwartar awr o fama, nadi? Sgynni hi neb arall.'

'Ma' rywun i fod i gompromeisio mewn perthynas, Gruffydd. Dyna ma' cypla aeddfed yn ei neud.'

'Dwi'n fodlon compromeisio, Beca! Dwi 'di deud 'na i symud yn nes at y côst. Ond dwi'm yn dy weld di'n byjio dim ar hyn o bryd!'

'Bydd yn onast, Gruffydd. Yr unig reswm ti'm isio byw yn Aberysgo ydi bo' chdi'n meddwl bo' chdi rhy dda i'r dre 'ma!'

'Nage tad!'

'Troi trwyn nest ti erioed ar fama. Cogio bo' chdi'n ei licio hi yma i 'mhlesio i ... Wel, wyddost ti be? Dw inna'm yn licio Llanbedol chwaith! Llawn snobs capal sy'n meddwl bo' nhw'n well na pawb!'

"'Sa well gen i gael snob capal drws nesa na drygi!'

'Hwrê!' clapiodd Beca'n goeglyd. 'Chydig bach o onestrwydd o'r diwadd!'

'Isio'r gora i ni dw i! Does 'na'm byd o'i le ar Aberysgo. Dwi'm yn meindio rhentu yma am dipyn bach, dros dro. Dwi'n gwbod bo' gen ti feddwl mawr o'r lle. Fama gest ti dy fagu, ac ma' gen i *soft spot* am y lle am yr union reswm hwnnw ... Ond a ninna'n priodi rŵan, raid i ni feddwl o ddifri am y dyfodol. Wyt ti wir isio i'n plant ni fod yn ista ar y groes 'na yn yfad White Lightning ac yn cicio cania lawr stryd?'

'Steddish i erioed ar y groes 'na!'

'Fuest ti'n lwcus 'ta. Un criw gwirion ti isio ac maen nhw 'di mynd hefo'r lli.'

''Lly ti am i'n plant ni fyw yn ganol y wlad? Ti am eu cau nhw oddi wrth bawb a peidio gadael iddyn nhw brofi dim?'

'Dwi isio iddyn nhw fod allan yn chwarae yn y mwd, gneud dens a dringo coed! Bod yn ddiniwad heb boen yn y byd. Dwi isio iddyn nhw gael plentyndod fath â ges i … Wel, y plentyndod o'n i fod i'w gael, beth bynnag.'

'Dim isio'r gora iddyn nhw ydi hynny. Yr unig reswm ti isio fforsio'r bywyd yna arnan ni ydi am na chest ti o dy hun.'

'Ydi hynny mor ofnadwy?'

'Fedri di'm ail-fyw'r blynyddoedd coll 'na drwy dy blant, Gruffydd. 'Sa bywyd felly ddim yn deg ar neb … A dim ots lle 'nawn ni fyw, 'san ni'n prynu tŷ yn blydi Timbuktu, ddaw 'na'm byd â dy dad yn ôl.'

Cododd Gruffydd o'i gadair yn dawel, codi goriadau ei gar oddi ar y ddresel, a cherdded drwy'r drws.

'Shit!' gwaeddodd Beca, gan daflu'r holl daflenni ar lawr a dechrau beichio crio.

Agorodd ddrws yr oergell drwy ei dagrau gan balfalu am y botel Pinot Grigio oedd ar ei hanner ers neithiwr. Tolltodd ei chynnwys i wydr mawr, cyn mynd i orweddian ar y soffa yn y parlwr a rhoi rhyw sothach Americanaidd ar y teledu.

Argol, roedd Gruffydd yn ei gwylltio hi weithiau! Roedd o'n gwybod yn union pa fotymau i'w gwasgu! Roedd hi'n ei garu o, er gwaetha'i wendidau. Ond roedd hi'n caru ei bywyd yn Aberysgo hefyd, ac mi ddylai ddallt hynny. Doedd ganddo fo ddim llawer o ffrindiau agos. Amser digon caled gafodd y creadur yn yr ysgol. Ei fam oedd yr unig beth oedd yn ei ddal yn ôl, roedd hi'n gwbod hynny. Roedd honno'n ddynes ddigon clên, ac yn gwmni braf ar ambell bnawn Sul. Ac mi fyddai trefniant felly yn ei siwtio hi'n iawn. Ond os na châi hi fyw yn Aberysgo, ella y byddai'n well iddi ddod â phethau i ben rŵan. Pam ddylai hi gamu'n ôl i'w blesio fo?

Ddwy awr a hanner potel arall o win yn ddiweddarach, deffrodd Beca o drwmgwsg ar y soffa, a glafoerion yn diferyd o ochr ei cheg ar ei chlustog binc fflwfflyd. Canodd rhywun gorn car y tu allan a rhuthrodd at y drws i weld pwy oedd yno.

'Mae gen i syrpréis i chdi!' gwaeddodd Gruffydd drwy ffenest y car.

'Syrpréis?'

'Rho sgidia am dy draed a tyrd i'r car.'

'Pam? Lle 'dan ni'n mynd?'

''Sa fo'm yn syrpréis 'swn i'n deud wrtha chdi, na 'sa!'

'Pa mor hir 'dan ni am fod achos dwi isio cychwyn gneud swpar yn munud. Ma' gen i gyw iâr yn diffrostio ar y top.'

'Dau funud fyddwn ni.'

Plygodd Beca yn simsan i roi fflip-fflops am ei thraed cyn rhedeg at y car.

'Sori os 'nes i dy ypsetio di gynna,' meddai, gan roi cusan dyner ar ei foch.

'Hitia befo rŵan. Tyrd i weld be sgen i i chdi!'

Gyrrodd Gruffydd yn ofalus drwy'r dref, heibio'r clwb rygbi ac arwydd Aberysgo, cyn troi oddi ar y briffordd ar ryw hen lôn garegog, fwdlyd. Gyrrodd yn ei flaen am ryw bum munud cyn parcio'r car wrth adwy giât rydlyd.

'Ta-da!' meddai, gan ddal ei freichiau allan yn sioe i gyd.

'Ar be dwi'n sbio, del?' gofynnodd Beca'n ddryslyd.

'Ar ein cartra newydd ni. Sbia!'

Pwyntiodd Gruffydd at hen adfail bach cerrig yng nghanol cae mwdlyd.

'Ti mwy neu lai yn Aberysgo, ond eto yn y wlad. Da 'de!'

'Ond does 'na'm tŷ yma, Gruffydd.'

'Nag oes, rŵan. Ond mi fydd 'na mewn chydig flynyddoedd. Dwi 'di bod yn siarad hefo Iwan.'

'Yncl Iwan fi?'

'Ia, fo bia'r tir yma. Ti'n ei gofio fo'n sôn ei fod o wedi cael hawl cynllunio i adeiladu yma flynyddoedd yn ôl ond bo' 'na'm byd wedi dod ohono fo? Wel, dwi newydd fod yn siarad hefo fo ... a dwi am ei brynu fo!'

'Ti o ddifri?!'

'Yndw! O god, ti'n flin, dwyt! Dwi'n gwbod bydd raid i ni fyw mewn carafán neu *chalet* am dipyn bach ... ond dwi'n gaddo, mi fydd o werth o'n diwadd, wir i chdi! Dwi 'di gweld y cynllunia ac maen nhw'n anhygoel!'

'A ti am neud hyn i gyd i fi?'

'I ni, Beca. Hwn fydd ein byd newydd *ni* ... Be ti'n feddwl?'

Trodd Beca ato a'i gofleidio'n dynn.

DYDD MAWRTH, IONAWR 22, 2019

Estynnodd Beca dair cwpan a soser flodeuog o bellafion y cwpwrdd gwydr a'u gosod yn ofalus ar y tre Tetley, oedd wedi dod am ddim efo rhyw gwpons flynyddoedd yn ôl, debyg iawn. Tolltodd y dŵr berwedig i'r tebot, cyn gosod y cap rhyfedd wedi ei weu am ei ben fel pe bai'n gwisgo rhyw fabi hyll â choblyn o drwyn mawr. Roedd 'na gapiau rhyfedd ar sawl peth ym myngalo ei mam yng nghyfraith ar ôl meddwl am y peth. Ar y *toilet rolls* ... ar gaead y pan ... ar wyau wedi eu berwi amser brecwast, hyd yn oed. Roedd Beca yn gweld y cyfan yn reit ddychrynllyd, a dweud y gwir. Ond tasa ganddi gap ei hun yr eiliad honno, mi fyddai'n ei dynnu mor bell ag y gallai dros ei hwyneb.

'Sud mae'r te yn dod yn ei flaen, 'y nghariad i?'

Ymlusgodd Jean tuag ati yn y sliperi roedd hi a Gruffydd wedi'u prynu iddi ar ei phen-blwydd y llynedd.

'Ar fin dod â nhw allan o'n i, Jean.'

'Lle gest ti'r cwpana 'na?'

'O'r cwpwrdd gwydr.'

'O na! Ma'r rheina'n hen fel pechod! Ryw hen betha ges i pan oedden nhw'n ail-wneud y festri flynyddoedd yn ôl. Rhein dwi'n eu defnyddio,' meddai, gan dynnu rhyw bethau hyll, brown o'r cwpwrdd congl. 'Fedrwn i ddim cynnig te i barchedig yn yr hen betha blodeuog yna.'

Cadwodd Beca'r cwpanau eraill yn ufudd.

'Faint o fagia te roist ti yn y tebot?'

'Dau.'

Cododd Jean y caead a thaflu bag arall i mewn.

'Perffaith.' Roedd ei fab newydd farw, ond wrth gwrs, roedd rhaid i'r te fod o'r safon uchaf. 'Estyn baced o *fig rolls* o'r cwpwrdd, 'nei di, 'nghariad i?'

Ond doedd safon y bisgedi ddim yn golygu llawer iddi, yn amlwg. Aeth y ddwy i'r parlwr lle'r oedd y gweinidog yn eistedd ar y soffa yn astudio hen lyfr emynau. Gosododd Jean y tre yn ofalus ar un o'r byrddau bach *nest of tables*, cyn tywallt te i'r cwpanau.

'Sud mae hwnna'n edrach i chi, Mr Williams?'

'Braidd yn gryf, mae'n ddrwg gen i, Mrs Jones. Ond hitiwch befo. Mi wnaiff yn iawn.'

'Ac i minna hefyd, cofiwch. Ei di'm i ferwi mwy o ddŵr i roi drosto, 'mach i?' gofynnodd.

Gwenodd Beca a mynd â'r tre'n ôl i'r gegin.

'Sut ydach chi'n côpio, Mrs Jones?'

'Go lew ynte, Mr Williams. Wn i ddim be i neud hefo fi'n hun, a dweud y gwir wrthoch chi. Mae'r holl beth wedi dod fel cymaint o sioc. Dydi rhywun byth yn dychmygu y bydd rhaid iddyn nhw gladdu plentyn, na 'dyn. 'Y ngwas i. Dim ond y ddau ohonan ni sy 'di bod ers i ni golli'i dad.'

'Ia siŵr ... Ond dwi'n siŵr fod cael cwmni Beca

41

'ma yn gysur mawr i chi. Mae'r galar wedi'ch uno, rhywsut.'

'Mae Beca yn angel, ydi wir. Wedi bod yma hefo mi ers i ni gael y newydd. Dwn i ddim be 'na i pan fydd rhaid iddi fynd yn ôl, wir. Mae rhywun yn mynd yn unig, dydi ...'

'Te'n barod!' Rhuthrodd Beca i mewn a thywallt te i'r tair cwpan.

'Dwi wedi bod yn meddwl am y cnebrwng,' meddai Jean yn benderfynol. '"Pwy a'm dwg i'r ddinas gadarn" faswn i'n licio fel emyn gyntaf. Dyna gawson ni yn angladd Cliff.'

Dechreuodd Jean ganu yn ei llais capel gorau:

'Pwy a'm dwg i'r ddinas gadarn, lle mae Duw'n arlwyo gwledd ...!'

'Jean!' meddai Beca gan dorri ar ei thraws. ''Dan ni 'di siarad am hyn, 'do, Jean. Fedrwn ni'm trefnu dim nes y bydd yr heddlu wedi gorffan eu *investigation*, naf'dran.'

'O? Ydyn nhw'n amau fod rhywun wedi tramgwyddo?' gofynnodd y gweinidog yn fusneslyd.

'Mae rhaid iddyn nhw fod yn ofalus pan ma' rywun yr oed yna yn marw, does,' meddai Beca.

'Be oedd o'n ei neud allan yn y caeau yna ar ei ben ei hun, dyna dwi isio wbod.'

Dechreuodd Jean grio'n dawel.

'Peidiwch ag ypsetio rŵan, Jean,' meddai Beca. 'Glywoch chi be ddudodd y Ffion 'na, 'do. Cael gormod i'w yfed wnaeth o, mae'n siŵr, a mynd ar goll wrth drio ffeindio'i ffordd adra. Mi gawn ni o adra wythnos nesa, gewch chi weld. Hen *formality* ydi hyn.'

"Sa well tasa fo wedi aros yn Llanbedol. 'Sa fo ddim wedi twtsiad yn y stwff 'na tasa fo wedi bod yma. Mi welodd be wnaeth o i'w dad.'

'Gafodd o'i beint cynta yn bymthag oed!'

'Wel … mi newidiodd o ar ôl symud i Aberysgo … Mi roedd rwbath yn ei boeni o'r flwyddyn ddwytha 'ma.'

'Rhag 'ych cywilydd chi! Mi roedd y ddau ohonan ni yn uffernol o hapus i chi gael dallt! Dudwch be liciwch chi amdana i, ond mi roedd Gruff yn 'y ngharu i. Ac mi o'n inna dros 'y mhen a 'nghlustia hefo fynta hefyd. Mae 'nghalon i wedi torri.' Dechreuodd deigryn lifo i lawr ei boch cyn iddi ei rwbio yn sydyn â chefn ei llaw. 'Dwi'n gwbod 'ych bod chi'n galaru. Ond dw inna 'di colli 'ngŵr hefyd, cofiwch. Mae'n plania ni i gyd wedi chwalu'n racs jibidêrs … Dwn i'm be ddiawl dwi'n mynd i neud, a deud y gwir wrthach chi.'

Slyrpiodd y gweinidog gegiad fawr o *fig roll* ludiog roedd o wedi bod yn ei dyncio yn ei de, ac edrychodd y ddwy arno mewn sobrwydd.

'Beth am i ni weddïo?' meddai'n sydyn.

'Braidd yn hwyr i hynny, dydi,' meddai Beca'n siort, gan fachu'r paced bisgedi oddi arno'n sydyn. 'Esgusodwch fi … dwi'n mynd i fynd am awyr iach.'

Gafaelodd Beca mewn hen siaced i Gruffydd oedd yn hongian wrth y drws cefn. Rhoddodd hi amdani'n ofalus a chodi'r llewys hirion i'w hwyneb. Caeodd ei llygaid ac anadlu'n ddwfn. Roedd ei arogl arni o hyd. Ei Gruffydd hi. Cofleidiodd ei hun a dechrau beichio crio. Tynhaodd y sgarff am ei gwddw a rhoi ei dwylo ym mhocedi'r siaced yn gynnes. Agorodd y drws a chychwyn i lawr y dreif. Allai hi ddim aros hefo Jean lawer hirach. Doedd hi ddim am ffraeo hefo'r greadures. A dweud y gwir, roedd ei chysuro hi wedi tynnu ei meddwl oddi ar bethau yr wythnos yma. Ond gwyddai fod yr amser wedi dod iddi hithau alaru hefyd. Roedd yn bryd mynd yn ôl i Aberysgo.

DYDD MERCHER, CHWEFROR 4, 2015

Camodd Gruffydd yn ei flaen at y drws awtomatig gan ddisgwyl iddo agor iddo, ond ddigwyddodd yna ddim byd. Camodd yn ei ôl yn ddiamynedd gan fwriadu rhoi cynnig arall arni, ac agorodd y drws yn annisgwyl. Straffaglodd yn ei flaen am yr eildro, ond cyn iddo gael ei droed dros y trothwy, caeodd y drws yn glep o flaen ei drwyn.

'Blydi hel!' bytheiriodd gan wasgu'r botwm argyfwng. Agorodd y drws ymhen hir a hwyr ac ymlwybrodd Gruffydd at y dderbynfa'n ddigon sigledig.

'Alla i'ch helpu chi?' holodd y dderbynwraig dros ei sbectol.

Sychodd Gruffydd ddiferyn arall o waed oedd wedi llithro o'r cadach coch roedd o'n ei ddal ar ei dalcen. Syllodd yntau arni'n flin, heb owns o egni i'w sarhau.

''Y mhen i,' meddai Gruffydd yn dawel. 'Dwi'n gwaedu dipyn.'

'Enw?'

'Gruffydd Jones.'

'Dyddiad geni?'

'Hydref y 3ydd, 1993.'

'Cymrwch sedd. Mi wnawn nhw eich galw chi i mewn pan fyddan nhw'n barod.'

Edrychodd Gruffydd ar y seti hynod gyfforddus o'i flaen gan fachu'r un oedd agosaf ato. Digon distaw oedd hi yn yr adran ddamweiniau a hithau'n ganol bore. Hogyn bach a'i fraich mewn sling, un arall a choes ei drywsus wed'i rowlio i fyny a phecyn rhew ar ei ben-glin, a dwy wreigan swnllyd nad oedd dim o'i le arnyn nhw ar wahân i *verbal diarrhoea*, o be welai o.

'Mrs Jenkins?' galwodd un o'r nyrsys drwy'r drws cilagored. Ac mi roedd y sguthan honno wedi cael ei gweld o'i flaen o.

A fanno y bu yn aros ac yn gwylio'r ddau fachgen, dynes feichiog a dyn arall cloff oedd wedi cyrraedd ar ei ôl yn cael mynd i mewn o'i flaen. Roedd y cadach llestri yn socian o waed erbyn hynny a'i ben yn teimlo'n ysgafnach â phob diferyn. Mentrodd godi o'i sêt yn araf a llusgo ei hun at y dderbynfa. Syllodd y dderbynwraig arno dros ei sbectol unwaith eto.

'Alla i'ch helpu chi?' gofynnodd eto.

'Allwch chi roi syniad i mi pa mor hir fyddan nhw? Dydw i ddim yn teimlo'n grêt.'

Pwyntiodd y wraig drwynsur at boster ar y wal oedd yn cyhoeddi y câi 'pawb eu gweld yn ôl difrifoldeb eu cyflwr ac nid yn nhrefn mynediad' ac nad oeddynt yn derbyn 'unrhyw ymddygiad bygythiol tuag at staff'.

Fel yr oedd ar fin dweud wrthi siawns nad oedd colli digon o waed i lenwi bath yn ddigon o reswm i gael ei roi ar flaen y ciw, clywodd un o'r nyrsys yn galw ei enw o ben pella'r ystafell. Trodd ar ei sawdl yn sydyn a theimlodd ei goesau yn rhoi oddi tano. Rowliodd ei lygaid i gefn ei ben a llewygodd yn y fan a'r lle.

'Gruffydd ... Gruffydd ...'
Atseiniodd y llais addfwyn fel mêl yn ei glustiau.
'Gruffydd? Wyt ti'n 'y nghlywed i?'
Agorodd Gruffydd ei lygaid yn araf, ac wrth iddynt ddod i ffocws, y cwbl y gallai ei weld oedd dwy wefus berffaith yn sibrwd uwch ei ben. Meddyliodd am eiliad fod y diwedd wedi dod a'i fod wedi cael ei gludo i'r nefoedd. Ond ymhen eiliad roedd arogl disinffectant wedi llenwi ei ffroenau a matres rwber y troli yn oer ar ei gefn, ac fe'i llusgwyd yn ôl i realiti'n ddigon sydyn.
'Sut wyt ti'n teimlo?'
'Braidd yn chwydlyd,' meddai mwyaf sydyn. Estynnodd y nyrs ddysgl gardfwrdd iddo a chyfogodd fel ci o'i blaen.
'Sori,' meddai'n llawn cywilydd.
'Paid â phoeni, siŵr. Dwi wedi hen arfer.'
Estynnodd y nyrs ifanc gwpanaid o ddŵr iddo a hances i sychu ei geg.
'Be ddigwyddodd?' gofynnodd Gruffydd yn ddryslyd.
'Dyna o'n i am ofyn i chdi. Mi nest ti basio allan cyn i neb gael cyfla i gael golwg arna chdi.'
'Ydw i'n mynd i fod yn iawn?'
'Wyt tad. Chydig o bwytha a *fluids* a fyddi di ddim 'run un.'

'Disgyn 'nes i tu allan i tŷ ni. Llithro ar y rhew a waldio 'nhalcen ar y concrit.'

'Hegar,' meddai'r nyrs, gan dendio ar y clwyf yn dyner. 'Mi fydd raid i chdi gritio neu fydd rywun arall wedi cael codwm.'

'Dyna o'n i'n neud pan ges i godwm!'

Gwenodd y nyrs arno.

'Os wyt ti'n teimlo ddigon da, mi alla i neud y pwythau i chdi rŵan. Mi gei di aros yma am y pnawn i ddod atat dy hun a gobeithio y cei di fynd adra heno os fydd y doctor yn hapus. Sut ddoist ti yma bora 'ma? Nest ti'm dreifio, naddo?'

'Naddo. 'Di Mam ddim yn dreifio chwaith 'lly mi oedd raid i mi ddal y bỳs.'

'Dwi'n siŵr bo'r dreifar wedi gwirioni pan welodd o chdi,' chwarddodd.

Gwingodd Gruffydd wrth deimlo'r pwyth cyntaf yn mynd i mewn.

'Sori, del,' meddai'r nyrs yn addfwyn. 'Fydda i'm yn hir ... Un o lle wyt ti 'ta?'

'Llanbedol.'

'O. *Country bumpkin* Glan Dŵr oeddach chdi felly. I Aberysgo es i.'

'O'n i'n ama,' gwenodd Gruffydd, cyn teimlo pwyth arall yn llosgi drwy ei groen.

'Pam bo' chdi'n deud hynna?'

'I Aberysgo oedd y genod dela i gyd yn mynd.'

Gwenodd y nyrs.

'Beca ydw i, gyda llaw.'

'Gruffydd ydw i ... ond ti'n gwbod hynny'n barod, dwyt,' gwenodd.

'I Glan Dŵr aeth un o'n ffrindia i. Helen Pugh.'

'O ia, dwi'n nabod Helen. Mi roedd hi'n yr un flwyddyn â fi. Ond doedd hi ddim yn yr un dosbarthiada chwaith.'

'Nag oedd, beryg. Dipyn o rebal oedd hi yn yr ysgol o be o'n i'n ddallt. Siŵr bo' chdi'n y setia gora i gyd.'

'Dim i gyd ...' meddai Gruffydd yn ansicr.

'Does dim isio i chdi fod â chywilydd o'r peth. Mae'n syndod 'mod i wedi gneud cystal ar ôl gadael ysgol, a deud y gwir. Mi ro'n i'n rhy brysur yn potsian hefo hogia i wneud unrhyw waith. Mi o'n i'n lwcus 'mod i'n un dda am stydio munud ola.'

'Mi roedd gan Aberysgo dîm rygbi da ... hen betha budur oeddan nhw hefyd. Mi ro'n i'n casáu chwarae yn eu herbyn nhw. Yr hen ddiawl Aron Evans 'na oedd y gwaetha, yn pwnio rhywun yn slei bach yn y sgrym.'

'Dwi'n nabod Aron yn iawn. Hen fflam,' chwarddodd Beca.

'Wps!' chwarddodd yntau.

'Dim ers ysgol, paid â poeni. Hen hanes erbyn hyn.'

'Ac oes yna ... ym ... be am rŵan? Oes gen ti ... ym ...'

'Oes gen i gariad?'

'Ia,' meddai Gruffydd gan lyncu poer.

'Nag oes. *Young, free and single* ar hyn o bryd. Be amdana chdi?'

Ysgydwodd Gruffydd ei ben. Gwenodd hithau.

'Reit, dwi 'di gorffan hefo'r pwytha 'na. Dwyt ti ddim yn bwriadu operetio unrhyw *heavy machinery* yn y ddau ddwrnod nesa 'ma, nag wyt? Be ti'n neud yn job?'

'Na. Ar 'y nhin mewn swyddfa fydda i. Rheolwr technegol i gwmni compiwtars.'

'Www, posh,' meddai hithau gan chwerthin. 'Mi ddaw rywun arall yma i ffitio canwla i ni gael chydig o *fluids* i mewn i chdi. Fyddi di rêl boi wedyn. 'Sa chdi'n licio panad ne rwbath?'

'Ia, gyma i banad o de os nad ydi o'n ormod o draffarth.'

'Nadi siŵr. Wela i chdi'n munud, del.'

Winciodd Beca arno cyn mynd yn ei blaen at y claf nesaf. Gwenodd Gruffydd wrtho'i hun cyn chwydu i mewn i ddysgl arall.

Treuliodd y prynhawn yn hanner pendwmpian a hanner llygadu mynedfa'r ward rhag ofn i Beca alw heibio. Wedi iddo gael gorffwys roedd yn teimlo dipyn gwell. Ond erbyn i'r doctor ddod i ddweud y câi fynd adref roedd wedi hen golli'r bws olaf i Lanbedol.

'Dwyt ti'm dal yma?' holodd Beca, oedd yn ei chôt yn barod i fynd adref. 'Oes 'na ddoctor wedi dod i dy weld di?'

'Oes,' meddai'n nerfus a llond ei geg o datws a bîns. 'Maen nhw'n deud y ca i fynd, ond sgen i'm ffordd o fynd adra tan bora fory.'

'Fedar un o dy ffrindia di ddim dod i dy nôl di?'

'Na, does 'na neb ar gael,' meddai'n ansicr.

'O Gruffydd bach,' meddai. 'Aros am eiliad, mi a' i i weld be fedra i neud, ocê?'

Diflannodd y nyrs unwaith eto cyn dod yn ei hôl hefo beiro a ffurflen i'w llenwi.

'Rŵan 'ta, dwi ddim yn gneud habit o hyn, cofia.

Ond gan bo' chdi'n foi iawn a 'dan ni mwy neu lai yn nabod ein gilydd mae'r Sister wedi deud y ca i roi lifft adra i chdi. Mae o'n gneud sens, dydi, a finna'n pasio troead Llanbedol ar 'yn ffordd adra.'

'Wyt ti'n siŵr?' gofynnodd Gruffydd, gan geisio ei orau glas i guddio'r cyffro yn ei lais. 'Does 'im raid i chdi, 'sti.'

'Na, mae'n iawn siŵr. Dwi isio helpu. I fod yn berffaith onast hefo chdi, 'sa chditha yn gneud ffafr hefo fi hefyd. Dwi'n casáu dreifio adra'n hun pan mae hi 'di twllu. Dwi'n gneud y job 'ma ers jest i ddwy flynadd a dwi dal ddim wedi dod i arfar hefo hynny. A mae'n waeth yn y gaea fel hyn.'

'Wel, os wyt ti'm yn meindio'r cwmni mi fysa lifft yn grêt, diolch yn fawr iawn i chdi.'

Helpodd Beca fo i roi ei esgidiau a'i gôt amdano a gafaelodd yn ei law i gerdded at y car. Teimlodd Gruffydd ei gledr yn wlyb o chwys er ei bod yn rhewi'r tu allan. Taniodd Beca'r injan a helpodd Gruffydd hi i ddadmer y rhew ar y ffenest flaen. Cychwynnodd y car o'r maes parcio a throdd Beca'r peiriant CD ymlaen i dorri ar y distawrwydd chwithig. Bloeddiodd 'Abacus' Bryn Fôn drwy'r sbicyr a brysiodd i droi'r sŵn i lawr.

'Sori,' meddai Beca gan gochi. '*Guilty pleasure.*'

'Gìg Cymdeithas yr Iaith, Wrecsam, 2011,' meddai Gruffydd. 'Mi o'n i yn y rhes flaen hefo'n Smirnoff Ice.'

Chwarddodd Beca, cyn troi'r CD yn uwch.

Sgwrsiodd y ddau yr holl ffordd adref a theimlodd Gruffydd ei hun yn ymlacio fwyfwy yn ei chwmni. Doedd o erioed wedi teimlo mor gyfforddus yng nghwmni merch o'r blaen. Soniodd Beca am ei nosweithiau allan gwallgof a soniodd yntau am ei fam. Roedd y ddau yn chwerthin gymaint fel y methodd Beca'r troad am Lanbedol. Trodd i lawr hen ffordd garegog ddieithr a gofynnodd i Gruffydd droi'r car iddi. Aeth ei breichiau yn groen gŵydd i gyd wrth iddo roi ei fraich am ei sedd a bagio'r car ag un llaw ar yr olwyn. Camodd y ddau allan o'r car unwaith eto cyn dod wyneb yn wyneb â'i gilydd o flaen y bonet. Closiodd Gruffydd ati a theimlodd ei hanadl yn gynnes ar ei wyneb, cyn newid ei feddwl yn sydyn a'i phasio i'r ochr arall.

'Wel, dyma ni 'ta,' meddai Beca, gan wenu'n obeithiol arno.

Trodd Beca'r gerddoriaeth yn is a chodi'r brêc, a thynnodd Gruffydd ei felt.

'Ia ...' meddai yntau'n chwithig. 'Alla i'm diolch digon i chdi am y lifft. Do'n i ddim yn edrach ymlaen at gysgu ar yr hen wely caled yna heno.'

'Croeso siŵr. Unrhyw adeg ... Ti'n siŵr bo' chdi'n iawn rŵan?'

'Yndw. Mae Mam yn disgwyl amdana i.'

Oedodd Gruffydd am eiliad cyn agor y drws a chamu allan i'r awyr oer.

'Hwyl rŵan,' gwaeddodd.

'Hwyl,' atebodd hithau, cyn iddo gau'r drws yn glep ar ei ôl.

Brasgamodd Gruffydd at y drws ffrynt yn wyllt gacwn hefo'i hun am fod yn gymaint o fabi. Bytheiriodd dan ei wynt wrth iddo balfalu am ei oriadau yn ei boced a chamodd ar y stepen yn barod i agor y drws. Ac fel rhyw gartŵn Tom a Jerry, dechreuodd ei ddwy droed lithro yn yr unfan am rai eiliadau ar y rhew nad oedd wedi llwyddo i'w ddadmer y bore hwnnw, cyn iddo ddisgyn yn ei ôl a glanio'n ddiseremoni ar ei asgwrn cefn gyda chlec.

Roedd Beca wedi bagio'r car erbyn hynny ac yn barod i yrru am adref. Ac wrth iddi gymryd cipolwg olaf yn ei hôl cyn cychwyn, y cwbl y gallai ei weld drwy'r ffenest oedd dwy goes yn yr awyr a thwll anffodus yng ngafl Gruffydd.

'Wyt ti'n iawn?' gwaeddodd yn bryderus, wrth iddi redeg tuag ato.

'Yndw,' meddai yntau'n gryg, gan ymdrechu i godi ar ei eistedd yn llawn cywilydd.

'Ti'n siŵr? Gest ti dipyn o godwm.'

'Dwi'n mynd i fod yn stiff fory, dydw.'

Chwarddodd Beca.

'*Mae* yna rwbath yn 'y mhoeni i, 'de.'

'Be?' gofynnodd Beca'n ofidus.

'Dwi wedi bod isio gofyn i chdi ddod ar ddêt hefo fi ers oeddan ni yn yr ysbyty, a dwi dal heb ddeud dim wrtha chdi.'

Gwenodd Beca.

'Wel? Be ti'n ddeud? Ti'n meddwl 'swn i'n cael mynd â chdi allan ryw noson?'

'Dwn i'm,' meddai hithau'n ddifrifol.

Gwelwodd wyneb Gruffydd.

'Mae 'na waith llenwi ar yr hen ffurflenni *risk assessment* 'na,' meddai Beca wedyn.

Chwarddodd Gruffydd. A chyn i Beca gael cyfle i roi ateb iawn iddo, roedd wedi ei thynnu i lawr tuag ato a phlannu cusan anferth ar ei gwefusau.

DYDD IAU, IONAWR 24, 2019

'Dyna chdi, 'ngwash i. Swatia di.'
Rhoddodd Gwenno'r bychan i orwedd yn ofalus yn y fasged a'i fwytho'n dyner ar ei foch.

'Dwi'n dy garu di, cofia,' sibrydodd, cyn mynd i eistedd ar y soffa ac yfed y baned hirddisgwyliedig, oedd wedi hen fynd yn oer erbyn hynny. Fel yr oedd yn gwneud ei hun yn gyfforddus, clywodd gnoc ar y drws.

'Blydi hel! Mi fydd 'na le 'ma os 'dach chi'n ei ddeffro fo, 'de!' bytheiriodd. Brwydrodd drwy'r tocyn o deganau meddal a chadachau mwslin ar lawr, ac ymlwybro at y drws yn ofalus. Rhoddodd ei bys ar ei cheg yn barod ac agor y drws yn araf.

'Haia,' meddai Beca'n dawel. 'Dwi 'di dod â caserol.'
Gwenodd Gwenno arni a'i chofleidio'n dynn.

'O Beca bach,' meddai, a'r dagrau yn powlio i lawr ei bochau yn syth bìn. 'Fi ddylai fod yn gneud caserol i chdi! Tyrd i mewn o'r gwynt 'na. Awn ni i'r gegin. Mae Guto newydd fynd i gysgu.'

Tynnodd Beca ei chôt a'i sgarff ac eistedd wrth y bwrdd, oedd yn frith o boteli babi, *sterilisers* a dymis. Aeth Gwenno i ferwi'r tegell.

'Biff ydi o … y caserol,' meddai.

'Wwww, lyfli, Beca. Diolch.'

''Sa chdi'n gallu ei rewi os nad wyt ti isio ei fyta fo heno. O'n i'n meddwl ella 'sa'i'n neis i chdi gael rhywun i gwcio i chdi am tsiênj. Tsians bach i chdi roi dy draed i fyny pan mae'r bychan wedi mynd i'w wely ... Mae gen i ormodedd o amser ar fy nwylo dyddia yma. Mi oedd hi'n braf cael rwbath i basio'r amser.'

'Wyt ti'n ôl yn Ffrwd rŵan?'

'Na, dwi am aros hefo Mam a Dad am dipyn bach. Fedra i'm wynebu mynd yn ôl i'r garafán yna ar fy mhen fy hun eto.'

'Ti'n meddwl ei di'n ôl?'

Oedodd Beca am eiliad a chymryd llymaid hir o'i choffi.

'Wsti be, Gwenno. Dwi'm yn gwbod be dwi'n mynd i neud a deud y gwir wrtha chdi. Cartra teulu oedd y tŷ 'na i fod. Mi roedd gan Gruff gymaint o syniada. Be ddiawl 'na i ar fy mhen fy hun mewn lle mor fawr, 'de?'

'Does 'na'm brys eniwe, nag oes. 'Sdim isio i chdi ruthro i neud unrhyw benderfyniada rŵan. Ma' gen ti ddigon ar dy blât.'

Cymerodd Beca gegiad arall o'i choffi a syllu ar y nenfwd heb yngan gair am rai eiliadau.

'Sud w't ti, Beca?' gofynnodd ei ffrind yn bryderus. 'Yna chdi dy hun, 'lly?'

'Dwi'n ocê 'sti, am wn i. Dwn i'm sud dwi fod i deimlo, a deud y gwir wrtha chdi. Mae'r peth mor fawr, dwi'm yn meddwl 'mod i wedi cael fy mhen rownd o eto.'

'Be 'di'r diweddara hefo'r plismyn?'

'Maen nhw dal yn gneud eu hymholiada. Chawn ni'm ei gladdu o nes ma'r crwner yn hapus.'

'Be ddiawl sy'n cymryd mor hir?'

'Maen nhw wedi gneud post mortem. Hypothermia gafodd o'n diwadd, mae'n debyg. Ond mae'n amhosib bod yn bendant achos does 'na'm ffordd i fedru ei brofi fo'n iawn, meddan nhw. Raid iddyn nhw jest mynd yn ôl sud a lle gafodd o'i ffeindio. Fydd raid cael cwest, ma'n siŵr, am ei fod yn *unexpected death*. Ond mi gawn ni gynnal hwnnw ar ôl y cnebrwng.'

'Ond be am y criw rygbi? 'Dyn nhw 'di bod yn siarad hefo nhw eto?'

'Mi wnaeth o aros yno am dipyn bach, meddan nhw, ond mi aeth o adra'n fuan. Welodd neb mohono fo'n gadael.'

'*As if*! Sud ddiawl gafodd o tsians i yfad fel nath o?'

Cododd Beca ei hysgwyddau.

'Mae 'na rwbath yn mynd ymlaen yn fanna, *guaranteed*!' meddai Gwenno.

'Ti'n gwbod fel fi y bysa cael y rheina i achwyn ar y naill a'r llall fel tynnu gwaed o garrag! Gad iddyn nhw, mi ddaw'r gwir allan yn diwadd, gei di weld.'

Cododd Beca ar ei thraed yn anniddig.

'Sud w't ti, Gwenno, a Guto bach?' gofynnodd.

'Argol, mae dy weld di wedi codi 'nghalon i, cofia!'

'Mae o'n blydi waith calad 'de, fel gweli di!' chwarddodd. 'Ond dwi'm yn meddwl 'mod i erioed wedi bod mor hapus, 'sti. Newid byd go iawn.'

'O, dwi mor falch,' gwenodd Beca. 'Mi roedd y genod

ar y dderbynfa yn cofio ata chdi. Alwodd Jess i 'ngweld i ddoe hefo cerdyn.'

'Chwara teg iddi. Dwi 'di deud wrthyn nhw 'mod i am gymryd y flwyddyn off. Manteisio ar y cyfnod yma hefo fo, 'de.'

'Call iawn, Gwen. Mi eith ddigon sydyn. Fedra i'm aros i gael mwytha hefo fo'n munud! A be 'di'r *latest* hefo *fo*?'

'Dim newid.'

'Ti'm 'di meddwl mwy am ddeud wrtho fo, 'lly?'

'Pam ddiawl 'swn i isio difetha hyn? 'Dan ni'n well hebddo fo.'

'Dwi'n gwbod bo' chdi'n ocê, del ... ond ti'm yn meddwl y bysa fo'n licio gwbod bo' gynno fo fab allan yna'n rwla?'

''Sa fo'm isio dim byd i neud hefo fo eniwe, hyd yn oed os fysa fo'n ffeindio allan ... Troi ei gefn arno fo fysa fo'n diwadd, a fedrwn i'm gneud hynny i Guto. Well gen i iddo fo beidio cychwyn perthynas hefo fo o gwbl.'

'Sud w't ti'n gwbod na dyna 'sa fo'n neud? Ella bod o'm 'di dy drin di'n dda iawn, ond 'di hynny'm yn deud y bydd o'n dad gwael, nadi. Ella 'sa fo'n grêt am y peth.'

Rowliodd Gwenno ei llygaid.

'Mi fysa'n braf i chdi gael rywfaint o help, bysa,' meddai Beca wedyn. 'Dim jest pres rŵan, ond brêc bach bob hyn a hyn. Ryw ddydd Sadwrn yma ac acw ... 'Sna'm raid i chdi neud hyn ar dy ben dy hun, 'sti.'

"Sa chdi'n gwbod pwy 'di o 'sa chditha'n cytuno hefo fi,' meddai'n dawel.

'Deud wrtha i 'ta, Gwenno! Helpa fi i ddallt!'

Cododd Beca ei llais mewn rhwystredigaeth. Sgrechiodd Guto o'r parlwr mwyaf sydyn, a rhuthrodd Gwenno i'w gysuro.

'Shit! Sori, Gwen. 'Nes i'm meddwl.'

'Mae'n iawn,' gwenodd yn faddeugar. 'Mi setlith eto ar ôl cael dymi, 'sti.'

'Dwn i'm be sy 'di dod drosta fi. Dwi'n ffraeo hefo pawb 'di mynd.'

'Ti newydd golli dy ŵr, Beca. Ma' gen ti hawl i fod rom bach yn flin, 'sti ... Mae gen ti hawl i fod yn flin iawn a deud y gwir wrtha chdi ... Ti ffansi cydl bach?' gofynnodd, gan godi Guto o'i fasged, ei lygaid bach wedi cau yn dynn mewn trwmgwsg braf.

'Ia plis,' gwenodd hithau.

Magodd Beca'r babi'n gariadus a dechrau crio am y pumed tro'r prynhawn hwnnw.

'Ti'n cael yr hunllefa 'na weithia, Gwen? Pan ti wirioneddol ofn? Ti'n trio gweiddi ond does 'na'm byd yn dod allan?'

'Ydw weithia.'

'Wel dyna'n union sut dwi'n teimlo. Dwi isio gweiddi a sgrechian. Dwi'n ei deimlo fo yng ngwaelod 'y ngwddw yn fama, yn ysu i ddod allan, ond neith o ddim. Mae o'n trio dengyd drwy 'nagrau i, ond 'di crio byth yn ddigon iddo fo. Mae o dal yna'n gwitsiad fath â ryw driog du.'

'Mae petha'n mynd i fod yn shit am dipyn, dydyn, Becs. A dwi'm yn meddwl bod 'na'm byd y galla i ddeud na'i neud i wneud i chdi deimlo'n well ar hyn o bryd. Ond plis cofia 'mod i yma i chdi, ddydd neu nos. Os ti isio siarad hefo rhywun ne weiddi ar rywun, dwi yma i wrando. Dim beirniadaeth. Ddown ni drwy hyn hefo'n gilydd. *Beca and Gwenno against the world.*'

Gwyrodd Beca ei phen tuag at y bychan yn ei chôl a'i gusanu'n dyner ar ei foch. Roedd yr arogl yna yn ei chael hi bob tro. Arogl babi newydd. Mwythodd ei wallt euraidd, a hwnnw'n teimlo fel sidan rhwng ei bysedd. Doedd hi erioed wedi meddwl am blant ... ddim go iawn. Tydi pob merch ifanc yn breuddwydio am gael babi bach i'w wisgo mewn dillad del selog a mynd ag o am dro mewn pram? Ond doedd y bwydo a'r crio, y gwaith go iawn, erioed wedi apelio ati. Feddyliodd hi erioed am fod yn fam. Ddim tan iddi weld y llinell fach las yna yn ymddangos yn annisgwyl rhyw bnawn dydd Sadwrn ...

DYDD SADWRN, IONAWR 13, 2018

'Wel? ... Be mae o'n ddeud?!' gwaeddodd Gwenno o dan ddrws y ciwbicl yn Debenhams.

'Positif ...' meddai hithau'n dawel, gan deimlo'r cyfog yn codi i'w cheg unwaith eto.

'Be?!'

'Dwi'n disgwyl!' gwaeddodd.

'Shhhh!' meddai Gwenno, gan weld y ddwy wraig oedd yn ymbincio wrth y sinc yn twt-twtian.

'Mae'n iawn, chi, mae 'di dyweddïo!' meddai Gwenno gan chwerthin.

'Be dwi'n mynd i neud, Gwenno?!'

'Be ti'n feddwl ti'n mynd i neud? Ti'n mynd i gael babi, dwyt!'

'Ond ... Ond fedra i'm bod yn fam, Gwenno. Prin fedra i edrach ar ôl 'yn hun. A be am y briodas? Fydda i fath â morfil yn cerddad i fyny'r eil 'na!'

'Paid â bod yn wirion! Dim hogan ysgol wyt ti rŵan 'di cael damwain 'rôl bod tu ôl i *gym*, nage. Ti 'di dyweddïo, mae gen ti gariad lyfli, a mae gan y ddau ohonach chi jobsys da. Dyma be sy fod i ddigwydd pan 'dan ni'r oed yma, 'de.'

'Ond be ddudith Gruffydd? Doeddan ni'm yn trio ...'

'Fydd Gruffydd wedi gwirioni, siŵr, ti'n gwbod bydd o. Fydd o'n bob dosbarth *antenatal*, pob apointment *midwife*, ac yn gafael yn dy law di pan fydd yr awr fawr yn dod.'

Tynnodd Beca'r tsiaen yn sydyn i guddio sŵn ei chrio. Lapiodd y prawf mewn darn o bapur toilet a'i daflu i'r bin, cyn agor y drws yn araf.

'Iawn, *baby mama*?' chwarddodd Gwenno. 'Tyrd, awn ni i sbio ar y dillad babis!'

'Paid â bod yn wirion! Mae gynna i naw mis i boeni am betha felly, siŵr.'

'I be sy angan poeni? Dwi wrth 'y modd yn sbio ar ddillad babis, yn enwedig yr hen dreiners bach ciwt 'na. Ma' gen i esgus rŵan, does. Tyrd.'

Llusgodd Gwenno ei ffrind i ganol y *babygrows* a'r blancedi.

'Sbia del!' dotiodd Gwenno, gan godi'r pâr lleiaf o ddyngarîs melyn a llun cwningen fach ar eu blaen.

'*Mae* rheina'n ddel,' gwenodd Beca.

'Be am i chdi eu prynu nhw? 'San nhw'n gneud i hogyn neu hogan, bysan ... 'Sa chdi'n gallu eu gadael nhw ar y bwrdd yn syrpréis i Gruffydd pan ddaw o adra o'i waith.'

'Ti'n meddwl?'

''Sa fo wrth ei fodd. A dwi'n siŵr 'sa well gynno fo weld rhain wrth ymyl ei sosej a mash na ryw ffon fach ti 'di piso arni.'

Roedd Gruffydd wedi cynhyrfu'n lân wrth gwrs. Ac wrth iddo ddechrau sôn am enwau ac edrych am brams a chotiau ar y we, dechreuodd hithau feddalu i'r syniad dros yr wythnosau canlynol. Daliai ei hun yn rhwbio'i bol bach bob hyn a hyn, a hyd yn oed yn sibrwd wrtho yn ddistaw bach pan orweddai ar y soffa fin nos.

Pan welodd y dropyn cyntaf hwnnw o waed ar ei dillad isaf y noson honno, allai hi ddim peidio â chrio. 'Dwi 'di'i golli o,' meddai wrth Gruffydd, a'r dagrau'n powlio i lawr ei bochau.

''Dan ni'm yn gwbod hynny eto, na 'dan. Mae 'na rei genod sy'n gwaedu am naw mis, does, ac 'im yn gwbod eu bod nhw'n disgwyl hyd yn oed. Does 'im isio i chdi banicio nes ti 'di siarad hefo nyrs.'

Peidiodd y gwaedu am ychydig ddiwrnodiau, a gadawodd iddi'i hun freuddwydio am dipyn nad oedd y golled erchyll hon yn digwydd iddi hi. Ond gwyddai ym mêr ei hesgyrn beth oedd o'i blaen. Allai hi ddim rhoi ei bys arno, ond doedd hi ddim yn teimlo'n feichiog rhywsut. Pasiodd yr ysfa i rwbio'i bol, ond parhaodd i sibrwd wrth ei babi bach pan wyddai nad oedd neb yn gwrando.

Dechreuodd waedu eto ymhen yr wythnos, a hwnnw mor drwm nes i Gruffydd orfod mynd â hi i'r uned ddamweiniau. Ni chafodd y term *miscarriage* ei yngan unwaith tra oeddynt yno, ond roedd wyneb y doctor yn ddigon o gadarnhad i'r ddau. Tynnodd y mymryn lleiaf o gnawd o'i thu mewn, a gosododd y nyrs ef yn ofalus mewn dysgl gardfwrdd. Hwnnw, mae'n debyg, oedd y baban nad oedd i fod.

Cafodd ei galw'n ôl y bore wedyn am sgan, a dywedodd y seingraffydd yn gwbl blaen nad oedd dim ar ôl, oedd yn 'newyddion da iawn', mae'n debyg. Hwnnw oedd ei sgan cyntaf a doedd dim ôl o'r bychan yn ei bol gwag. Ar wahân i'r dystiolaeth leiaf mewn bin yn nhoiledau Debenhams, doedd hi erioed wedi bod yn feichiog.

Gwnaed iddi arwyddo ffurflen ganiatâd cyn gadael ynglŷn â'r hyn yr hoffai iddynt ei wneud hefo'r cnawd. Ymlosgiad yn yr ysbyty roedd y rhan fwyaf o famau yn ei ddewis, meddai'r nyrs.

'Mi 'na i hynny felly,' meddai Beca'n dawel, gan deimlo'r dagrau'n gwasgu ar ei chorn gwddw unwaith eto.

'Fysat ti'n licio i ni drefnu i rywun wneud bendith fach cyn y *cremation*?' gofynnodd y nyrs iddi wedyn.

I be oedd angen bendithio rhywbeth nad oedd wedi byw?

'Na, mae'n iawn diolch ... Dwi jest isio mynd adra.'

DYDD GWENER, CHWEFROR 1, 2019, 9:20 y.b.

'Tafla'r sbanar 'na i fi, Glyn!'

Sticiodd Aron ei law allan o grombil yr *yacht*, a phasiodd Glyn un o'r teclynnau iddo'n freuddwydiol.

'Sbanar, Glyn! Sbanar! Dim blydi sgriwdreifar!'

'O, sori ... Hwda.'

'Be sy'n bod arna chdi heddiw?' bloeddiodd o berfeddion y cwch.

'Be ti'n feddwl sy'n bod arna i?' gwylltiodd, gan neidio oddi ar y bwrdd a mynd i'r swyddfa i ferwi'r tegell.

'O'n i'n meddwl bo' petha wedi eu sortio rŵan ar ôl 'yn *chat* ni neithiwr? Hypothermia gafodd o 'de, dyna mae pobl yn ddeud. 'Di meddwi gormod a mynd i gysgu ... Raid i chdi ddropio'r peth rŵan ne fyddi di 'di gneud dy hun yn sâl.'

'Digon hawdd i chdi ddeud! Fi oedd yn cael *grilling* gan y blydi Ffion 'na yn y clwb rygbi! ... Be ti isio, te 'ta coffi?'

'Te ... Gwbod bo' chdi'n *easy target* ma'i, 'de. Boi gonast. Meddwl 'sa chdi'n blabio 'sa chdi'n gwbod rwbath.'

65

'Ti'n meddwl bo'i'n amau rwbath?'

'Hyd yn oed os fysa hi, does 'na'm ffordd iddi fedru profi dim, nag oes. Mond ni sy'n gwbod be ddigwyddodd noson honno, 'de, a does 'na'r un ohonan ni yn mynd i ddeud wrthi, nag oes.'

'Dwi'm yn dallt sud fedri di fod mor *calm*.'

Dringodd Aron i fyny'r ystol fechan ac eistedd ar fwrdd y cwch, gan hongian ei draed dros yr ochr.

'Be arall dwi'n mynd i neud, 'de? Ma'r llanast 'di'i neud rŵan, 'do ... Rhaid i ni jest tynnu llinell o dan yr holl beth a symud ymlaen.'

Dringodd Glyn i fyny'n ei ôl ac eistedd wrth ei ochr. Eisteddodd y ddau yno am rai munudau yn sipian eu paneidiau'n dawel.

'Braf ar rei!'

Cerddodd Rhys i mewn a llond ei hafflau o botiau paent.

'Te ddeg 'de,' meddai Aron.

'Di hi'm yn hannar awr wedi naw eto! Slacars! Ddoth catalog newydd Mitsubishi drwy'r post?'

'Do, mae o ar y ddesg,' meddai Rhys. 'Ti dal yn meddwl cael injan newydd i'r *Sapphire* 'lly?'

'Yndw,' gwenodd Rhys.

'Sa'i'm yn rhatach i chdi brynu cwch newydd, dwa?' chwarddodd Glyn.

'Dim dyna 'di'r pwynt, nage. Mae'n *labour of love*, dydi. Dwi 'di comitio rŵan, 'do ... Alli di'm ffeirio dy misus i mewn os 'di hi'n mynd i edrach braidd yn hen, na fedri.'

'Na fedri, mae'n siŵr,' gwenodd Glyn.

'Ti'n sticio iddi a talu am fymryn o *blastic surgery*.'

'Atgoffa fi pam ti'n *single* eto?' chwarddodd Glyn.

'Fydda i'm yn *single* am yn hir pan fydd honna'n ôl ar y dŵr gen i! Fyddan nhw'n ciwio lawr y marina i gael mynd am reid!'

'Well i chdi roi arwydd i fyny i'w rhybuddio nhw i ddod â snorcyl hefo nhw!' pryfociodd Aron.

'Ha ha, doniol iawn! Ddoth hi'n handi iawn pan oeddach chdi isio mynd â'r fodan 'na am dro, 'do!'

'Pa fodan?' gofynnodd Glyn.

'Y fodan ddudish i wrth Rhys am gau'i geg amdani!' meddai Aron yn flin.

'Callia, Aron,' chwarddodd Rhys. ''Dan ni i gyd yn ffrindia, dydan.'

'Pryd oedd hyn?' gofynnodd Glyn yn amheus.

'Fisoedd yn ôl,' meddai Aron yn nerfus. 'Mond dêt oedd o.'

'Hefo pwy?'

'Ryw hogan o dre ... ddoth 'na'm byd ohono fo. Gadwish i o'n dawal achos 'mod i'm isio i chi'n haslo i yn y stafall newid.'

'Dim Beca oedd enw'r fodan 'ma, nage?'

'Nage! Rŵan gawn ni stopio trafod 'yn *love life* i, plis! Dwi'n siŵr bo' gynnach chi rwbath difyrrach i siarad amdano fo!'

Llowciodd Aron lond cegiad o de yn sydyn a mynd yn ei ôl i waelodion y cwch.

'Pwy sy 'di piso ar ei tsips o?' gofynnodd Rhys.

'Hitia befo fo. Mae'r wythnosa dwytha 'ma 'di bod yn galad arnan ni i gyd, dydyn.'

67

'Ti'n meddwl bo' 'na fwy i'r busnas Beca 'ma na 'dan ni'n feddwl?'

'Gobeithio ddim, wir dduw, ne ma' petha newydd droi gan gwaith gwaeth! … Reit, well i mi fynd i neud rywfaint o waith papur ne fydd Jôs ar ein cefna ni eto!'

'Ffansi peint nos fory?' gofynnodd Rhys. 'Mond un neu ddau. Mam yn cael un o'i chyfarfodydd *Tupperware* acw eto.'

'Ocê, boi. 'Di busnas yn mynd yn dda gynni hi 'lly?'

'Ma' hi wrthi bob mis. Siŵr bod 'na alw mawr amdano fo.'

Oedodd Glyn am eiliad.

'Ti'n siŵr na *Tupperware* ma' hi'n werthu, wyt? Do'n i'm yn meddwl bo' nhw dal yn gneud petha felly.'

'Ydyn siŵr. Ma' 'na lond bocsys o'r petha yn y *conservatory*. Dim lle i droi rownd.'

'Ti 'di gweld y *Tupperware* 'ma 'lly?'

'Wel … naddo. Ond fedra hi'm bod yn gwerthu dim byd arall. Dydi hi'm yn ddynas mêc-yp o gwbl.'

'Mae 'na betha erill y medra hi fod yn ei werthu, 'sti,' chwarddodd Glyn yn awgrymog.

'Be ti'n feddwl?'

'Ti 'di clywad am Ann Summers, do?'

'Pwy 'di honno?'

'Cwmni sy'n gneud dillad isa … a ballu.'

'O … Wel mi fysa hynny'n egluro pam bo'r bocsys 'na mor fawr. 'Sa raid cael blwmars go seisabl i gyfro penola amball un o'r rheina!'

Trodd Glyn ei drwyn.

'Reit, 'nôl at y gaib a'r rhaw!' meddai'n sydyn. 'Cadwa lygad arno fo, 'nei di, boi? Fedrwn ni'm fforddio gneud camgymeriada heddiw. Ma' gynnan ni ddigon ar ein plât.'

Sychodd Beca'r angar oddi ar ffenestri'r garafán a throi'r gwresogydd nwy ymlaen. Troellodd yr aer o'i cheg yn gymylau cynnes, a thynnodd ei chôt yn dynnach amdani. Roedd popeth yn union fel ag yr oedd wedi'i adael y bore hwnnw ar ôl i'r heddlu alw. Mygiad o de ar ei hanner ar y bwrdd bach, a hen groen hufennog wedi hel arno. Llond y sinc o lestri budron a'i chylchgrawn *OK* ar agor ar y bwrdd coffi. Roedd hi wedi bod yn noson galed yn yr ysbyty, a'r cwbl roedd hi wedi bwriadu ei wneud y bore hwnnw oedd cael paned sydyn a dengyd i'w gwely am ychydig oriau. Doedd hi ddim yn orbryderus nad oedd Gruffydd adref i'w chroesawu. Mi fyddai wedi gwneud brecwast yn barod iddi ar ôl ei shifft nos fel arfer, a'r garafán fel pìn mewn papur. Ond gwyddai pa mor wirion y gallai'r hogiau fod ar ôl treining nos Wener. A daeth i'r casgliad ei fod yn cysgu ar soffa yn rhywle â'i benmaen mawr cyntaf ers iddo fod yn y coleg. Doedd hi ddim am fynd i'w ffonio i swnian. A dweud y gwir, roedd yn falch ei fod wedi meddwi ychydig a chymysgu hefo'r lleill.

Mae 'na rai yn dweud mai un o'u hunllefau mwyaf yw gweld dau blismon yn sefyll ar stepen y drws. Ond pan welodd Beca y ddau swyddog ifanc yn gwenu arni'r bore hwnnw, fe'u cyfarchodd hi nhw'n gynnes iawn. Feddyliodd hi ddim am eiliad fod yna unrhyw beth o'i le nes i'r geiriau erchyll hynny ddod o'u pennau.

Agorodd y tap dŵr poeth er mwyn llenwi'r sinc, ond er troi a throi, ddaeth yna'r un dropyn allan. 'Damia!'

Roedd y beipen wedi rhewi, mae'n siŵr, â'r lle wedi bod yn wag cyhyd. Eisteddodd ar y soffa fechan wrth y tân a throi'r teledu ymlaen. Teimlodd yr ystafell yn dechrau cynhesu o'i chwmpas a golau oren llachar y gwresogydd yn goleuo'r ystafell fel groto. A chafodd ei hatgoffa am eiliad sut yr arferai pethau fod ... Ond doedd yna neb yn eistedd wrth ei hochr heddiw, neb yn sgwrsio, neb yn mwytho, a theimlai'r garafán yn anferth am y tro cyntaf erioed. Teimlodd Beca ei llygaid blinedig yn cau am eiliad, cyn iddi glywed rhywun yn taro'r ffenest uwch ei phen. Rhwbiodd dwll bychan yn yr angar unwaith eto, a gweld Ffion yn codi llaw. Cododd ar ei thraed yn sydyn a mynd i agor y drws.

'Mae'n ddrwg gen i styrbio, Beca. Ddudodd dy fam mai yn fama fysat ti. Oeddat ti'n cysgu?'

'Nag o'n, dwi'm yn meddwl,' gwenodd yn faddeugar. 'Dewch i mewn. Fedra i'm cynnig panad i chi, sori. Sgynna i'm dŵr.'

'Paid â poeni, siŵr, 'na i'm aros yn hir i ti gael llonydd. Jest isio holi chydig o gwestiynau o'n i.'

'Dwi'm yn gwbod be arall fedra i ddeud wrthach chi, cofiwch.'

'Dduda i wrthat ti be sydd,' meddai Ffion, gan fynd i eistedd wrth y tân. 'Mi rydan ni'n poeni braidd nad ydan ni wedi dod o hyd i'r dillad roedd Gruffydd yn eu gwisgo'r noson honno. Maen nhw wedi troi'r clwb 'na ben i waered ac wedi methu ffeindio dim. Mi roedd ei fag o yno a'i ddillad rygbi. Ti'n siŵr mai dim rheini oedd gynno fo amdano pan aeth o i ymarfer y noson honno?'

Oedodd Beca am eiliad cyn ateb. 'Mi roedd y ddau ohonan ni'n rhedag yn hwyr braidd. Mi ro'n i wedi bod yn siopa hefo'n ffrind drwy'r pnawn, a Gruffydd wedi bod yn plastro yn y tŷ ar ôl dod o'i waith. Ar ôl cael swper sydyn mi roedd raid i ni ruthro i neud ein hunain yn barod. Mi roedd yn shifft i'n cychwyn am saith ac mi roedd raid i mi fynd â fo i'r clwb ar fy ffordd.'

'Felly mae'n bosib ei fod o wedi gwisgo ei git i fynd i'r ymarfer, os oeddach chi'n rhedag yn hwyr, 'lly?'

'Ym... Dwi... Dwi'm yn siŵr...' meddai'n bryderus.

'Paid â phoeni, does 'im isio i chdi fynd i gynhyrfu. Cym funud bach i feddwl.'

Eisteddodd Beca yn dawel am eiliad neu ddwy. 'Mi roedd hi'n oer. Hyd yn oed oerach nag ydi hi heddiw. Mi gychwynnodd hi bluo eira pan o'n i ar 'yn ffordd i 'ngwaith. Fedra i'm dychmygu ei fod o wedi mynd heb drywsus na jacet ... Ond fedra i'm deud wrthach chi'n bendant ei fod o'n gwisgo'i dracsiwt chwaith, sori. Dau funud o ddreif ydi hi o fama i'r clwb, a dydw i ddim yn cofio be oedd gynno fo amdano fo.'

'Mae'n iawn, does 'im isio i chdi ymddiheuro, siŵr.'

71

'Dwi'm yn coelio 'mod i'n cofio cyn lleied,' meddai'n siomedig. 'Dyna oedd y tro dwytha i mi ei weld o, ac mi ro'n i'n brysio i gael gwarad ohono fo.'

'Doeddat ti ddim i wybod, siŵr. 'Di rywun 'im yn cael cyfle i baratoi pan mae'r pethau 'ma'n digwydd. Mi roedd hi fel unrhyw noson arall i chdi, doedd. Does 'im isio i chdi gosbi dy hun.'

'Dwi'm hyd yn oed yn cofio os rois i sws ta-ta iddo fo.'

Dechreuodd ei dagrau gronni unwaith eto, a rhwbiodd ei bochau â chefn ei llawes.

''Swn i'n gwbod mai dyna fysa'r tro dwytha i mi ei weld o 'swn i 'di sbio i'w lygaid o a deud wrtho fo gymaint ro'n i'n ei garu o. 'Swn i 'di gafael yn ei law o a'i gusanu o *un* waith eto. 'Swn i wedi siarad hefo fo a deud ein bod ni'n iawn ... Ond mae hi rhy hwyr rŵan.'

Estynnodd Ffion baced o hancesi iddi o'i bag.

'Mi adawa i lonydd i chdi rŵan, Beca. Ond os wyt ti'n meddwl am rwbath, mawr neu fach, dwi ond ar ben arall y ffôn.'

'Diolch ... Ydach chi'n gwbod mwy ynglŷn â phryd gawn ni drefnu cnebrwng?'

'Mi fyddwn ni'n cyflwyno'r ffeithiau i'r crwner wythnos nesa. Mi fydd petha'n symud yn eu blaenau reit sydyn wedyn i chi.'

'A dyna fydd diwedd petha wedyn, ia?' gofynnodd yn obeithiol.

'Groeswn ni'n bysadd, ia? Hwyl rŵan. 'Drycha ar ôl dy hun, Beca.'

Rhedodd Ffion i'w char a brysio i roi'r gwres

ymlaen. Taniodd yr injan cyn estyn ei ffôn, a sticio'i theclyn *hands-free* yn ei chlust.

'Geth? ... Na, dim byd. 'Di hi'm yn cofio, 'sti ... Dwi'n gwbod. Blydi niwsans ... Raid i ni neud *search* arall yn y garafán 'na rhag ofn i ni ddod o hyd i rwbath. Gwna gais am *search warrant* reit handi i ni ... Gwranda, ydi'r *toxology report* 'na 'di dod yn ôl eto? Dwi'n meddwl na honno 'di'r unig goes sgynnan ni i sefyll arni rŵan.'

Aeth Beca yn ôl i orweddian ar y soffa, a theimlodd ei llygaid yn cau unwaith eto yng ngwres myglyd y garafán. Newydd fynd i gysgu roedd hi pan gafodd ei deffro gan sŵn dŵr mawr yn chwistrellu o dan y sinc. O fewn munudau, roedd y garafán wedi troi'n ystafell stêm.

'Blydi hel!'

Roedd y beipen ddŵr wedi dadmer a byrstio yn y gwres, a doedd ganddi ddim clem beth i'w wneud. Ymbalfalodd am ei ffôn yn ei phoced a deialu'n sydyn.

'Mam?! ... 'Di Dad yna?! Mae gen i fyrst yn y garafán! Shit! Pryd fydd o adra? ... Dria i feddwl am rywun arall 'ta. Hwyl!'

Syllodd Beca ar y dŵr yn llifo o'r cwpwrdd dan sinc fel afon. Oedodd am eiliad cyn deialu ...

'Hei. Fi sy 'ma. Ti'n rhydd? ... *Emergency!* Ddoi di i'n helpu i plis?! ...'

DYDD GWENER, CHWEFROR 1, 2019, 3:30 y.p.

Curodd Aron ar ddrws y garafán a rhedodd Beca i'w agor. Syllodd Aron arni am eiliad neu ddwy cyn dod i mewn. Roedd ei gwallt hir yn socian, a'r diferion yn llifo i lawr ei thrwyn a'i gwefusau coch.

'Dwi braidd yn wlyb,' meddai, gan biffian chwerthin.

Crafodd Aron ei ben yn nerfus, cyn camu i mewn.

'Dwi 'di bod yn trio ffidlan hefo'r sbanar 'ma ond sgen i'm clem be dwi'n neud.'

'Lle ma'r stop-tap?'

Cododd Beca ei hysgwyddau'n ddi-glem.

'Ga i lwc tu allan,' meddai Aron. 'Tria lapio rwbath rownd y beipan 'na dan sinc cyn i chdi foddi.'

Tynnodd Beca ei siwmper oddi amdani a phrysuro i'w lapio am y beipen, oedd yn chwistrellu dŵr rhewllyd i bob cyfeiriad.

'Unrhyw lwc?' gwaeddodd o ganol y rhaeadr.

'Dwi 'di ffeindio'r tap ond 'di'r blydi thing cau byjio! Tyrd â'r sbanar 'na i fi!'

Rhuthrodd Beca ato yn crynu yn ei chrys-T gwlyb.

'Hwda,' meddai Aron yn anghyfforddus, gan dynnu

ei gôt a'i lapio am ei hysgwyddau. Wedi peth chwysu, llwyddodd i ddiffodd y tap o'r diwedd.

'O diolch, Aron,' meddai Beca gan wenu.

'Mond diffodd y dŵr dwi 'di neud, cofia. Ro i dâp dros y beipan 'na i chdi dros dro. Ond fydd raid i chdi alw plymar i gael trefn iawn. 'Sa'n syniad i chdi gael ryw fath o *insulation* i'r peips 'na yn y tywydd oer 'ma ... Dwi'm yn licio meddwl amdana chdi'n fama dy hun a deud gwir, yn bell o bob man.'

'Dwi'n ocê, 'sti. Raid i mi arfar ryw bryd, bydd ... Rŵan tyrd i mewn i gnesu, wir dduw!'

Wedi iddo drwsio'r beipen, aeth y ddau ati i sychu'r llawr gyda'i gilydd, cyn golchi'r mynydd o lestri yn y sinc. Tra oedd y tegell bach yn berwi ar y stof, aeth Beca i'r llofft i dynnu ei dillad gwlyb a rhoi côt nos sidan amdani.

'Sori,' meddai, wrth gamu drwy'r drws yn nerfus. 'Mae 'nillad sbâr i 'di mynd braidd yn damp yn y drôrs 'na. 'Di'r gwres 'im 'di bod on ers ... wel, ers i mi adael am dŷ Jean.'

'Mae'n iawn,' gwenodd yntau'n nerfus. 'Dwi 'di gneud panad i chdi. Mi roedd y llefrith 'di mynd off, 'lly te du ydi o, mae arna i ofn.'

'Damia, 'nes i'm meddwl, sori ... Dwi'm yn cofio'r tro dwytha i mi fod yn gneud negas. Ma' pawb 'di bod yn gneud bob dim i mi ... Mae 'ngolch i wedi bod yn disgwyl amdana i ar 'y ngwely mewn pentwr del, 'y mwyd i ar y bwrdd, llestri 'di'w golchi ...'

'Iawn i chdi gael dy sboilio, dydi.'

'Dwi 'di bod yn meddwl ella 'sa well i mi jest mynd yn ôl i normal, 'sti. Mynd yn ôl i weithio, cael ryw

rwtîn bach eto. Dwi jest yn teimlo'n chwithig felma ...
Ddo i byth dros y peth os 'di pobl yn cario 'mlaen i
'nhrin i'n wahanol.'

'Poeni amdana chdi maen nhw, 'de. Tair wsnos sy
'di bod eto ers i chdi ei golli fo, Beca. Rho gyfla i chdi
dy hun recyfrio, wir.'

"Di'r hogia 'di bod yn siarad am y peth, yn y clwb?'
'Wel, do ...' meddai'n anghyfforddus. 'Dyna 'di'r
stori ar dafoda pawb rownd Aberysgo, 'de.'

'Chi oedd y dwytha i'w weld o'n fyw,' meddai'n
dawel.

'Dwi'n gwbod,' meddai Aron, gan roi ei fraich
amdani'n dyner. 'A 'swn i'n gwbod bo' hyn yn mynd i
ddigwydd 'swn i byth 'di gadael iddo fo fynd.'

'Welodd neb mohono fo'n gadael?'

'Dim i mi fod yn gwbod. Ti'n gwbod fel ydan ni ar
nos Wener, Beca. Mi roedd pawb yn cael laff a 'di cael
mwy nag un yn ormod. Chymon ni'm llawar o sylw
ohono fo.'

'Be am Gruffydd, oedd o 'di bod yn yfad?'

'Oedd. Welish i o'n codi mwy nag un peint.'

'Oedd o 'di meddwi?'

'Blydi hel, Beca, ti fath â'r Ffion 'na rŵan! Ti wir
am 'y nghros-ecsaminio i?!'

'Dwi jest yn trio cael atebion, Aron. Siawns na fedri
di ddallt hynny.'

'Swnio fath â cyhuddiad 'sa chdi'n gofyn i fi.'

'Sgen i reswm i dy gyhuddo di?'

Cododd Aron oddi ar y soffa'n sydyn a brasgamu
at y drws.

'Dwi'm am aros yn fama i ffraeo hefo chdi, Beca.

Ti'n galaru ac 'im yn meddwl yn strêt. Cwbl ydi hyn ydi chdi'n chwilio am rywun i'w feio.'

Cymerodd Beca lymaid o'i the yn ddigyffro a syllu i'r gwagle, a'i llygaid oer yn sgleinio.

''Dach chi'n cuddiad rwbath oddi wrtha i, Aron,' meddai'n dawel. 'Chdi a'r tîm. Dwi'n gwbod ... ma' Ffion yn gwbod. Doedd Gruffydd byth yn yfad. Ond mi roedd o wedi yfad digon y noson honno i feddwl ei fod yn syniad da i grwydro'n noeth drwy'r eira ... Dim ond matar o amsar ydi hi nes y daw'r cwbl allan yn un chwydfa, a Duw a'ch helpo chi wedyn.'

'Dwi'm 'di gneud dim byd ond dy helpu di, Beca. Dwi wastad 'di bod yna i chdi, 'di cadw dy gyfrinacha di. O'n i'n meddwl bo' gen ti fwy o feddwl ohona fi na hyn.'

'Ac o'n i'n meddwl bo' gen titha fwy o feddwl ohona fi.'

Cerddodd Aron ati a sychu deigryn oddi ar ei boch. Closiodd ei wefusau at ei rhai hi.

''Swn i byth yn gneud dim byd i dy frifo di, Beca.'

'Diolch am sortio'r byrst i mi,' meddai hithau'n ddiemosiwn, gan dynnu oddi wrtho. 'Wela i chdi o gwmpas.'

Caeodd Aron y drws ar ei ôl, a sipio'i gôt yn flin ...

'Pam bod hwnna'n edrach yn gyfarwydd, Geth?' gofynnodd Ffion, gan basio'r binocwlars i'w chyd-weithiwr. Craffodd yntau i'r pellter o gynhesrwydd y Mercedes.

'Yr Aron 'na 'di hwnna, bòs, capten y tîm rygbi.'

'Wel ia hefyd!' meddai'n gynhyrfus, gan gipio'r

77

teclyn oddi arno. 'Prif leisydd y Dream Boys 'na yn y clwb … A be ddiawl mae o'n neud yn galw i weld Beca?'

'Cydymdeimlo?'

'A sud ei fod o'n gwbod i ddod i fama? Yn nhŷ ei rhieni mae hi wedi bod yn aros nosweithia dwytha 'ma.'

'Ella bo'i 'di deud wrtho fo.'

'Bingo, Geth bach! Bingo! … Rŵan pam fysa boi sy'n deud ei fod o brin yn nabod Gruffydd yn trefnu i fynd i weld ei wraig o?'

''Dach chi'n meddwl bo' 'na rwbath yn mynd ymlaen rhyngthyn nhw?'

'Does 'na ond un ffordd i ffeindio allan …'

''Dach chi isio i mi ddod â fo i mewn?'

'Geth bach,' gwenodd, gan wasgu ei ddwy foch â'i llaw. 'O'n i'n meddwl bo' chdi'n 'y nabod i'n well na hynna bellach! Ma'u treining nhw am chwech heno 'ma. Wela i chdi tu allan i'w dŷ o am ddeng munud wedi ar ôl i mi nôl Ben. Mi 'na i'n siŵr ei fod o'n troi i fyny cyn gadael. Mae'r plant yn aros hefo Mam heno.'

'Dwi'm yn siŵr os dwi'n teimlo'n gyffyrddus hefo hynna, bòs.'

'Ers faint ti ar 'y nhîm i rŵan, Geth?'

'Ryw dri mis a dipyn.'

'Ac yn y tri mis a dipyn yna, ydw i erioed wedi bod yn rong?'

'Wel …' oedodd.

'Sgrapia hynna! Os w't ti'n mynd i ddysgu unrhyw beth gen i, Geth, cym hyn i mewn rŵan, 'nei di? Mae'n talu i fod chydig bach yn slei weithia. 'Sa'r crinc yna

yn cael unrhyw sniff bo' ni ar ei sodla fo, 'sa fo'n gneud
yn siŵr bo' ni'm yn ffeindio dim, bysa.'

Nodiodd Geth mewn dealltwriaeth.

'Raid i ni fod gam neu ddau o'i flaen o cyn cychwyn
mynd i'w ddychryn o.'

NOS WENER, CHWEFROR 1, 2019, 6:20 y.h.

Chwythodd Geth ar ei ddwylo i geisio eu cynhesu ac edrychodd ar ei oriawr unwaith eto. Ugain munud wedi chwech. Roedd y creadur jest â fferru yn y car erbyn hyn, wedi diffodd yr injan yn ôl cyfarwyddiadau ei fòs, ac yn eistedd yn y tywyllwch a'r gwynt yn hyrddio o'i gwmpas. Gwelodd oleuadau yn agosáu, cyn i'r car ddod i stop o'i flaen. Cnociodd Ffion ar ei ffenest, ac agorodd yntau'r drws.

'Sori 'mod i'n hir, boi. Ti 'di gweld rhywun o gwmpas?'

'Naddo, dim smic.'

'Tyrd 'ta, reit handi cyn i ni gael cwmpeini.'

Tynnodd y ddau eu menig *latex* o'u pocedi a brysio at y drws. Gwasgodd Geth yr handlen, a dechrau gwthio'i ysgwydd yn erbyn y drws â'i holl nerth. Cymerodd seibiant am eiliad i gael ei wynt ato.

'Ti 'di gorffan?' gofynnodd Ffion gan chwerthin.

'Rhowch funud i mi,' meddai Geth, gan eistedd ar y stepen damp.

'Cod oddi ar dy din!' ysgyrnygodd yn dawel, gan estyn goriad o'i phoced ac agor y drws yn ofalus.

'Lle ddiawl gafoch chi hwnna?!'

'O'i fag o yn y stafell newid. Ti'm yn meddwl bysa Aron 'di sylwi 'san ni wedi torri mewn?'

'Pam naethoch chi'm deud wrtha i bo' gynnach chi oriad, a finna'n lladd 'yn hun yn trio'i agor o?'

'Dwi'n methu *Home and Away* heno. Raid i mi gael rywfaint o ddrama ar nos Wener, bydd ... Rŵan, tyrd i mewn a chau'r drws ar d'ôl.'

Camodd y ddau i mewn yn ofalus a throdd Ffion y dortsh ar ei ffôn ymlaen.

'Dos di i fyny'r grisia ac mi a' i i chwilota yn y gegin a'r parlwr,' meddai.

'Ac am be yn union dwi'n chwilio, bòs?'

'Rwbath sy'n profi ryw gysylltiad rhwng Aron a Beca.'

'Ac os ydan ni'n ffeindio cysylltiad? Be wedyn?'

Oedodd Ffion am eiliad ...

'Cwestiwn i ddiwrnod arall, Geth. Rŵan tân dani!'

Rhedodd Geth i fyny'r grisiau, ac aeth Ffion i chwilota drwy'r silffoedd yn y parlwr. Roedd yna bentwr o DVDs a CDs blith draphlith heb fawr o drefn ar eu cyfyl ... llyfrau cadw'n heini ac ambell fywgraffiad o chwaraewr rygbi. Byddai cyffyrddiad merch wedi tynnu ei sylw yn syth, ond ofer oedd y chwilio.

Aeth yn ei blaen i'r gegin ... Roedd yna baced *ready-meal* gwag wrth y meicro, cyrri cyw iâr ... plât budr wrth y sinc ... papur newydd ar agor ar y bwrdd ... Agorodd yr oergell fawr, oedd yn wag ar wahân i ambell gan o Stella, llefrith, Flora a photel o Pinot Grigio. Sylwodd ar liniadur ar agor ar y bar brecwast ... cyffyrddodd y botymau, a deffrodd y teclyn o'i drwmgwsg. Agorodd y dudalen ar wefan cychod hwylio. Cliciodd ar ei e-byst, ond heb gyfrinair, roedd yn amhosib darllen dim.

Agorodd y teclyn chwilota er mwyn cael golwg ar yr hyn roedd wedi bod yn edrych arno dros y mis diwethaf ... Tudalen HSBC ... Facebook ... Sports Direct ... A beth oedd hwn ...?

'Geth, tyrd lawr yma am eiliad!' gwaeddodd.

Rhedodd ei chydweithiwr i lawr y grisiau.

'Be 'nei di o hwn?' gofynnodd, gan dynnu ei sylw at wefan oedd wedi cael ei hagor bythefnos yn ôl.

'*What is joint enterprise?* ... *Joint enterprise?*! Be ddiawl sy'n mynd ymlaen, bòs?'

'Mi ro'n i'n gwbod bod 'na rwbath 'di digwydd yn y clwb 'na cyn i Gruffydd ddiflannu! Dim jest yfad oeddan nhw'r noson honno ... Dwi'n ama bo' chwarae wedi troi'n chwerw, dêr 'di mynd o chwith ella? ... Be bynnag ddigwyddodd, mi wasga i bob un o'r cachwrs yna yn eu tro nes y bydd un ohonyn nhw'n blabian!'

''Dach chi'n meddwl bo' Beca'n gwbod?'

'Ella bo'i'n ama ... ond fedrwn i'm ei weld o'n cyfadda iddi rywsut.'

'Bosib 'mod i 'di ffeindio rwbath hefyd, bòs.'

'O?'

'Mae 'na hen lun mewn ffrâm yn y stafell sbâr yn llofft. Criw mewn dillad ysgol a'u breichia am sgwydda'i gilydd, ac Aron a Beca yn eu canol nhw.'

'Mi roeddan nhw'n ffrindiau ysgol, felly.'

'Mwy na ffrindia, bòs. Agorais i'r ffrâm. Mae 'na negas wedi cael ei sgwennu ar gefn y llun 'na … Mi roedd Beca ac Aron yn gariadon.'

Gwasgodd Ffion ei fochau'n famol unwaith eto a gwenu fel giât.

'Da'r hogyn! Rŵan tyrd o 'ma reit handi i ni gael mynd â'r goriad 'ma yn ôl i'r clwb!'

Gadawodd Ffion y gliniadur fel ag yr oedd ar y bar brecwast, a dechreuodd y ddau gerdded am y cyntedd, cyn iddynt glywed y drws yn agor o'u blaenau.

'Shit!' meimiodd Ffion, cyn i'r ddau ruthro yn ôl am y gegin.

'Helô? Oes 'na rywun yma?!' gwaeddodd Aron yn amheus. Trodd olau'r cyntedd ymlaen, a throi i'r parlwr gwag. Trodd bob lamp o fewn cyrraedd ymlaen, cyn mynd am y gegin … Agorodd y drws yn araf a sganio'r ystafell yn sydyn … ond doedd yna neb yno. Sylwodd ar ei oriadau ar y bwrdd a dod i'r casgliad ei fod wedi anghofio cloi ar ei ôl gynnau ac yntau'n hwyr i'r ymarfer. Llenwodd y tegell, cyn mynd i'r parlwr, rhoi'r teledu ymlaen a gorweddian ar y soffa'n braf.

Gwthiodd Geth ei fòs dros y gwrych i'r ardd drws nesaf gerfydd ei phen ôl, a rhwygodd hithau ei theits yn y broses.

'Blydi hel!'

Neidiodd yntau drosodd ar ei hôl yn llawer mwy gosgeiddig.

'Mi roedd honna'n *close call*!' meddai Geth.

'Rhy agos o'r blydi hannar 'sa chdi'n gofyn i fi!' bytheiriodd Ffion. ''Sna'm rhyfadd bod Aberysgo yn gneud mor sâl yn y *league* os 'dyn nhw'n galw hwnna'n dreining! Diawlad diog!'

'Ond gafon ni be oeddan ni isio, 'do?'

'Do, Geth bach. Gan obeithio bod o'm 'di twigio be oedd yn mynd ymlaen, wir ... Sydyn rŵan cyn i neb 'yn gweld ni, wir dduw.'

Rhuthrodd y ddau am eu ceir.

'Aros di yn fama am ryw hannar awr fach,' meddai Ffion wrtho.

'Be?!'

'Fedrwn ni'm tanio dau gar ar unwaith naf'dran, mi fydd hynny *yn* amheus! A' i gynta, a tyrd di ar 'yn ôl i. Wela i di yn y stesion yn handi fora Llun.'

Gyrrodd Ffion i ffwrdd ar wib, ac aeth Geth i eistedd i'w gar tywyll unwaith eto, gan gau ei gôt yn dynnach am ei wddw.

Tynnodd Ffion ei hesgidiau sodlau oddi ar ei thraed chwyslyd, a suddo'i bodiau i'r carped trwchus, lliw hufen. Aeth i'r llofft a thynnu ei siwt dau ddarn oddi amdani a'i hongian yn daclus yn y wardrob. Taflodd y teits carpiog i'r bin, cyn rhoi ei *onesie* sebra amdani yn gysurus. Ymlwybrodd i lawr y grisiau yn ei sliperi, cyn mynd i'r gegin a thollti gwydraid mawr o Rioja iddi hi ei hun. Tyrchodd yn ei chuddfan yng nghefn y cwpwrdd a thynnu bar mawr o siocled Galaxy ohono. Aeth i'r parlwr, troi'r tân nwy ffansi ymlaen a swatio ar y soffa ledr.

Byddai ei mam yn cymryd y plant dros nos ryw unwaith neu ddwy'r mis. Y syniad gwreiddiol oedd rhoi'r cyfle iddi hi fynd i gymdeithasu hefo'r criw neu fynd allan am fwyd hefo ffrindiau. Ond teimlai fod y cyfle i gael ymlacio adref heb orfod poeni am neb arall am ychydig oriau yn well bargen o'r hanner! Roedd ganddi feddwl y byd o'r plant, a hyd yn oed ar nosweithiau fel yma byddai'n teimlo rhyw fymryn o hiraeth ar eu hôl. Ond yn gorfforol, roedd yr egwyl achlysurol yma yn gwneud byd o les iddi.

Doedd Dafydd, eu tad, heb gymryd y plant ers rhyw chwe wythnos, ac roedd hi wedi blino mynd ar ei ôl i swnian. Byddai'n cael hyrddiau o fod eisiau eu gweld bob munud. Pan ddechreuodd fynd allan hefo rhyw gariad newydd roedd o am fynd â nhw i bob man i ddangos ei hun, ond buan iawn y pasiodd hynny. Doedd yna ddim y gallai ei wneud am y peth. Roedd y tri yn addoli eu tad, er gwaethaf ei wendidau. Ac roedd yntau yn gallu bod yn dad go lew pan oedd yn ei siwtio. Teimlai weithiau y byddai'n well pe bai'n torri cysylltiad yn gyfan gwbl. Roedd wedi hen laru ar orfod torri eu calonnau bach ar foreau Sadwrn pan oedd yn ffonio i ddweud fod 'rhywbeth wedi codi'. Ond dyna ni, gwyddai mai bywyd felly oedd o'i blaen pan ofynnodd am yr ysgariad flwyddyn a hanner yn ôl. Ac roedd ambell fore dagreuol yn well o lawer na gorfod dioddef blwyddyn gron yn ei gwmni fo!

Estynnodd am ei chylchgrawn sgrwtsh, a dechrau darllen hanes rhyw seléb geiniog a dimai a'i brwydr ag alcoholiaeth. Llowciodd gegiad arall o'i gwin, cyn i'r ffôn ddechrau canu.

'Helô Mam, Nain sy 'ma. Mae Anni yma isio cael gair bach efo chdi cyn iddi fynd i'w gwely.'

'Haia 'nghariad i, ti'n cael amser da hefo Nain?'

'Yndw. 'Dan ni 'di bod yn chwarae Monopoly!'

'Wel dyna hwyl! Ti'n barod am dy wely rŵan?'

'Yndw,' sibrydodd, 'ond dwi isio stori, a dydi Nain 'im yn darllan y llyfr yn iawn.'

'Pa lyfr, siwgr?'

'Ein llyfr ni. Y llyfr wiwerod. 'Di hi'm yn gneud y lleisia fath â chdi. Fedri di neud i fi?'

'Mae'r llyfr gynnach chi yn fanna, dydi, Anni bach. Be am i chdi adael i Nain ddarllan i chdi am heno. Fi fydd yn gneud nos fory fath ag arfar, 'de.'

'Plis, Mam! Dwi isio i chdi ddarllan i fi cyn i fi fynd i gysgu.'

'Does 'na'm byd yn tycio, Ffion bach,' meddai ei mam mewn anobaith. 'Dwi 'di trio bob dim! Wyt ti'n cofio rywfaint o'r llyfr 'ma? Ella setlith hi wedyn.'

'Ym ... 'na i drio ... Wyt ti yn dy wely?'

'Yndw,' meddai Anni'n llawen.

'Wyt ti o dan y cynfasa 'na'n gynnes?'

'Yndw.'

'Ocê 'ta, gad i mi weld os dwi'n cofio chydig ohono fo ... "Estynnodd Mami Wiwer ei mesen olaf o'i chuddfan a'i gosod yn ofalus ym mhawen fach flewog ei mab. 'Ond Mam,' meddai Cochyn wrthi'n bryderus. 'Os wna i fwyta hon, beth ydach chi yn mynd i'w gael cyn cysgu? Heb ddigon yn ein bolia, wnawn ni'm cysgu trwy y gaea.' 'Cochyn bach,' meddai ei fam yn addfwyn, 'mae gwybod fod gen ti ddigon yn mynd i 'modloni i tan ddaw'r gwanwyn.' Gafaelodd Cochyn yn y fesen a'i thorri yn ei hanner gyda'i ddannedd. 'Ac mae gwybod ein bod ni'n mynd i fod yn deffro hefo'n

gilydd yn fy ngwneud i yn wiwer fach hapus iawn.' "
Nos da, 'nghariad i.'
'Nos da, Mam.'
'Hwyl, Ffion,' meddai ei mam hithau wedyn.
'Nos da, Mam. Diolch am heno. Oeddach chi ffansi mynd i'r dre am ginio bach fory? Fi sy'n trîtio. Mi ro'n i isio mynd i brynu trywsus ysgol newydd i Ben. Maen nhw 'di mynd yn dyllau eto hefo'r holl daclo 'na amsar chwarae.'
'Ew ia, mi fysa hynna'n hyfryd, diolch. Mi 'nawn ni gyfarfod yn dre, felly. Ffonia i ddeud lle wyt ti.'
'Grêt, hwyl rŵan.'
Rhoddodd y ffôn i lawr, cyn torri blocyn anferth o'i siocled a'i stwffio i'w cheg. Cyn iddi gael cyfle i'w gnoi yn iawn, canodd y ffôn eto.
'Mmmmmh!' atebodd, a'i cheg yn llawn.
'Fi sy 'ma, bòs. Sori i styrbio.'
'Bme smy, Gmeth?!' bytheiriodd, cyn llowcio.
'Mi ro'n i ar fin gadael am adra pan welais i dacsi yn stopio tu allan i dŷ Aron.'
'O? Ar gychwyn i rwla mae o?'
'Nage, rhywun sy wedi dod i'w weld o ... tair gès pwy ddoth allan o'r sêt gefn.'
'Beca!'
'Ia!'
'Fuodd hi yno'n hir?'
'Ma'i dal yno!'
'Wel, ma'i'n swnio fath â bo' chdi mewn am y *long haul* felly.'
''Dach chi isio i mi aros yma drwy'r nos?!'
'Os oes raid. Mi fyswn i'n dod i gadw cwmpeini i

chdi ond dwi 'di cael glasiad o win rŵan, cha i'm dreifio.'

'Braf iawn! Dyna o'n inna wedi gobeithio ei gael hefyd ar ôl wythnos galad! 'Di Catrin 'im 'di 'ngweld i ers nos Lun.'

'Gei di ddeud mai fi sy ar fai. 'Na i'n siŵr bo' chdi'n cael *time and a half* am dy draffarth, 'li. Dalith am noson fach neis iddi mewn hotel, gneith.'

'Ocê 'ta,' meddai'n anfodlon. 'Be 'dach chi isio i mi neud, jest gwatsiad?'

'Ia. Cadwa lygad rhag ofn i rwbath ddigwydd. Mi fydd hi'n ddiddorol gweld os 'di hi'n treulio'r noson hefo fo, bydd.'

'Mi 'na i fyw mewn gobaith ei bod hi'n weddw fwy parchus na hynny! Hwyl!'

'Hwyl, Geth. A diolch.'

Torrodd damaid arall o'i siocled a rhoi ei thraed i fyny.

NOS WENER, CHWEFROR 1, 2019, 8:00 y.h.

'Gymi di lasiad o win?' gofynnodd Aron yn nerfus. 'Mae 'na botel o Pinot Grigio yn y ffrij. Brynais i hi cyn Dolig rhag ofn y bysa chdi'n galw heibio.'

'Pam lai,' meddai Beca'n dawel. 'Ro'n i'n hannar meddwl ella na yn y clwb fysa chdi heno. Ma' hi'n nos Wener, dydi.'

''Di hi'm yn teimlo'n iawn i gael laff yna rywsut. Digon anodd i rywun fynd i'r treining. 'Sna fawr o siâp arnan ni. Ond mae dy fam yng nghyfraith yn mynnu bo' ni'n chwarae'r gêm 'ma, 'lly mae rhaid i ni neud rwbath.'

'Gwranda, isio dod i ymddiheuro o'n i ... meddwl 'sa well gneud wynab yn wynab na dros y ffôn. Dwi'm yn gwbod be ddoth drosta i heddiw a chditha 'di dod o dy waith i'n helpu i. Do'n i'm yn bwriadu ffraeo hefo chdi, wir i chdi.'

'Mae'n iawn, Becs. Ti dan lot o bwysa.'

'Nadi, dydi o'm yn iawn. Dwi'n gwbod na fysa chdi byth yn brifo Gruffydd na neb arall. Dwyt ti'm y math yna o berson ... Mae 'na jest gymaint o gwestiyna heb eu hatab.'

'Be am i chdi eu gofyn nhw i fi rŵan 'ta, Beca.'

'Gofyn be?'

'Dy gwestiyna di. Gofyn y cwbl i fi rŵan.'

Aeth Aron i'r oergell ac estyn un o'i ganiau. Agorodd y can a llowcio cegiad fawr ohono mewn un gwynt. Syllodd Beca arno mewn dryswch.

'Gwranda, Beca, dwi'm 'di bod yn hollol onast hefo chdi.'

'Be ti'n feddwl?'

'Dwi 'di bod yn cadw rwbath oddi wrtha chdi, a dwi'n casáu deud clwydda wrtha chdi felma.'

'Ti'n 'y nychryn i rŵan, Aron ... Be ddigwyddodd yn y clwb noson yna? ... Naethoch chi ei guro fo?'

'Blydi hel, naddo! Wnaethon ni'm twtsiad blaen 'yn bysadd yno fo, wir i chdi!'

'Be ddigwyddodd 'ta?!'

Roedd Beca yn sgrechian erbyn hyn a'r dagrau yn powlio i lawr ei gruddiau.

'Tyrd i ista lawr i'r parlwr, Beca, i ni gael siarad yn gall.'

'Gei di ddeud wrtha i'n fama, diolch!'

'Mi fuodd Gruffydd yn yfad noson honno. Mi roedd pawb yn prynu diodydd iddo fo ac yn taflyd amball siot ar ben ei beint o. Felly 'dan ni'n croesawu bob aelod newydd, a wnaethon ni'm trin Gruffydd ddim gwahanol ... Ond doedd o ddim wedi meddwi digon fel nad oedd o'n gwbod be oedd o'n neud.'

'Chi nath ddwyn ei ddillad o, 'de,' meddai'n dawel.

Aeth Aron i eistedd wrth ei hochr, a'r euogrwydd yn gwasgu ar ei ysgyfaint.

'Ddudish i wrtho fo am neud laps rownd cae a mi wnaethon ni ddengyd i'r Bull o'i flaen o.'

'Ac mi wnaethoch chi ei adael o'n fanna, yn rhynnu yn yr eira?!'

''Nes i'm meddwl y bysa fo allan drwy'r nos! Mi ro'n i'n cymryd y bysa fo wedi mynd i gysgodi i rwla ne fynd adra ... O'n i 'di meddwl mynd yn ôl i tsiecio arno fo pan o'n i'n gadael y Bull, ond mi ro'n i wedi cael gormod erbyn hynny ac mi 'nes i anghofio amdano fo ... Sori, Beca! Dwi mor sori!'

'Ti'n sori?! ... Ti'n sori?! Achos ryw blydi dêr gwirion dwi'n weddw yn fy ugeinia! Dwi 'di colli'r cwbl, Aron, a'r cwbl sgen ti i ddeud wrtha i ydi sori!'

'Os 'swn i'n gallu mynd yn ôl mewn amsar a newid y cwbl mi fyswn i'n mynd fel siot! Dwi'm 'di gallu cysgu dim ers i'r holl beth ddigwydd! Dwi'n gneud 'yn hun yn sâl yn poeni am y peth.'

'O, druan ohona chdi!' meddai'n goeglyd. 'Sud ti'n meddwl dwi 'di bod wythnosa dwytha 'ma? Dwi'n ysu i gael galwad ffôn i ddeud ei bod hi'n iawn i mi gladdu 'ngŵr! Dyna i chdi pa mor ddrwg 'di hi arna i!'

'Un camgymeriad gwirion oedd o, Beca. Plis, raid i chdi fadda i mi.'

'Ti 'di datgan y cyfrinacha yma wrth Ffion eto?'

'Naddo ... ac mi ro'n i'n gobeithio y bysa chdi ...'

'Yn cadw'n dawel?'

Syllodd Aron arni mewn anobaith. Chwarddodd hithau a mynd i dollti gwydraid arall o win iddi hi ei hun.

'Ti'n siŵr na damwain oedd hyn i gyd, Aron?'

'Be arall fysa fo?'

'Mi roedd pawb yn gwbod bo' chdi'm yn licio Gruff. Ti'm 'di licio 'run cariad dwi 'di gael ers i ni orffan, naddo. Dy hogan di dwi 'di bod erioed, 'de ... Nest ti fwynhau ei weld o'n diodda'r noson yna, 'do.'

'Do! Ges i hwyl yn bod yn fòs arno fo am dipyn bach a'i weld o'n gwingo, ti'n iawn ... Ond do'n i'm isio gweld y diawl gwirion yn marw, nag o'n! Dwi'm yn llofrudd!'

'Nag wyt? ... Bydd yn onast rŵan, Aron. Dyna ti'n neud heno, 'de? Bod yn onast ... Pan glywaist ti bo' nhw 'di ffeindio'i gorff o'r bora wedyn, doeddach chdi'm yn teimlo gronyn bach o hapusrwydd o wbod ei fod o allan o'r pictiwr?'

'*Piss off*, Beca!'

''Dan ni'n rhydd rŵan i neud be liciwn ni, dydan. Dim mwy o sleifio o gwmpas a dengyd ar *dirty weekends*.'

'Dim felma o'n i isio i betha fod, nage! Dwi 'di bod yn erfyn arna chdi i'w adael o ers misoedd! ... Mi ro'n i isio i chdi 'newis i, do'n ... Ond fo oedd yr un yn diwadd, 'de.'

'Dwi'm yn gwbod be 'swn i 'di'i neud yn diwadd,' meddai hithau'n euog. 'Mi roedd petha wedi bod yn mynd yn dda hefo Gruffydd yn ddiweddar. Mi roedd y tŷ yn dod yn ei flaen, mi roeddan ni'n cael hwyl hefo'n gilydd ... mi roeddan ni'n cysgu hefo'n gilydd eto.' Trodd Aron oddi wrthi. 'Gymrodd hi amsar i fi ddod ata fi'n hun ar ôl colli'r babi ... Dwi'n meddwl ei fod o wedi hitio Gruffydd yn fwy nag o'n i wedi'i feddwl hefyd. Mi roth bwysa arno fo'i hun i ni drio eto, a pan oedd 'na'm byd yn digwydd mi roedd o'n beio'i hun ... Gytunon ni i roi brêc i betha am dipyn bach, ond mi aeth y brêc yna yn fisoedd o ddim byd. Mi roeddan ni fwy o *housemates* na gŵr a gwraig yn y garafán 'na.'

'A be amdana fi, Beca? Ti'm yn meddwl bod o 'di effeithio arna fi?'

'Fedrwn ni'm bod yn sicr na dy fabi di oedd o, Aron.'

'O cym on! Does 'im isio *mathematician* i neud y sỳm yna, nag oes! Doeddach chi'm hyd yn oed yn trio ar y pryd! Un ddamwain gafon ni ac mi nest ti ffeindio bo' chdi'n disgwyl.'

Cerddodd Aron ati a rhoi ei freichiau amdani, a dechreuodd yntau grio. 'Mi roedd meddwl amdana chdi yn mynd drwy hynna i gyd hebdda i yn fy lladd i. Cwbl o'n i isio oedd cael y cyfla i alaru hefo chdi, rhoi 'mraich amdana chdi a deud wrtha chdi bo' bob dim yn iawn, ond do'n i'm yn cael.'

'Mi roedd Gruffydd yn briliant hefo fi.'

'Mi roedd o'n galaru am fabi rywun arall! Mi ro'n i'n teimlo piti drosto fo a deud gwir wrtha chdi ... Be os fysa chdi 'di mynd *full term*? Be 'sa chdi 'di neud wedyn?'

''Swn i 'di deud wrtho fo.'

'Bysat?'

'Byswn!'

'Dwi'm yn meddwl bo' chdi 'rioed wedi planio ei adael o, ddim go iawn.'

''Di hynna'm yn deg, Aron! Mi roedd Gruffydd yn fwy na jest rywun o'n i'n ganlyn, doedd. Mi roedd o'n ŵr i mi, mi roeddan ni wedi planio dyfodol hefo'n gilydd ac mi wnes i adduned i aros hefo fo. Doedd petha ddim mor *straightforward* â hynny.'

'Mi nest ti adduned i fod yn ffyddlon hefyd!'

'Chlywais i mohona chdi'n cwyno!'

'Mi ro'n i'n dy garu di, Beca … Dwi dal yn dy garu di. 'Swn i 'di cytuno i rwbath i gael bod hefo chdi, hyd yn oed os o'n i'n gorfod dy rannu di.'

'A be rŵan? Be ddiawl 'dan ni'n neud rŵan, Aron? Mae'r holl beth wedi mynd yn gymaint o lanast.'

Mwythodd Aron ei gwallt yn gariadus, a sychu'r dagrau oddi ar ei hwyneb.

'Mae hynna i fyny i chdi,' meddai wrthi. 'Fedra i'm dy stopio di rhag mynd i siarad hefo Ffion, fysa hynna'm yn deg. Chdi sydd isio cau'r mwdwl. 'Sa chdi'n mynd at yr heddlu rŵan 'sa chdi'n cael dy gnebrwng, 'sa chdi'n cael trefn ar betha a chychwyn eto.'

'Ond 'swn i'n dy golli di!' meddai gan ei gofleidio'n dynn. 'Fedrwn i'm gwynebu bod ar fy mhen fy hun.'

Cusanodd Beca ef yn dyner.

'Ddown ni drwy hyn, 'sti,' sibrydodd Aron. 'A 'na i byth, byth, byth dy frifo di eto.'

DYDD SADWRN, CHWEFROR 2, 2019

Canodd ffôn Geth i dorri ar y distawrwydd, a chododd yntau ei ben o'i drwmgwsg yn sydyn. Tynnodd y darn papur oedd wedi sticio i'w dalcen, a sychu'r glafoerion oddi ar ei ên cyn prysuro i ateb y ffôn.

'H-h-helô?'

'Geth, fi sy 'ma. Lle ti arni?'

Edrychodd y ditectif ifanc drwy'r ffenest mewn panig. Roedd hi'n dywyll o hyd a lampau'r stryd yn pefrio'n oren ar y pafin gwlyb.

'Ym-ym … dwi dal tu allan i dŷ Aron, bòs.'

''Di Beca dal yno?'

'Ym … yndi, dwi'n meddwl.'

'Be ti'n feddwl "dwi'n meddwl"? Ti 'di bod yn cysgu?!'

'Chwara teg, bòs! Dwi 'di bod yma ers chwech o'r gloch neithiwr! Dwi'm 'di cael swpar eto heb sôn am frecwast! Faint o'r gloch 'di hi rŵan?'

'Saith.'

'Wel, tro dwytha i mi sbio ar 'yn *watch* mi roedd hi wedi pump, ac mi roedd hi dal yma bryd hynny … O, *hold on!*'

'*Hold on*, be?'

Llithrodd Geth yn is i'w sêt ac estyn ei gamera o'r sêt ôl yn slei bach. Gwyliodd ddrws y tŷ yn agor yn araf, a thynnodd lun o'r ddau ifanc yn cofleidio'n dyner cyn rhannu cusan.

'Mae hi ar fin gadael, bòs,' sibrydodd i lawr y ffôn. 'Mae'n cerdded ffordd 'ma rŵan! Well i mi ei heglu hi rhag ofn iddi nabod y car.'

'Iawn. Mi 'na i dy gyfarfod di yn y caffi neis 'na wrth lan môr. Bryna i frecwast i chdi.'

Tywalltodd Ffion gwpanaid arall o de iddi hi ei hun, cyn plastro menyn a jam ar ei thost. Sglaffiodd Geth yntau ei frechdan wy 'di ffrio, a'r melynwy yn diferyd i lawr ei ên.

''Di Catrin yn gadael i chdi fyta felna adra?' gofynnodd Ffion yn feirniadol.

'Dwi'm yn cael brechdana wy adra. Ma' Catrin ar ryw *health kick* ers misoedd. Ryw hen fiwsli afiach sy ar y meniw acw. Hi sy'n ei neud o, felly fiw i mi gwyno.'

'Wel paid â deud 'mod i'm yn dy drîtio di,' chwarddodd Ffion.

'Be 'di'r cam nesa rŵan 'ta, bòs? 'Dach chi'n meddwl y dylian ni ddod â fo i mewn?'

'Does 'na'm digon o dystiolaeth i'w tsiarjio fo hefo dim byd. 'Di'r ffaith ei fod o wedi bod yn cadw honna'n gynnas yn nos yn golygu dim.'

''Dach chi'n meddwl y cawn ni'r hogia yn y clwb rygbi i siarad?'

''Dan ni'm gwaeth â thrio. Ond os 'di pawb yn ei chanol hi, beryg na fyddan nhw'n barod iawn i siarad … Raid i ni wneud i'r crwner oedi rywsut. Fuodd o'n swnian eto ddoe. Y teulu yn desbret i drefnu'r cnebrwng, medda fo. Cwbl sgynno fo ydi *straight case* o hypothermia, 'de. Mae o'n barod i agor y cwest a rhyddhau'r corff.'

'Ella na dyna sgynnon ni … ella na ni sy'n ama heb fod angan.'

'Ama fyddwn ni am byth heb fwy o dystiolaeth.'

Llowciodd Ffion weddillion ei phaned a chodi ar ei thraed.

'Reit, well i mi fynd i chwilio am Mam a'r plant. Dwi'n mynd â nhw allan am ginio heddiw. Be sgen ti ar y gweill?'

'Catrin ffansi trip i B&Q. Isio papur wal newydd i'r stafell sbâr.'

'Difyr,' chwarddodd Ffion. 'Mwynha dy hun. Wela i di yn y stesion ben bora dydd Llun. Tyrd â'r camera hefo chdi.'

Taflodd Ffion arian ar y bwrdd cyn rhoi ei chôt a'i sgarff amdani.

'Diolch am y brecwast, bòs.'

'Diolch i chdi, Geth. Dim jest am neithiwr. Ti 'di gweithio'n galad iawn wythnos yma. 'Dan ni'n gneud tîm iawn, dydan?'

'Ydan, am wn i,' gwenodd.

Eisteddodd Aron ar y soffa i fwynhau llond dysglaid o Goco Pops. Roedd arogl persawr Beca i'w glywed yn y parlwr o hyd, ac ôl bach del ar glustog y gadair lle'r oedd wedi bod yn eistedd i yfed ei phaned. Roedd ei feddwl yn byrlymu. Hon oedd y ferch roedd o wedi ei charu ers yr oedd yn bedair ar ddeg, a dyma gyfle o'r diwedd i gychwyn perthynas go iawn hefo hi. Ei charu heb gywilydd. Roedd yr euogrwydd yn deimlad rhyfedd. Ddim teimlo'n euog am yr hyn yr oedd wedi ei wneud oedd o, ond teimlo'n euog am nad oedd ots o gwbl ganddo. Roedd y ddau i fod hefo'i gilydd, a doedd dim rhaid iddyn nhw guddio'r peth bellach.

Doedd o erioed wedi bwriadu brifo Gruffydd. Roedd y creadur yn foi iawn, mae'n siŵr. Prin yr oedd yn ei nabod, a deud y gwir. Ond mi roedd ganddo rywbeth yr oedd o'n ysu i'w gael. Ac fel y dysgodd ei dad iddo pan oedd yn hogyn bach, os oes yna rywbeth rwyt ti wirioneddol ei eisiau, mae'n rhaid ti ymladd amdano.

Estynnodd ei ffôn o'i boced ac ysgrifennodd neges destun a gwên fawr ar ei wyneb.

Teimlodd Beca ei ffôn yn crynu yn ei phoced wrth iddi gerdded i lawr y stryd. Darllenodd y neges gryno:

Diolch x

Rhoddodd y ffôn yn ôl yn ei phoced yn sydyn, fel pe bai ganddi gywilydd o fod wedi ei ddarllen. Brysiodd am dŷ ei rhieni, a'r gwynt oer yn chwythu ar ei gwar yn frwnt. Allai hi ddim credu ei bod wedi cysgu yn ei wely neithiwr, wedi gadael iddo'i chyffwrdd, ei chusanu mor nwydus ac yntau wedi cyfaddef y cwbl. Roedd hi wedi bod yn aros ac aros am ateb i'r cyfan, a rŵan roedd hi wedi gwneud pethau gan waith gwaeth.

Gallai ddatrys y cwbl ag un alwad ffôn wrth gwrs. Gallai fynd i'w gwely heno yn gwybod fod y cyfan drosodd. Gorffen galaru a chychwyn eto. Ond sut allai droi ei chefn ar Aron? Fo oedd yr unig un oedd yn ei dallt hi. Hi oedd yr unig un oedd yn ei ddallt o.

Trodd y goriad yn nhwll y clo ac agor y drws. Camodd i mewn i'r cyntedd mawreddog a hongian ei chôt ar y bachyn. Rhuthrodd ei mam ati yn ei chôt nos binc a rhoi ei braich amdani.

'Lle yn y byd wyt ti wedi bod, Beca?' gofynnodd yn ddramatig. 'Mi es i fyny i dy lofft di gynna hefo panad o de ond doeddat ti ddim yno.'

'Dwi wedi bod yn effro ers pump,' meddai Beca'n sydyn. 'Methu cysgu. Felly mi es i allan am dro i glirio 'mhen.'

'Pam na fysa chdi wedi dweud? Mi fyswn i wedi dod hefo chdi.'

'Do'n i'm isio'ch deffro chi. Ac mi roedd well gen i fod ar fy mhen fy hun beth bynnag.'

'Wel dos am y gegin yna rŵan i gnesu ac mi 'na i frecwast i ti. Be ti ffansi?'

'Dwi'm yn llwglyd.'

'Raid i ti fyta rwbath, Beca bach. Ti ond croen am asgwrn wedi mynd.'

'Ocê. Gyma i ddarn o dost.'

'Iawn. Mi 'na i wy a chig moch i chdi i fynd hefo fo.'

Cyn i Beca gael cyfle i brotestio, roedd ei mam wedi rhuthro i'r gegin i roi ei ffedog Homepride amdani. Ymlwybrodd ei merch at y bwrdd bwyd ac eistedd i lawr wrth ochr ei thad. Cododd yntau ei ben uwch ei bapur newydd a gwenu arni.

'Sud wyt ti, 'nghariad i?' gofynnodd yn annwyl.

'Dwi'n iawn,' gwenodd hithau yn ôl, heb fawr o frwdfrydedd.

'Ddoist ti'm adra ar ôl bod yn gweld Gwenno neithiwr.'

'Naddo,' meddai hithau'n ansicr. 'Gysgais i ar y soffa.'

'O,' meddai yntau'n amheus. 'Ddudish i wrth dy fam 'mod i wedi dy weld di'n cyrraedd adra tua un o'r gloch. Do'n i'm isio iddi fynd i boeni ... 'Di bob dim yn iawn, yndi?'

'Yndi. Jest isio dengyd am dipyn bach o'n i.'

'Dydw i ddim am roi pwysa o gwbl arna chdi. Ond ti'n gwbod os wyt ti isio siarad 'mod i yma i wrando. Aetha fo ddim pellach na'r ddwy glust yma.'

Gwenodd Beca arno a theimlodd y dagrau yn cronni yn ei llygaid.

'Tyrd yma,' meddai ei thad gan estyn ei freichiau ati. Eisteddodd hithau ar ei lin fel yr oedd wedi ei wneud ddegau o weithiau ar ôl disgyn yn ferch fach. Rhoddodd ei phen ar ei ysgwydd wrth i'r dagrau ddechrau powlio.

'O 'nghariad bach i,' meddai, gan fwytho ei gwallt.

Trodd ei mam atynt a llond platiad o wyau a chig yn ei dwylo.

'Be sy?' gofynnodd yn bryderus, gan ruthro atynt.

'Beca sy'n cael ryw bwl gwan bach. Mi fydd hi'n iawn yn munud.'

'Dwi'n mynd i weld y Ffion 'na peth cynta bora dydd Llun! Fedri di'm cario 'mlaen fel hyn ar binna bob dydd! Mae rhaid trefnu'r cnebrwng 'na wir i chdi gael galaru'n iawn. Fyddi di wedi gwneud dy hun yn sâl fel hyn ... Rŵan byta rwbath, Beca bach, a 'na i banad o de hefo siwgr i chdi.'

100

Chwarddodd y ddau wrth ei gweld yn rhuthro i ferwi'r tegell.

'Poeni amdana chdi mae hi, 'sti,' meddai ei thad.

''Dan ni'm 'di gneud dim byd ond poeni ers i ti gael dy eni, a deud y gwir wrtha chdi. Peth felly ydi bod yn rhiant, am wn i. Tasan ni'n gallu mynd â'r boen 'ma i gyd i ffwrdd mi fysan ni'n gneud ar ein hunion. Y cwbl medrwn ni neud ydi dy gysuro di ... Mi ddaw pethau'n well, 'sti.'

''Dach chi'n meddwl?'

'Amsar wyt ti isio. Amsar i alaru ac amsar i ddod atat ti dy hun eto. Dydi rhywun byth yr un fath ar ôl colli rhywun, ond mi ddaw yn haws, dwi'n gaddo.'

'Dwi 'rioed 'di colli neb o'r blaen. Mi ro'n i rhy ifanc i gofio rhyw lawar am Taid a Nain. Mi ro'n i 'di ryw feddwl y bysa Gruffydd o gwmpas am byth rywsut. Dim ots be dwi 'di'i neud neu'i ddeud yn y gorffennol, mae o wedi madda i fi ac wedi cadw 'mhart i.'

'Mae pawb yn mynd drwy gyfnodau anodd, Beca, ond mi rydach chi'n dod drwyddi achos eich bod chi'n caru'ch gilydd. Mi roedd Gruffydd yn ddyn da. Ella nad oeddat ti'n ymwybodol ohono fo ar y pryd, ond mi wnaeth o lot o les i chdi, 'sti. Ac er nad ydi o yma hefo chdi rŵan, mae'r amsar yna ti wedi ei gael hefo fo wedi dy newid di er gwell. Ac mi fydd hynny hefo chdi am byth, dim ots be sydd o dy flaen di.'

'Dyna 'di'r broblem. Sgen i'm clem be sy o 'mlaen i. Dwi'm yn gwbod be dwi'n mynd i'w neud hefo 'mywyd rŵan.'

'Dim ots am hynny, nadi. Cwbl ti isio meddwl amdano fo ydi be ti'n ei neud yr eiliad yma, 'de.

Gwna'r gorau o'r hyn sgen ti rŵan, a cym bethau fel maen nhw'n dod. Ti'n gwbod yn well na neb pa mor frau ydi bywyd. Mae 'na bethau gwell i ti wneud hefo dy amsar na phoeni, does. Mi fydd gen ti ddigon o amsar i wneud hynny pan fyddi di'n oed i ... Ond wnei di addo un peth bach i mi?'

'Be?'

'Rho dy hun gynta, Beca bach. Gwna be ti isio'i neud. Ac mi ddaw hapusrwydd yn ei sgil o.'

Cododd Beca oddi ar ei lin a rhoi cusan dyner ar ei dalcen. Aeth yn ôl i'w chadair a dechrau bwyta ei brecwast.

NOS SADWRN, MAWRTH 11, 2017

Tynnodd Beca ei theits i fyny dros ei botwm bol a thwtio'r ffrog ddu, dynn oedd amdani. Cymerodd lymaid arall o'i gwin, a throi'r gerddoriaeth yn uwch ar y peiriant crynoddisgiau.

'Da 'di hon,' meddai, wrth i'r gân 'Titanium' floeddio drwy'r sbicyrs.

Neidiodd Helen ar y gwely a dechrau canu dros y tŷ.

'*Shoooot me down, but I won't fall, I am Titaaaaniiiiiuuuuum!*'

'Lwcus bod Clive drws nesa yn drwm ei glyw 'de, Beca,' chwarddodd Gwenno.

'Dyna pam ei fod o'n drwm ei glyw!' meddai hithau wedyn.

Taflodd Helen glustog ati a dechreuodd y tair chwerthin dros y lle.

Edmygodd Beca ei hadlewyrchiad yn y drych mawr ar ddrws cwpwrdd dillad Helen. Taenodd haenen arall o lipstig ar ei gwefusau a thwtio'i gwallt, oedd yn disgyn yn donnau hir dros ei hysgwydd chwith.

''Dach chi'n siŵr fod y ffrog yma'n edrach yn iawn?'

gofynnodd Beca, yn gwybod yn iawn beth fyddai ateb ei ffrindiau.

'Ti'n edrach yn styning, Beca,' meddai Gwenno.

''Dach chi'm yn meddwl ei bod hi'n rhy dynn?'

'If you've got it, flaunt it, dduda i,' meddai Helen, gan sglaffio cegiad arall o greision i'w cheubal.

'Dwi'm yn cofio'r tro dwytha i mi fod allan yn Aberysgo,' meddai Beca. ''Sgwn i pwy welwn ni.'

'Ti'n gobeithio gweld rhywun arbennig?' gofynnodd Helen yn awgrymog.

'Nadw.'

'Welon ni Aron allan wythnos dwytha, 'do, Gwenno.'

'Do, chwil gachu fath ag arfar. Mi roedd o'n trio cychwyn ffeit hefo ryw Sais tu allan i'r lle *kebab*.'

'O,' meddai Beca, gan esgus nad oedd yn cymryd llawer o sylw ohoni.

'Ti 'di bod yn sgwrsio mwy hefo fo wedyn?' gofynnodd Gwenno iddi.

'Naddo.'

'Gwatsia dy hun hefo hwnna, Becs,' meddai'n bryderus. 'Hen *charmer* ydi o. Paid â gadael iddo fo dy swyno di.'

'Mond fflyrtio diniwad oedd o.'

'Dwi'm yn meddwl y bysa Gruffydd yn ei gweld hi felly, wyt ti?'

'Ella ddim.'

'Be 'nei di os ti'n ei weld o heno?' gofynnodd Helen yn fusneslyd.

'Fflachio'i modrwy ddyweddïo a chadw ddigon pell oddi wrtho fo!' bytheiriodd Gwenno.

'Sboilsbort,' chwarddodd Helen.

'Dim sboilsbort ydw i! Mae be sgynni hi hefo Gruffydd werth mwy na ryw hen ffling gwirion, dydi. Difaru fysa hi.'

'Reit 'ta, genod, os 'dach chi wedi gorffan comentio ar 'yn *love life* i, 'nawn ni ffonio tacsi, ia?'

''Nawn ni gerddad 'de,' meddai Helen. 'Gawn ni stopio am un yn y Fic ar 'yn ffordd.'

'Ocê,' meddai Beca. 'Dowch 'laen 'ta ne chyrhaeddwn ni byth.'

Brasgamodd y tair i lawr y stryd yn eu sodlau meinion, ag awyr y nos yn llosgi eu breichiau noeth. Agorodd Beca'r drws, a tharodd cynhesrwydd chwyslyd y dafarn hi'n syth. Camodd i mewn, a theimlodd lygaid pob dyn oedd yno yn troi ati'n syth. Cerddodd at y bar yn hyderus, a gwenodd ar y llanc ifanc oedd wrthi yn sychu gwydrau'n dawel.

'Tri siot o Tequila plis, del.'

Gwenodd yntau arni'n nerfus, cyn clecian chwilio drwy'r poteli llychlyd ar y silff uchaf. Daeth o hyd i'r botel gywir o'r diwedd yn llechu rhwng y Cinzano a'r Cognac. Tywalltodd siot sigledig a thri chwarter i mewn i dri gwydr a'u gosod ar y bar.

''Dach chi isio lemon?'

'A halen, plis. I ni neud hyn yn iawn 'de, genod.'

Gwnaeth Gwenno stumiau cyfogi y tu ôl iddi. Rhoddodd y barman dair sleisen o lemon yn llaw Beca, cyn mynd at un o'r byrddau i nôl tri *sachet* o halen.

'Chwe phunt, plis,' meddai.

Estynnodd Beca bapur deg o'i phwrs.

'Dala i am rhain,' meddai, gan estyn yr arian iddo.

'Diolch,' meddai Gwenno'n goeglyd.

Rhannodd Beca'r gwydrau rhyngddynt a thywallt-odd halen ar fawd pob un.

'Iechyd da, genod,' meddai.

Llyfodd y tair yr halen cyn llowcio'r ddiod afiach mewn un gegiad.

'Blydi hel!' bloeddiodd Gwenno, cyn sugno'r lemon fel plentyn bach yn sugno eisin oddi ar gacen fach.

'Tri arall, plis,' gofynnodd i'r barman, gan daro'i gwydr o'i flaen.

'Ti'n gall, 'da!' gofynnodd Gwenno, oedd wedi stwffio'r darn cyfan o lemon i'w cheg erbyn hynny.

'Be? Dwi'n ôl yn Aberysgo hefo'r ddwy ffrind ora yn y byd i gyd. Dwi'n dathlu heno.'

'Dwn i'm os 'di *night out* yn Aberysgo yn fatar dathlu, 'de,' chwarddodd Helen.

'Wel mae o i fi,' meddai Beca. 'Dwi'm 'di cael noson allan iawn ers i mi symud i Llanbedol.'

'''Di bob dim yn mynd yn iawn?' gofynnodd Gwenno.

'Yndi,' atebodd yn dawel.

'Ti'm yn swnio'n rhyw *convincing* iawn.'

'Dwi wrth 'y modd, wir … Ond mi rydw i'n colli fama hefyd.'

'Pam na 'newch chi'm ffeindio lle yn fama?'

'Dyna 'swn i'n licio. Ond 'di Gruffydd 'im isio gadael ei fam ar ei phen ei hun.'

'Dowch â hi hefo chi,' chwarddodd Helen.

'Ti'n gall, 'da?! O leia dwi'n cael brêc yn Llanbedol pan mae hi'n mynd i'r capel neu gyfarfodydd Merched y Wawr. Fysa 'na ddim dengyd oddi wrthi 'sa hi'n dod i fyw i rwla diarth.'

'Be ti am neud 'lly?'

'Mond amsar dwi isio, genod,' gwenodd. 'Mi ddaw o rownd yn slo bach, chi.'

'Gruffydd druan,' meddai Gwenno. 'Oedd o'n gwbod be oedd o'i flaen o pan aeth o lawr ar ei ben-glin, 'dwch?'

''Sa Beca yn deud wrtho fo am roi ei fys yn socet 'sa fo'n gneud. Ma'r boi yn *besotted*.'

'Wel gwna'n siŵr bo' chdi'n ei drin o'n iawn, Beca,' meddai Gwenno.

'Be ti'n drio ddeud?' gofynnodd hithau'n biwis.

''Swn i'm yn licio'i weld o'n torri'i galon, cradur. Mi fysa'n gneud rwbath i chdi.'

'A 'swn inna'n gneud rwbath iddo fo hefyd,' atebodd yn siort. 'Dwi'n ei garu o. 'Swn i'm 'di cytuno i'w briodi o fel arall.'

'Ocê, sori.'

'Peidiwch â mynd i ffraeo rŵan, genod, yn enwedig am ddynion!' meddai Helen. '*Girls' night* 'di hon, 'de. Dowch i ni gymyd y siots 'ma ac mi awn ni lawr am y stryd fawr.'

Llowciodd Beca ei diod yn sydyn.

'Sori, Gwenno. Anghofiwn ni amdano fo. Dwi jest yn mynd i bi-pi. Fydda i'm dau funud.'

Ymlwybrodd Beca i'r cefnau tywyll, gan geisio nadu ei sodlau rhag disgyn rhwng y tyllau yn y teils. Aeth i mewn i'r lle chwech, cymryd golwg sydyn arni hi ei hun yn y drych, cyn mynd i eistedd i un o'r ciwbicls. Syllodd ar y fodrwy lachar ar ei llaw chwith a'i throelli gyda'i bysedd.

Roedd Gruffydd wedi dewis un o'r ffyrdd mwyaf rhamantus i ofyn iddi ei briodi. Pnawn braf ym mis Medi oedd hi, ac roedd o wedi paratoi basged bicnic arbennig iddyn nhw a'i llond hi o ddanteithion drud o'r deli a photel o Moët. Dewisodd lecyn godidog ar y clogwyn uwchben glan môr Aberysgo, a gosod blanced a chlustogau moethus ar y llawr. Dim ond y ddau ohonyn nhw oedd yno a'r traeth yn wag am filltiroedd. Cofiai iddi orwedd yn ôl a theimlo'r haul yn gynnes ar ei bochau. Wedi iddo agor y botel, aeth i'w boced ac estyn y fodrwy hyfrytaf a welodd erioed. Cofiai'r hyn a ddywedodd yn iawn: 'Mi rydw i wedi dod â chdi i fama achos 'mod i'n gwybod cymaint o feddwl sydd gen ti o'r lle. Gobeithio y medra i dy neud di mor hapus ag y mae Aberysgo wedi dy neud di, dim ots lle y byddwn ni.'

Roedd hi wedi gwirioni, wrth gwrs, ac aeth ati'n syth i drefnu'r briodas. Gwyddai'n iawn sut ddiwrnod roedd hi am ei gael o'r cychwyn cyntaf. Faint o forynion, lliw'r blodau, lleoliad y mis mêl hyd yn oed. Ond rywsut neu'i gilydd, doedd bod yn wraig heb groesi ei meddwl rhyw lawer.

Cododd ar ei thraed a sythu ei ffrog, cyn sychu'r dagrau oddi ar ei bochau. Agorodd y drws ac aeth i dwtio ei cholur yn y drych. Cymerodd anadl ddofn, cyn gwenu a cherdded allan i'r cyntedd. Ymbalfalodd yn ei bag am ei ffôn.

'Iawn, Beca?'

Cerddodd Aron allan o doiledau'r dynion a'i ddwylo yn ei bocedi.

'O, haia,' meddai hithau'n nerfus, a'r ffôn yn ei llaw.

'Trio cael gafael ar rywun oeddach chdi?' gofynnodd yn hyderus.

'Ar fin tecstio Gruffydd o'n i.'

'O, wela i,' gwenodd. 'Rhyfadd dy weld di o gwmpas lle 'ma. Mi ro'n i'n meddwl bo' chdi 'di mynd rhy grand i ni rŵan.'

'Nadw siŵr.'

'Hefo fo wyt ti heno?'

'Nage, hefo Helen a Gwenno. *Girls' night*.'

'Noson flêr felly!' chwarddodd.

'Dwi yn gwbod sud i handlo 'niod, 'sti,' meddai'n biwis.

'Deud ti. Dim dyna'r argraff ges i nos Sadwrn dwytha.'

'Wel, *one off* oedd honno,' meddai â chywilydd.

'O ... biti 'fyd.'

Gwenodd Beca'n nerfus.

'Ga i brynu drinc i chdi?' gofynnodd Aron. 'Be ti'n yfad dyddia yma? Stella?'

'Pinot Grigio. Ond dwi'n iawn, diolch. 'Dan ni'n mynd yn ein blaena am y stryd fawr rŵan. Hefo pwy wyt ti?'

'Rhys. Siŵr byddwn ninna yn mynd i rwla arall nes ymlaen hefyd. Ella wela i chdi o gwmpas?'

'Ella wir. Joiwch 'ych noson.'

'A chitha.'

Cerddodd Beca i gyfeiriad y bar ac aeth Aron ar ei hôl.

'Dim dy ddilyn di ydw i gyda llaw,' chwarddodd Aron. 'Mynd am y bar dwi hefyd.' Gwenodd Beca. 'A dydw i ddim yn sbio ar dy ben ôl di, er ei fod o'n edrach reit *impressive* yn y ffrog 'na.'

Aeth Beca at y genod a gafael yn eu breichiau.

'Ffwrdd â ni, ia?'

Edrychodd Gwenno arni'n amheus.

'Be oedd gynno fo i'w ddeud?' gofynnodd yn awgrymog.

'Dim llawar. Jest deud helô. Ella welwn ni nhw ar y stryd fawr nes ymlaen.'

'Ti isio'i weld o eto?'

Cododd Beca ei hysgwyddau.

'Does 'na'm byd o'i le ar sgwrsio, nag oes,' meddai wedyn.

'Mond bod y sgwrsio ddim yn arwain at ddim byd arall, 'de!'

'*Take a chill pill*, Gwenno bach,' chwarddodd Beca. 'Dwi'n gwbod be dwi'n neud. Rŵan dowch wir, neu fama fyddwn ni. Be am i ni fynd am y lle newydd 'na wrth y marina i gael coctels?'

'Wwww, ia. Mae fanno'n lyfli!' meddai Helen.

'Ac yn ddrud!' meddai Gwenno'n ôl.

'Dwi'n eich trîtio chi heno, ocê,' meddai Beca. ''Mots gen i dalu am amball goctel drud. 'Dan ni'm yn gneud hyn yn amal. Dowch 'laen.'

'Ia, gwena, Gwenno!' meddai Helen.

Chwarddodd y tair a dechrau cerdded am y marina.

Roedd yna giw go fawr y tu allan i'r bar, ond mynnodd Beca gerdded at y drws, gan anwybyddu rhegfeydd lliwgar y rhai oedd y tu ôl iddi. Gwenodd ar y bownsar.

'Ti'n meddwl y medrwn ni sleifio i mewn?' gofynnodd gan droelli cudyn o wallt rhwng ei bysedd. 'Dim ond y dair ohonan ni. 'Dan ni'n rhynnu, sbia,' meddai, gan dynnu sylw at ei bronnau gwynion, oedd yn groen gŵydd i gyd. Agorodd yntau'r drws ar eu cyfer.

'Diolch, del,' meddai, gan rwbio'i fraich gyhyrog.

'Sud ddiawl nest ti hynna?' gofynnodd Helen.

'Mond fflashio chydig o groen sydd isio ac maen nhw fel pyti yn eich dwylo chi. Mae'r tecnîc yna 'di 'nghael i allan o ddwy ffein parcio cyn heddiw.'

''Mots faint o groen 'swn i'n fflashio, 'swn i'm yn cael ymateb felna,' meddai Gwenno. 'Bitsh lwcus.'

'Reit, be gymrwch chi, genod?' gofynnodd Beca. '*Sex on the beach?*'

'Ia plis,' chwarddodd Helen.

''Di hwnnw'n dod mewn glàs crand hefo ryw ffrwytha a ballu?' gofynnodd Gwenno.

'Yndi.'

'Ocê, gyma i hwnnw.'

''Dyn nhw'n rhoi'r hen ymbaréls bach lliwgar 'na ynddyn nhw hefyd?' gofynnodd Helen wedyn.

'Dim ers *nineteen seventy-eight*,' pryfociodd Beca.

'Wel am siom! Dim ots, neith un o'r rheini i fi hefyd.'

'Ocê, ewch chi i chwilio am fwrdd i ni.'

Roedd y bar yn orlawn a phob bwrdd wedi ei fachu yn barod. Sylwodd Helen ar ddyn deniadol yn eistedd ar ei ben ei hun wrth y ffenest. Cerddodd tuag ato ac eistedd wrth ei ymyl.

''Sna rywun yn eistedd yn fama, del?' gofynnodd, gan godi ychydig ar ei sgert yn fwriadol, ac arddangos ei choesau *corned beef* nobl iddo. Gwelwodd yntau, gan godi o'i sêt yn sydyn.

'Ym … ar fin mynd o'n i, cymrwch y bwrdd, os 'dach chi isio.'

'Wel am ffeind, diolch yn fawr iawn i chdi.'

Winciodd Helen ar ei ffrind.

''Dan ni *on a roll* heno!'

Chwarddodd Gwenno. Sylwodd y ddwy ar Beca yn cerdded o'r bar gyda'u diodydd, a chwifiodd y ddwy eu dwylo arni i dynnu ei sylw.

'Ew, 'dach chi 'di cael bwrdd da yn fama,' meddai.

'Diolch i fi, 'de,' meddai Helen yn falch.

Gosododd Beca y diodydd crand ar y bwrdd. Ond cyn i'r ddwy arall gael cyfle i gymryd llymaid, roedd wedi estyn potel fach o fodca o'i bag.

'Be ti'n neud?!' gofynnodd Gwenno mewn sobrwydd.

'Mond dropyn o alcohol maen nhw'n ei roi yn hein, chi. *Fruit juice* 'di o fwya. Dowch 'laen, mi wneith o safio chydig o bres i ni, gneith.'

Cytunodd Helen, cyn estyn ei gwydr i Beca o dan y bwrdd.

'Gwenno?'

'Ocê 'ta,' meddai, gan estyn ei gwydr hithau. 'Mond dropyn.'

Tolltodd Beca jochiad go lew i'w gwydrau, cyn llowcio'r gegiad gyntaf.

'Waw! Ma' hwnna'n neis,' chwarddodd Beca, gan dagu mymryn wrth iddo daro cefn ei gwddw.

112

'Ti'n trio'n meddwi ni, Beca Davies?' gofynnodd Helen.

'Pam lai 'de?' meddai. 'Dwi'n gwbod na cha i Gwenno i ddawnsio 'sna 'di hi 'di cael dropyn neu ddau.'

'O ia?' gwenodd Gwenno, cyn codi ar ei thraed a dechrau dawnsio wrth y bwrdd.

Sgrechiodd y ddwy arall a chwibanu yn wirion, cyn ymuno â hi.

'Argol, dwi 'di dy fethu di, 'sti,' meddai Gwenno wrth Beca.

'A finna chditha,' meddai, gan ei chofleidio'n ddramatig.

'Plis tyrd yn ôl i Aberysgo.'

'Fydda i'n ôl ryw ddiwrnod, dwi'n gaddo.'

Sylwodd Beca ar ei ffôn yn goleuo ar y bwrdd a rhuthrodd i'w godi, gan hanner gobeithio gweld neges gan Aron ar y sgrin:

Mwynha dy hun heno, cariad. Ti'n haeddu brêc. Wela i chdi bora fory.xx

'Gruffydd?' gofynnodd Gwenno.

'Ia, jest gweld os dwi'n cael noson iawn.'

'O, chwara teg. Be oedd o'n neud heno?'

'Gwatsiad ryw gêm rygbi ar y teli, dwi'n meddwl. Mi eith i dŷ ei fam am swpar gynta, ma'n siŵr. Noson *chops* 'di hi heno.'

'Cradur. Mae o'n dda hefo hi, dydi.'

'Yndi. Ond 'swn i'n licio 'swn i'n cael yr un sylw weithia,' meddai, gan fynd yn ôl i eistedd yn bwdlyd.

'Mae hi'n fam iddo fo, chwara teg. Dwi'n siŵr bo' chdi'n cael mwy o sylw na'r rhan fwya o gariadon.'

'Ma' raid iddo fo gael gwbod be sydd gan ei fam i'w ddeud am y peth cyn gneud unrhyw fath o benderfyniad. Os 'di o'n meddwl peintio stafall neu brynu dodrafn newydd, mi ofynnith i'w fam be mae hi'n feddwl cyn gneud. 'Di 'marn i ddim digon da. Mi ofynnodd iddi wythnos dwytha pa stwff golchi dillad ddylai o ei ddefnyddio achos bo'i groen o wedi mynd yn sensitif. Fi sy'n golchi ei blydi ddillad o!'

Eisteddodd y ddwy yn ei hymyl a swigio'u coctels yn ddifrifol.

'Be mae hi'n feddwl ohona chdi, 'sgwn i?' gofynnodd Helen. 'Siawns ei fod o wedi gofyn am gyngor pan oedd o'n cychwyn mynd allan hefo chdi.'

'Duw a ŵyr. Mae hi'n gneud ryw *remarks* digywilydd bob hyn a hyn. Ond dynas felly ydi hi, dwi'n meddwl.'

''Dach chi ddim mor wahanol yn diwadd felly,' chwarddodd Gwenno.

Pwniodd Beca hi'n bryfoclyd.

'Wel mae o wedi cadw dy bart di beth bynnag,' meddai Helen.

'Do, ma'n siŵr.'

'Fo 'di ei hunig blentyn hi, 'de,' meddai Gwenno. 'Mond y ddau ohonyn nhw sy 'na. Mae hi'n mynd i fod yn *protective*, dydi.'

'Ond raid iddi adael iddo fo fynd ryw ddiwrnod, bydd. Fyddwn ni'n ŵr a gwraig mewn dipyn. Fi ddyla ddod gynta.'

'Os 'di o'n dy boeni di gymaint â hynny, Becs, raid i chdi siarad hefo fo am y peth. Ti angan sortio ryw deimlada gwirion felma cyn y briodas, does.'

114

'Ti'n iawn,' cytunodd Beca. 'Dyna ddigon o'r *serious talk* rŵan, dwi'n gaddo! Dowch i ni gychwyn mwynhau ein hunain, wir dduw! Dwn i'm amdanach chi, ond dwi'n llwgu. Dwi heb fyta dim ers cyn cinio. 'Dach chi ffansi ordro chydig o tsips i rannu?'

'Www ia, syniad da,' meddai Helen. 'A chydig o *nacho*s, ella?'

'Ocê.'

'A *portion* o *chicken wings.*'

Chwarddodd Beca.

'Iawn, a' i i ordro i ni,' meddai. 'Fydda i'm yn hir.'

Gwasgodd Beca drwy'r dorf swnllyd oedd wedi hel wrth y bar. Roedd hi mor brysur yno fel na sylwodd ar y tre gorlawn o ddiodydd yn dod i'w chyfeiriad. Cyn iddi allu camu i'r ochr i'w osgoi, roedd ei gynnwys drewllyd wedi colli dros ei ffrog i gyd. Sgrechiodd dros y lle wrth deimlo'r cwrw oer yn llifo i lawr ei bronnau.

'O blydi hel, Beca, dwi mor sori!'

Rhoddodd Aron y tre i lawr ar y bwrdd agosaf, a rhuthro i geisio sychu ei chroen â rhyw ddarn o syrfiét.

'Pam nest ti'm sbio lle oeddach chdi'n mynd!' bytheiriodd Beca, gan fachu'r syrfiét o'i law.

'Mi 'nes i! Mi ddoist ti allan o nunlla.'

'Wel fedra i'm mynd rownd dre yn edrach felma, na fedra! Dwi'n socian! Raid i fi fynd adra.'

'Na fydd siŵr. Sefyll o dan y dreiar yn y toilets am dipyn bach a fyddi di ddim 'run un.'

'Dwi'n drewi 'tha *brewery*!'

'Dynas secsi ac ogla cwrw. Swnio fath â'r *ideal combination* i fi.'

Ceisiodd Beca stopio'i hun rhag chwerthin.

'Tyrd, Stella, a' i â chdi i'r toilets.'

Gafaelodd Aron yn ei llaw a'i harwain i'r lle chwech. Agorodd ddrws y toiledau, a rhuthrodd i mewn i un o'r ciwbicls i nôl lwmpyn anferth o doilet rôl. Syllodd y genod eraill arno mewn sobrwydd wrth iddynt ymbincio wrth y sinc.

"Sgiwsiwch fi, genod. Mond helpu *damsel in distress*,' meddai, gan ddechrau sychu bronnau Beca yn ofalus.

'Fedra i neud 'yn hun, diolch,' chwarddodd Beca. 'Dalia hwn,' meddai, gan sodro ei bag yn ei ddwylo mawr. 'Siwtio chdi.'

Wedi iddi sychu'r rhan fwyaf o'r gwlybaniaeth, aeth i sefyll o dan y sychwr dwylo fel pe bai'n gwneud y limbo.

'Ti'n cael noson dda!' bloeddiodd Aron dros y sŵn.

'Mi o'n i tan i fi fympio i mewn i chdi!'

'O! Sori am hynna!'

'Dim ots! Damwain oedd hi!'

'Bryna i ddrinc i chdi i ddeud sori! Pinot Grigio, ia?!'

'Rownd ddrud i chdi!'

'Dim ots! Un ffordd o gael dy sylw di, doedd!'

'Mi roeddach chdi 'di cael 'yn sylw i'n barod!'

'Be?!'

'Mi roeddach chdi 'di cael 'yn sylw i'n barod!' bloeddiodd wedyn.

Stopiodd y sychwr yn sydyn cyn iddi gael cyfle i orffen ei brawddeg, nes i'w geiriau adleisio dros y toiledau i gyd. Chwarddodd y genod eraill, a theimlodd Beca ei bochau yn cochi'n llwyr. Gwenodd Aron.

'Dwi'n o lew rŵan,' meddai Beca yn dawel, gan gymryd ei bag o'i ddwylo. Estynnodd botel sent ohono a'i chwistrellu drosti i gyd. Tagodd Aron wrth iddo gael llond cegiad o'r arogl.

'Fel blodyn,' meddai. 'Tyrd, awn ni at y bar.'

Cerddodd y ddau yn eu holau ochr yn ochr heb ddweud gair, cyn i Beca golli ei balans yn ei sodlau uchel. Gafaelodd Aron yn ei braich yn sydyn rhag iddi ddisgyn. Cyn iddi sylweddoli beth oedd yn digwydd bron, roedd Aron wedi gwthio ei chefn yn erbyn y wal oer ac yn ei chusanu'n nwydus. Teimlodd ei ddwylo gwaith trymion yn gras ar ei gwar, a dechreuodd ei phengliniau wegian. Allai hi ddim cofio pryd oedd y tro diwethaf iddi deimlo mor effro.

'Sori,' meddai yntau, gan dynnu ei hun oddi wrthi yn frysiog.

Gafaelodd Beca am ei wddw a'i dynnu yn ôl tuag ati.

DYDD IAU, AWST 18, 2000

Trodd Gruffydd y golau ymlaen ac eisteddodd ar y llawr oer rhwng y sugnydd llwch a'r bwrdd smwddio. Llaciodd y dei ddu am ei wddw, cyn llyfu'r hufen oddi ar y gacen siocled yr oedd wedi bod yn ei llygadu drwy'r pnawn. Gallai glywed murmur y lleisiau o hyd. Y chwerthin a'r rwdlan. Yr union leisiau oedd wedi bod yn udo crio yn y capel gwta ddwyawr yn ôl.

Gwyliodd y sodlau a'r esgidiau sgleiniog yn pasio heibio o dan y drws, a'r briwsion brechdanau yn disgyn oddi ar y platiau papur. Gwyddai'n iawn y byddai ei fam wrthi tan berfeddion heno yn glanhau ar eu holau, a hithau newydd gladdu ei gŵr. Cymerodd frathiad arall o'r gacen siocled, er mai braidd yn siomedig oedd hi yn y diwedd ac yntau wedi aros cyhyd amdani. Doedd te cnebrwng ddim mor flasus â the parti rywsut, er mai'r un oedd y wledd. Estynnodd yr hances roedd ei fam wedi ei rhoi yn ei boced y bore hwnnw a sychodd y briwsion oddi ar y llawr.

Roedd o wedi clywed y sgwrsio. Gwyddai nad oedd y cnebrwng hwn yn gnebrwng arferol. Nid salwch na henaint oedd wedi mynd â'i dad. Roedd o wedi dewis marw. Ei fam oedd wedi dod o hyd iddo yn y sgubor – wel, dyna ddywedodd yr hogiau yn yr ysgol wrtho beth bynnag. Roedd pawb yn y pentref yn gwybod yr hanes heblaw amdano fo. Roedd ei dad wedi rhoi un o'i ynnau hela yn ei geg a thynnu'r glicied.

Roedd o wedi bod allan yn hela cwningod hefo'i dad droeon a gwyddai faint o lanast roedd yr un fwled yna yn gallu ei wneud i anifail pe bai'n cael ei daro yn y man anghywir. Roedd ei dad yn heliwr gofalus ac yn anelu at y frest bob amser. Mae'n siŵr y byddai'r rhan fwyaf o bobl yn ei weld yn beth rhyfedd, ond roedd cael cario'r anifail yn ôl i'r tŷ yn dipyn o fraint yn ei olwg o. Doedd yna ddim byd hyll am gorff – bron na allech daeru fod yr hen gwningen fach yn cysgu, ar wahân i ambell ddropyn o waed ar ei ffwr cynnes. Ni chafodd ddweud ta-ta wrth ei dad, er ei fod wedi erfyn ar ei fam fwy nag unwaith. Doedd hi ddim am iddo ei gofio felly, meddai hi. Roedd o'n siŵr o ddallt rhyw ddiwrnod.

Byddai'n siŵr o gofio am yr hwyl gafodd y ddau hefo'i gilydd. Y tripiau gwersylla, yr adeiladu awyrennau model tan berfeddion, y chwerthin mawr ar ôl stori cyn cysgu. Ond mi fyddai'n cofio am y diwrnodiau tywyll yna hefyd. Gweld ei dad yn crio wrth y bwrdd brecwast, gweld ei fam yn mynd i'w chragen pan aethai ar ei grwydr arferol. Clywed yr arogl wisgi ar ei wynt pan ddaethai i'w gyfarfod o'r ysgol. Chododd o ddim o'i wely o gwbl ar ben-blwydd ei fab y llynedd. Ceisiodd ei fam ei gorau glas i wneud y diwrnod yn un arbennig iddo. Cafodd gacen o'r becws â llun y Teenage Mutant Hero Turtles arni, ac aeth y ddau am dro hefo'i feic newydd. Ond doedd ei fam ddim yn gwybod sut i roi'r sêt i lawr, felly gwthio'r beic yn hytrach na'i reidio wnaeth o. Daeth ei dad i'w lofft ar ôl iddo fynd i'w wely i ddweud pen-blwydd hapus wrtho, ei wyneb stybl yn cosi ei foch, a'r cariad yn ôl yn ei lygaid. Mi fyddai'n cofio am y nos da hwnnw am byth.

Cnociodd rhywun ar ddrws y cwpwrdd o dan y grisiau, ac agorodd yn ara deg.

'Mi ro'n i'n meddwl mai yn fama fysa chdi,' meddai ei fam yn dawel. 'Oes 'na le i ben ôl bach arall?'

Nodiodd, ac aeth hithau i eistedd wrth ei ymyl ar y llawr a chau'r drws ar ei hôl.

'Dw inna wedi bod isio cuddiad heddiw hefyd,' meddai ei fam, gan wenu. 'Mae pawb yn cychwyn gadael rŵan, paid â phoeni.'

Rhoddodd Gruffydd ei ben ar ei glin, a mwythodd hithau ei wallt yn dyner.

'Ti wedi bod yn hogyn mawr iawn heddiw, 'ngwas i. Dwi'n falch iawn ohona chdi. 'Swn i'n licio 'swn i mor ddewr â chdi, cofia.'

'Chi 'di'r person dewra dwi'n nabod.'

Chwarddodd ei fam.

'Dwn i'm am hynny.'

'Mam?'

'Ia, 'nghariad i?'

'Mi roedd y gweinidog yn sôn yn y capel am fywyd tragwyddol, doedd.'

'Oedd, ti'n iawn.'

'Ydi hynny'n meddwl nad ydi Dad wedi marw go iawn? Ydi o am atgyfodi fath â nath Iesu Grist?'

120

'Nadi, mae arna i ofn, Gruffydd bach. Mae dy dad wedi mynd i'r nefoedd am byth rŵan, yn do ... Ond wsti be? Pan ddaw ein hamser ni i fynd i'r nefoedd pan fyddwn ni'n hen, hen, mi gawn ni fod hefo fo am byth.'

'Sud le ydi'r nefoedd?'

'Dwi'm yn meddwl bod neb yn gwbod yn iawn, cofia. Ond dwi wedi dychmygu erioed mai gardd fawr hardd ydi hi yn llawn blodau, a bo'r haul yn disgleirio yno bob diwrnod. Does 'na neb yn drist yno, neb yn sâl.'

'Ti'n meddwl y bydd o'n unig yna hebddan ni?'

'Mae Nain a Taid Bont yn siŵr o edrach ar ei ôl o, 'sti.'

'Pam oedd o isio mynd a'n gadael ni, Mam?'

'Doedd Dad 'im yn dda, nag oedd, 'ngwas i. Dim isio'n gadael ni oedd o, nage. Mi roedd o'n dy garu di yn ofnadwy, cofia. Ond mi roedd y salwch 'ma yn ei neud o'n drist. A doedd 'na'm byd y medren ni'i neud iddo fo deimlo'n well.'

'Pryd fydda i'n stopio teimlo'n drist?'

Ceisiodd ei fam ei gorau glas i beidio crio.

'O, 'nghariad i,' meddai, gan ei gofleidio'n dynn. 'Dwi'n gwbod ei fod o'n anodd credu rŵan, ond mi fydd y teimlad yma yn gwella ar ôl dipyn bach, 'sti. Mi rydan ni'n mynd i'w golli o am byth, dydan, ac mi rydan ni'n mynd i deimlo'n drist am y peth weithia. Ond mewn amser, fyddi di'n gweld dy hun yn cofio am Dad, ac mi fydd meddwl amdano fo yn dy neud di'n hapus.'

'Go iawn?'

'Go iawn. A dydw i ddim yn mynd i nunlla, cofia. Fydda i yma bob amsar i edrach ar dy ôl di. Ac mi gei ditha edrach ar 'yn ôl i, yn cei.'

Nodiodd Gruffydd.

'Rŵan 'ta, tyrd o'r cwpwrdd 'ma ac mi gawn ni'n dau newid o'r hen ddillad stiff yma.'

Cododd Gruffydd ar ei draed a thynnu'r dei oedd am ei wddf. Llithrodd y gynffon hir i'r llawr fel neidr drwchus.

'Mae honna bron gyn hirad â chdi,' chwarddodd ei fam, gan ei rowlio'n daclus rhwng ei bysedd. 'Mi rown ni hi yn y bocs arbennig hefo gweddill petha Dad, yli.'

'Be 'dan ni'n neud rŵan?'

''Dan ni am sychu'n dagrau a chario 'mlaen. Tyrd.'

Agorodd ei fam y drws ac arwain y bachgen bach i'r llofft. Roedd yna ryw benderfyniad dieithr yn ei lygaid wrth iddyn nhw gerdded i fyny'r grisiau. Rhyw hyder newydd nad oedd o wedi ei weld o'r blaen. A gwyddai o'r eiliad honno ei fod yn mynd i fod yn iawn.

Sglaffiodd Geth gegiad arall o'i *Subway meatball marinara*, a llifodd y saws dros lawr glân y patholegydd yn ddiferion gwaed sbeislyd.

'Esgusodwch fi,' bytheiriodd y gŵr mewn côt wen o'i flaen. 'Sawl gwaith 'dach chi 'di bod yn dod â *rookies* i fama, Ditectif Ffion?' Pwyntiodd ei fys at y poster ar y wal oedd yn pwysleisio na ddylid dod â bwyd na diod i mewn i'r adran archwilio.

'Sori, Dr Williams,' meddai Geth, â llond ei geg. 'Fi sydd ar fai. Dwi 'di bod yn rhuthro i bob man bora 'ma, dwi'm 'di cael tsians i stopio i fyta. Fydda i 'di gorffen mewn eiliad rŵan.'

'Peidiwch â bod yn rhy gas hefo'r cradur,' meddai Ffion. ''Di Geth ddim yn cael ei fwydo adra, chi.'

'Wel, sychwch eich llanast ar eich ôl, wir. Mae hon yn stafell *sterile* i fod.'

Estynnodd Ffion baced o *wet wipes* o'i bag a'u taflu i gyfeiriad Geth.

'Reit 'ta, ditectif. Be alla i neud i chi heddiw?'

'Wedi dod i gael golwg arall ar Gruffydd Jones ydan ni,' meddai Ffion.

'Yn y gist 'na mae o wedi bod ers i chi alw wythnos

dwytha, chi, ditectif. Alla i'ch sicrhau chi nad ydi o wedi newid dim ers hynny.'

'Dwi jest yn meddwl ein bod ni'n methu rwbath yn rwla, Dr Williams. Meddwl y bysa ei weld o eto yn help.'

''Di o'm yma nac acw gen i, cofiwch. Mi estynna i o allan i chi rŵan. Oes 'na obaith y bydd y cradur yn ein gadael ni yn yr wythnos nesa 'ma?'

'Groeswn ni'n bysadd.'

'Rowch chi help llaw i mi, Gethin? 'Dan ni'n *short staffed* heddiw.'

'Help llaw i be?' gofynnodd Geth mewn sobrwydd.

'I godi'r *gentleman* ar y bwrdd archwilio.'

'Oes raid?'

'Oes,' meddai Ffion yn flin.

Agorodd Dr Williams oergell rhif 8, a thynnu'r drôr hir allan. Teimlodd Geth ryddhad mawr yn dod drosto wrth iddo sylweddoli fod y corff mewn bag sip.

'Gafaelwch chi o dan ei geseiliau ac mi wna i godi'i goesau,' meddai'r doctor.

''Sa well gen i fod ochr arall, 'sna 'dach chi'n meindio,' meddai Geth yn nerfus.

'Iawn, dim problem. Dim ond ei godi ar y troli yma 'dan ni isio.'

Teimlodd Geth siâp y coesau o dan y plastig, a gafaelodd yn y corff yn ofalus.

'Ar ôl tri,' meddai'r doctor. 'Un, dau, tri.'

Cododd y ddau'r corff, a theimlodd Geth y breichiau a'r coesau stiff yn disgyn ar y troli gyda chlec. Gwthiodd Dr Williams y corff at y man archwilio, a chloi'r olwynion cyn mynd ati i agor y bag yn ofalus.

'Dyma fo'r cradur,' meddai Dr Williams. 'Gruffydd Jones. Dau ddeg pum mlwydd oed.'

Syllodd Geth ar ei wyneb llwydaidd, cyn dilyn y graith fawr i lawr ei frest. Ar ôl yr holl waith ymchwilio diweddar, teimlai ei fod wedi dod i'w adnabod rhywsut. Roedd y ddau tua'r un oed, eu bywydau cyfan o'u blaenau. Ac roedd ei weld yn gorwedd yno, mor llonydd, mor wag rywsut, yn dorcalonnus.

'Reit 'ta,' meddai Dr Williams. 'Gadewch i mi sbio ar y nodiadau. Fel y gwelwch chi, o edrych ar y croen, mae yna farciau coch i'w gweld ar y corff yma ac acw. *Frost erythema* 'dach ni'n galw'r rhein, sydd yn arwydd o hypothermia. Ond does yna ddim tyst-iolaeth ei fod wedi cael ei guro o gwbl. Ambell sgyff ar y penliniau a thresys o wair a phridd, o fod wedi chwarae rygbi'r noson honno, mae'n debyg. Ond dim ond *superficial* ydi'r rheini. Yr unig beth wnes i sylwi arno oedd y marc bach ar y sgalp yn y fan yma.'

Tynnodd y doctor y gwallt yn ôl i arddangos crafiad bach ar ei ben.

'Ond mi ddudoch chi na ddylai rhywun boeni am hwnnw,' meddai Ffion.

'Na. O'r hyn wela i, mi fyswn i'n dychmygu ei fod o wedi cerdded yn erbyn rhywbeth, congl cwpwrdd neu rywbeth felly. A dim ond marc ar y croen ydi o, allwn i'm dychmygu ei fod o wedi achosi unrhyw niwed mawr iddo fo.'

'Dim digon iddo basio allan felly?'

'Fyswn i ddim yn meddwl.'

'A pha mor hen ydi'r briw, 'dach chi'n meddwl?'

'Ychydig oriau, 'swn i'n feddwl.'

'Iawn,' meddai Ffion, gan sgriblo ar ei llyfr nodiadau.

'O ran yr *internal examination*, mi roedd pob dim i weld yn o lew o iach,' meddai. 'Y *thoracic block* yn iawn, yr ysgyfaint, y galon a'r tafod.'

'Y tafod?' gofynnodd Geth.

'Ia.'

''Dach chi'n tynnu tafoda allan i'w harchwilio nhw?'

'Ydan.'

'Ond sut? Does 'na'm marc ar ei wyneb o.'

Edrychodd y doctor ar Ffion yn amheus.

'Mae o'n newydd, Doctor Williams,' meddai hithau. 'Yn *keen* iawn i ddysgu.'

Gwenodd y doctor arno.

'Braf gweld eich teip chi yn cymryd diddordeb yn ein gwaith ni am unwaith. Y cwbl dwi'n ei gael fel arfer ydi galwadau blin yn swnian am ganlyniadau.'

Syllodd Ffion arno'n anfodlon, a gwenodd Geth yn slei bach.

'Wel, Gethin. Gan nad ydan ni isio i'r teulu weld hen greithiau hyll ar y wyneb, mi rydan ni'n codi croen y frest a'r gwddw ac yn ei lacio i gyd, fel tasach chi'n marinetio cyw iâr. Wedyn mae'r tafod a'r corn gwddw yn cael eu torri a'u tynnu allan o dan y genau.'

Teimlodd Geth y *meatball marinara* yn codi i'w geg unwaith eto.

'Diolch,' meddai'n dawel.

'Croeso. Mi roedd yr ail floc yn o lew hefyd, yr iau a'r pancreas. Mi roedd yna lot o hylif yn ei stumog, alcohol o be welwn i. Ond dim digon i achosi gormod o ddifrod.'

'Ond digon i feddwi?'

'Bysa, mae'n siŵr. Doedd yna ddim llawer o fwyd yn y stumog chwaith, brechdan ac ychydig o greision o be welwn i.'

'A pryd fysa fo wedi bwyta hwnnw?' gofynnodd Ffion.

'Gan ei fod o dal yn ei stumog, 'swn i'n deud ei fod wedi cael ei gonsiwmio o fewn rhyw ddwy awr i'w farwolaeth.'

'Mi ddywedodd Beca ei bod hi wedi ei ollwng yn y clwb rygbi tua chwech, 'do. Faint o'r gloch ddudoch chi oeddach chi'n meddwl ei fod wedi marw?'

''Swn i'n amcangyfrif tua hanner nos.'

'Felly mi gafodd frechdan tua'r deg 'ma, ella ychydig hwyrach. A faint o'r gloch 'dan ni'n meddwl ei fod o wedi gadael y clwb, Geth?'

'Does 'na neb yn siŵr iawn, bòs. Wel, dyna maen nhw'n ei ddeud beth bynnag. Awr a hanner o dreining maen nhw'n ei gael fel arfer, fysa'n ei gneud hi'n hanner awr wedi saith, ac maen nhw'n cofio ei weld o'n cael chydig o ddiodydd ar ôl hynny. Ond mi ddiflannodd wedyn heb ddeud dim wrth neb.'

'Felly mi roedd o dal yn y clwb tan o leia ddeg, yn doedd.'

Nodiodd Geth.

'Rwbath arall, Dr Williams?'

'Bloc tri, y *bowels*, *bladder* a'r organau rhyw ... dim

127

byd *significant*. 'Dach chi'n cofio i mi sôn tro dwytha fod yna flocej bach yn y *vas deferens*?'

'Yn y be?' gofynnodd Geth.

'Peipan sberm,' meddai Ffion yn ffwrdd-â-hi.

'Wel, mi ddoth y canlyniad yn ôl. Fel ro'n i wedi ei ama, jest *cyst* bach oedd o. Doedd o ddim yn *cancerous*.'

'Ocê,' meddai Ffion, gan ysgrifennu yn ei phad sgwennu unwaith eto.

'Pa mor fawr ydi'r *cyst* 'ma?' gofynnodd Geth wedyn.

'Maint pysan, ella?' meddai'r doctor.

'A fysa fo ddim callach ei fod o gynno fo?'

'Na, 'swn i'm yn meddwl. Dydi o ddim digon mawr i fod wedi achosi unrhyw boen iddo fo.'

'Be am *fertility*?'

Oedodd y doctor am eiliad.

'Wel mae gynnan ni ddwy beipan, fel y disgrifiodd eich bòs chi mor goeth.'

Gwenodd Ffion.

'Fysa blocej yn un ddim yn ei neud o'n *infertile*,' meddai'r doctor.

'Ond mi allai fod wedi effeithio chydig arno fo?' gofynnodd Geth.

'Posib iawn.'

Winciodd Ffion ar ei *rookie* yn ddiolchgar.

'A'r pen, Doctor Williams?' gofynnodd.

'Yr ymennydd yn glir, a dim arwydd o drawma o gwbl. Ddisgynnodd o ddim y noson honno. Fy theori i ydi ei fod o wedi mynd yn gysglyd ar ôl cael un neu ddau yn ormod, wedi cymryd nap bach yn y gwrych a marw o hypothermia. Ac mae'r ffaith ei fod o wedi tynnu ei ddillad hefyd yn cefnogi'r theori yma, wrth gwrs.'

'Yndi?' gofynnodd Geth.

'Coeliwch neu beidio, mae cleifion yn mynd yn boeth iawn pan maen nhw'n cyrraedd y *stages* olaf o hypothermia, ac maen nhw'n teimlo'r ysfa i dynnu eu dillad. *Paradoxical undressing* maen nhw'n ei alw fo. Wrth iddyn nhw golli pob rhesymeg a'r nerfau'n marw, maen nhw'n teimlo'n erchyll o boeth. Felly maen nhw'n tynnu eu dillad i oeri wrth iddyn nhw rewi i farwolaeth.'

'Blydi hel,' meddai Geth.

'Ond os mai fo dynnodd ei ddillad ei hun, lle ddiawl nath o'u gadael nhw?' gofynnodd Ffion.

'*Pathologist* dwi, dim ditectif. Chi sydd i ddatrys y dirgelwch yna.'

Caeodd Dr Williams sip y bag yn sydyn.

'Ddoth y *toxology report* yn ei ôl eto?' gofynnodd Ffion.

'Mi a' i i holi Megan yn y swyddfa. Hi sydd yn gyrru pethau i ffwrdd.'

Tynnodd y doctor ei fenig rwber a'u taflu i'r bin sbwriel, cyn mynd i chwilio am ei gydweithwraig.

'Nest ti'n dda i feddwl holi am y *cyst* 'na,' meddai Ffion wrth Geth.

'Dwn i'm pa mor berthnasol ydi o chwaith.'

'Wel, mae o'n rhoi rhyw awgrym nad oedd petha yn fêl i gyd rhyngthyn nhw, dydi.'

Daeth Dr Williams yn ei ôl ac amlen frown yn ei law.

'Newydd gyrraedd y bore 'ma,' meddai, gan ei hagor yn sydyn. 'Gadewch i ni weld,' meddai, gan ddarllen y daflen yn frysiog. 'Lefelau uchel o alcohol. Mi roedd hynny reit amlwg, doedd ... Parasetamol ... ... *Hold on*. Wel, mae hyn yn syrpréis!'

'Be?' cynhyrfodd Ffion.

'*Traces of Flunitrazepam were found in blood sample A.*'

'*Flui* be?' gofynnodd Geth.

'*Flunitrazepam*, ditectif. *More commonly known as Rohypnol.*'

'Wel, wel,' gwenodd Ffion.

'Mae'n ymddangos eich bod chi am gael eich achos wedi'r cyfan, ditectif.'

DYDD SADWRN, CHWEFROR 9, 2019

Eisteddodd Glyn ar y gadair galed y tu allan i ystafelloedd newid Next, a gollwng y bagiau niferus ar lawr. Dringodd Awel ar ei lin ac aeth Huw i guddio yng nghanol y dillad isaf.

'Be 'di hwn, Dad?' gofynnodd Huw, gan godi thong llachar lliw leim i'r awyr.

'*Dental floss*,' meddai yntau, gan fownsio Awel ar ei lin.

Astudiodd Huw y dilledyn am eiliad, cyn ei fachu yn ôl ar y rêl. Ymddangosodd Haf o'r ystafelloedd newid â ffrog ddu arall amdani.

'Be 'dach chi'n feddwl o hon, 'ta?' gofynnodd yn frwdfrydig.

''Di honna 'im 'run fath â llall?'

'O'n i'n gwbod bo' chdi'm yn canolbwyntio!' meddai hithau'n flin. 'Llewys cwta sydd gan hon. Tri chwarter oedd lleill.'

'O, wela i,' meddai yntau'n ddryslyd. 'Del iawn.'

'Dyna ti 'di ddeud am bob un! Ti fod i'n helpu i i neud penderfyniad.'

'Wel, mi w't ti'n edrach yn ddel yn bob un.'

''Di hynny fawr o help, nadi, 'sna ti'n fodlon prynu'r cwbl lot i mi.'

'Iesgob annwyl, fedra i'm ennill wir! 'Sa well gen ti i mi ddeud bo' chdi'n edrach yn hyll yni?'

'Na 'sa siŵr! Ond mi fysa'n help 'sa chdi'n deud p'run 'di'r gora gen ti.'

'Ocê 'ta … Dwi am ddeud yr ail nest ti roi amdana chdi. Chydig bach mwy o goes, ond dim gormod. Ac mi roedd dy fŵbs di'n edrach yn neis iawn yni hi hefyd.'

'Glyn!'

'Sori,' meddai, gan roi ei ddwylo dros glustiau'r fechan, cyn parhau i'w bownsio ar ei lin.

Astudiodd Haf ei hadlewyrchiad yn y drych unwaith eto.

'Dwi am fynd am hon, dwi'n meddwl,' meddai ymhen hir a hwyr. Daliodd Glyn ei dafod, ac estyn ei waled iddi o'i boced yn ufudd.

'Diolch,' gwenodd hithau. 'Be am y sgidia? 'Sa chdi'n meindio 'swn i'n cael …'

'*Go for it*,' meddai yntau ar ei thraws. 'Os ti'n gaddo peidio cwyno eu bod nhw'n brifo pan ti'n eu gwisgo nhw!'

Cusanodd ei gŵr ar ei dalcen yn fodlon.

''Nawn ni aros yn fama amdana chdi. Gawn ni fynd i'r siop degana nesa i Dad gael chwarae.'

'Hwrê!' bloeddiodd y ddau fychan.

'Ew, mae rhywun yn cael hwyl yma.'

Cerddodd Gwenno tuag ato a'r bychan yn cysgu'n sownd yn ei bram.

'Duw, Gwenno, sud w't ti ers talwm?' gofynnodd Glyn yn chwithig.

'Iawn 'sti. Dal i fynd, 'de. Mae hwn yn cadw rhywun ddigon prysur.'

'Yndi, ma'n siŵr. Be 'di'i enw fo eto, 'da? Mi nath Haf ddeud wrtha i, dwi'n siŵr.'

'Guto.'

'Selog,' meddai yntau, gan gymryd cipolwg manesol arno.

'Faint 'di oed o rŵan gen ti?'

'Chwech wythnos.'

'Braf. 'Di o'm 'di dysgu sut i atab yn ôl eto felly!'

'Naddo,' chwarddodd hithau.

'A 'di bob dim yn mynd yn iawn?'

'Ar 'y mhen 'yn hun ti'n feddwl?'

'Ym ...'

'Sori,' meddai'n sydyn, *knee jerk reaction*. Mae o'n gwestiwn poblogaidd. "Sud wyt ti'n côpio?" Fath â na fi 'di'r fam gynta erioed i fagu babi ar ei phen ei hun.'

'Dwi'n siŵr bo' chdi rêl boi,' meddai yntau gan wenu. 'Ac mae gen ti ddigon o ffrindia o dy gwmpas, does.' Oedodd Glyn am eiliad. 'Sut ma' Beca, 'da?' gofynnodd yn nerfus. ''Dan ni 'di bod yn meddwl mynd i'w gweld hi. Ond doedd Haf ddim yn meddwl ein bod ni'n ei nabod hi'n ddigon da. 'Dan ni'm 'di gneud dim jest hefo hi ers 'rysgol. Doeddan ni'm yn licio mynd i fusnesu.'

'Mae hi cystal ag y medar hi fod o dan yr amgylchiada, am wn i. Mae'r holl beth wedi bod yn gymaint o sioc iddi.'

'Wel, do siŵr.'

'Oeddach chdi yno'r noson honno? Yn y treining?'

Newidiodd tôn Gwenno mewn eiliad, a theimlodd Glyn ei wddw'n cau yn araf bach.

'Lle mae Mam, 'dwch, blant?' meddai'n gryg. 'Ewch ar ei hôl hi am y lle talu i weld os welwch chi hi.'

Rhedodd y plant oddi yno'n sydyn.

'Mi ro'n i'n clywad fod y plismyn wedi bod yn y clwb yn sniffian o gwmpas,' meddai Gwenno eto.

'Do ... Trio creu llun o be ddigwyddodd noson honno.'

'A be ddigwyddodd yn union felly, Glyn?'

'*Your guess is as good as mine.*'

Chwarddodd Gwenno yn awgrymog.

'Ydi Beca wedi symud yn ôl i'r garafán 'na eto? 'Di o'm y lle gora iddi fod ar ei phen ei hun yn y tywydd yma, nadi.'

'Nadi. Gafodd hi fyrst yno diwrnod o'r blaen 'lly mae raid iddi witsiad i gael trefn ar hynny gynta.'

'Niwsans.'

'Rhyfadd bo' chdi'm 'di clywad 'fyd.'

'Be? Am y byrst?'

'Ia. Un o dy fêts di aeth yno i'w hachub hi.'

'Pwy?'

'Pwy ti'n feddwl?'

'Aron? Be ddiawl oedd o'n da yno?'

'Maen nhw wedi bod yn gweld dipyn ar ei gilydd yn ddiweddar.'

Sylwodd Gwenno ar ei wyneb yn gwelwi, a phenderfynodd ei wthio ymhellach.

'Es i draw i dŷ ei rhieni i'w gweld hi diwrnod o'r blaen. Mi roedd ei mam a'i thad wedi mynd i Gaer am y diwrnod. Ches i fawr o groeso gynni hi. Ges i banad sydyn a'n hysian o 'na reit handi. Mi roedd hi'n deud ei bod hi wedi blino a'i bod hi am fynd am ei gwely ...

Sylwais i ar ei gar o wedi'i barcio rownd gongl ar 'yn ffordd adra.'

''Dyn nhw'n cysgu hefo'i gilydd?'

'*Your guess is as good as mine*,' gwenodd Gwenno.

'Ella na jest ffrindia ydyn nhw.'

'Ti fel fi yn gwbod be 'di'r hanas rhwng y ddau yna, Glyn. Ti wir yn meddwl y medran nhw fyth fod yn "jest ffrindia"?'

'Fama wyt ti,' meddai Haf, gan lusgo'r plant ar ei hôl. 'Mi roedd Huw yn deud bo' chdi'n siarad hefo ryw ddynas, felly mi ddois i yma reit handi,' chwarddodd. 'Ti'n iawn, Gwenno?'

'Yndw diolch, Haf.'

'Sud mae'r bychan gen ti?'

'Rêl boi, cofia.'

'Ti'n côpio'n iawn?'

Gwenodd Gwenno.

'Wrth fy modd. Peth gora dwi 'rioed wedi'i neud.'

'A sud mae Beca druan? Mi rydan ni wedi bod yn meddwl mynd i'w gweld hi, graduras. Ond 'di rywun 'im yn licio busnesu, nadi.'

'Mae hi'n ocê. Mi fydd petha'n haws arni ar ôl cael y cnebrwng 'ma o'r ffordd.'

'Bydd siŵr. Cofia ni ati, ynde, Glyn?'

'Ia,' meddai yntau'n dawel.

'Reit, well i mi roi tân dani neu mi fydd y bych wedi deffro am ei ffid nesa,' meddai Gwenno. 'Neis eich gweld chi'ch dau.'

'Hwyl, Gwenno,' meddai Haf yn llawen.

Cododd Glyn y bagiau oddi ar lawr a dilyn ei wraig yn ufudd.

'Ti'n ocê?' gofynnodd Haf. 'Gobeithio bo' chdi'm yn difaru rhoi dy gredit card i mi.'

'Nadw siŵr,' gwenodd Glyn. 'Ti'n ei haeddu o,' meddai, gan ei chusanu'n dyner.

'Babi bach del gan Gwenno, 'de,' meddai Haf. 'Siŵr bod o'n tynnu ar ôl y tad.'

'Haf!' meddai Glyn yn flin.

'Be?! Fuo Gwenno erioed yn lwcar, naddo, graduras. Wnaeth byw yng nghysgod Beca fawr o les iddi chwaith ... Ond dim lwcs ydi bob dim, nage, Glyn bach,' meddai, gan rwbio ei floneg yn gariadus.

'Diolch!'

'Sbia ar Beca 'de, graduras. Un o genod dela Aberysgo yn wraig weddw mor ifanc ... 'Dan ni'n lwcus iawn bo' gynnan ni'n gilydd, dydan.'

'Yndan,' meddai, gan roi ei fraich amdani. 'Ti'n meddwl 'sa chdi'n cael dyn newydd 'swn i'n marw?'

'Oes raid bod mor morbid ar bnawn dydd Sadwrn?'

'Sori.'

'O lle ddaeth y cwestiwn yna?'

'Nunlla ... Jest meddwl am Beca a Gruffydd o'n i.'

'Dwi'm yn gwbod. Fedra i'm dychmygu'n hun hefo neb arall ... Ond mae o'n gyfnod hir i fod ar dy ben dy hun, dydi ... Mae pawb yn mynd yn unig.'

'Yndi, ma'n siŵr.'

'Tyrd, awn ni am y siop degana 'na i godi dy galon di.'

Chwarddodd Glyn.

Diffoddodd Beca injan y car, ac eisteddodd yno'n llonydd am rai munudau. Syllodd ar y drws ffrynt, a theimlodd ei stumog yn troi. Tynnodd y gwregys oddi amdani, ac agorodd ddrws y car. Cerddodd at y portsh, ond cyn iddi fedru canu'r gloch, roedd Jean wedi agor y drws.

'Beca!' meddai, gan roi ei breichiau amdani. 'Ew, dwi'n falch o dy weld di, cofia. Tyrd i mewn, 'mach i. Dwi'n siŵr bo' chdi bron â marw isio panad ar ôl bod yn y stesion yna drwy'r bore.'

Gwenodd Beca arni. Sychodd ei thraed ar y mat, cyn cerdded i mewn yn araf.

'Rŵan 'stedda i lawr yn fama a deud yn union be oedd gan y ditectif yna i ddeud wrtha chdi ... Gymi di rwbath i'w fyta?'

'Na, dim diolch.'

Oedodd Beca am eiliad cyn dweud dim.

'Doedd ganddyn nhw fawr i'w ddeud, a deud y gwir wrthach chi,' meddai'n nerfus. 'Ond maen nhw i weld fel eu bod nhw'n tynnu'r ymchwiliad at ei derfyn.'

'O, dwi mor falch! Ydyn nhw wedi dod i unrhyw fath o gasgliad?'

'Gawn ni wybod chydig bach mwy yn ystod y cwest,

mae'n siŵr,' meddai'n ansicr. 'Mi roeddan nhw reit gyfrinachol am y peth.'

'Ydi hyn yn golygu y caiff o ddod adra rŵan?'

'Maen nhw am agor y cwest cyn gynted â phosib rŵan, meddan nhw, wythnos nesa gobeithio. Wedyn mi 'nawn nhw ryddhau'r corff.'

Estynnodd Jean hances o'i llawes i sychu ei llygaid, ac eisteddodd yno'n fud am rai eiliadau.

'Dwi wedi bod yn aros am yr eiliad yma ers wythnosau,' meddai'n dawel. 'Wedi bod yn ysu i gael rhoi'n hogyn bach i orffwys yn iawn. Ond rŵan fod yr eiliad yna wedi dod, dydw i ddim yn siŵr os dwi'n barod i ffarwelio eto … Mi roedd yr aros yn haws na gwynebu'r gwirionedd.'

Roedd y lliw i gyd wedi mynd o'i bochau erbyn hyn, a'i dwylo'n crynu yn ei chôl. Estynnodd Beca ati a rhoi ei llaw ar ei glin.

'Mi ddown ni drwyddi, chi,' meddai, a'r dagrau'n llifo i lawr ei bochau hithau. Cydiodd Jean yn ei llaw yn dynn. 'Dwi 'di bod yn meddwl am y cnebrwng, Jean. Ac mi fyswn i'n ddiolchgar iawn 'sach chi'n cymryd *charge* o betha, os nad ydi o'n ormod gynnach chi. Chi sy'n nabod yr emynau a ballu. Dwn i'm be ydi'r drefn. Beryg i mi neud smonach o betha.'

'Diolch, 'y nghariad i,' meddai'n dawel. 'Wnei di ddim smonach o bethau, siŵr. Mi 'nawn ni hefo'n gilydd, yli.'

'Lle mae rhywun yn dechra, 'dwch?'

'Mae'r trefnydd angladdau yn gwneud y rhan fwyaf o'r gwaith, wsti. Mond bo' ni'n rhoi syniad iddo fo o'r math o beth 'dan ni isio.'

'Dwn i'm be dwi isio. Nathon ni 'rioed siarad rhyw lawar am y peth. Mi driodd Gruffydd gael trafodaeth am y peth ar ôl i ni briodi, ond wnes i'm gadael iddo fo. Temtio ffawd.'

'Pan gladdon ni dad Gruffydd, doedd gen inna ddim clem be i neud chwaith, cofia. Mi ro'n i wedi bod mewn angladdau o'r blaen, ond dydi rywun 'im yn meddwl am y manylion, na 'dyn. Sud aflwydd o'n i fod i wybod os mai handlenni *brass* neu *chrome* oedd o isio ar ei arch, ynde? Dydi o ddim yn rwbath sydd yn codi mewn sgwrs, nadi.'

Gwenodd Beca. Cododd Jean ar ei thraed a mynd â'r tre i'r gegin.

'Pwy 'sach chi'n licio i gynnal y gwasanaeth?' gwaeddodd Beca ar ei hôl. 'Dwn i'm os o'n i'n rhy *keen* ar hwnnw ddoth yma tro dwytha.'

'Mi feddyliwn ni am rywun,' meddai hithau, gan lenwi'r sinc â dŵr chwilboeth. Taflodd y cwpanau a'r soseri blith draphlith i mewn i'r ddysgl a gwasgu hylif golchi ar eu pen nes roedd llond y sinc o drochion gwyn. Diffoddodd y tap a phrysuro i olchi'r llestri yn ddifeddwl. Dilynodd Beca hi i'r gegin ar ôl clywed yr holl sŵn. Sylwodd ar ei dwylo cochion, a rhuthrodd at ei mam yng nghyfraith.

'Mae'r dŵr 'ma'n ferwedig, Jean! Dowch yma wir!' Daliodd liain sychu llestri o dan y tap dŵr oer a'i lapio am ei dwylo. 'Dowch i ista lawr, Jean bach. 'Sa hein wedi blistro i gyd 'sach chi wedi cario 'mlaen! Doeddach chi'm yn teimlo'r dŵr yn boeth?'

'Dwi'm yn teimlo llawar o ddim dyddiau yma, Beca bach.'

'Dwi'n gwbod bo' hwn yn gyfnod afiach, ond raid i chi edrach ar ôl eich hun. Fyddwch chi wedi gneud eich hun yn sâl ar y rêt yma.'

'I be a' i i edrach ar ôl fy hun, 'da? Does 'na neb fysa'n hiraethu ar 'yn ôl i.'

'Peidiwch â bod yn wirion! Mae gan bawb yn Llanbedol 'ma feddwl y byd ohonach chi. Mae gen i feddwl y byd ohonach chi. Mi fysa Gruffydd yn torri ei galon 'sa fo'n eich gweld chi felma.'

'Ond dydi o ddim yma, nadi. Mi rydw i ar fy mhen fy hun bach. Mae'r ddau ohonyn nhw wedi mynd a 'ngadael i … Mae'n iawn arnat ti. Mi rwyt ti'n ddigon ifanc. Mi ddoi di drwyddi a chyfarfod rhywun newydd. Be sydd gen i edrych ymlaen ato fo?'

''Di hyn 'im yn hawdd arna i chwaith, chi, Jean,' meddai Beca, gan dynnu'r lliain oddi ar ei dwylo, cyn mynd i chwilota i'r cwpwrdd moddion am hufen antiseptig.

'Dwi'n gwbod hynny, Beca bach. Do'n i'm yn ei feddwl o felly. Mae'n ddrwg gen i.'

'Dwi 'di bod mewn breuddwyd yr wythnosa dwytha 'ma. Hunllef na fedra i ddeffro ohoni. Dwi'm yn gwbod be i'w neud hefo fi'n hun. Dwi'n cerddad o gwmpas fath â ryw *zombie* heb wybod os 'di'n ddydd neu nos.'

'Felly o'n inna pan gollais i Cliff. Doedd 'na'm ots pa gysur oedd pobl yn ei gynnig i mi, doedd 'na'm byd yn mynd i mewn. Mi ro'n i yn fy myd bach fy hun am fisoedd.'

Daeth Beca o hyd i hufen a darn o fandais yng

nghefn y cwpwrdd, ac aeth ati i drin dwylo Jean yn dyner.

'Sud ddaethoch chi drwyddi?' gofynnodd Beca yn dawel.

'Gruffydd. Gruffydd oedd yr un ddaeth â fi drwyddi. Mi wnaeth y ddau ohonan ni addo y bysan ni'n edrach ar ôl naill a'r llall, a dyna wnaethon ni. Mi roedd y ddau ohonan ni yn gwmni ac yn gysur i'n gilydd.'

Ddywedodd Beca ddim byd.

'Ti'n 'y ngweld i wedi bod yn hunanol, yn dwyt,' meddai Jean.

Oedodd Beca am eiliad.

'Mi roedd ganddo fo feddwl y byd ohonach chi,' meddai Beca wedyn.

'Ond mi ro'n i ar fai yn dibynnu cymaint arno fo a'i gadw i fi'n hun fel 'nes i.'

'Mi roedd o'n gyndyn iawn o siarad am ei blentyndod. Ond mi ro'n i'n gwbod bod yr hyn brofodd o wedi effeithio arno fo. Mi roedd o'n meddwl bo'i'n ddyletswydd arno fo i edrach ar eich ôl chi.'

'Oedd o'n anhapus?'

'Nag oedd, doedd o ddim yn anhapus. Ond mi gafodd blentyndod gwahanol iawn i'r rhan fwyaf o blant, yn do. Fedar neb ddadlau hefo hynny. Mi roedd o'n sôn yn aml sut fywyd roedd o am i'w blant ei hun ei gael. Mi roedd colli ei dad wedi ei neud yn fwy penderfynol i wireddu'r freuddwyd honno.'

'Oeddach chi wedi bod yn sôn am gychwyn teulu?' gofynnodd Jean gan roi rhyw wên fach.

'Mi roedd o'n rwbath roeddan ni wedi'i drafod.'

''Ngwas i … Ella fod yna obaith i ti eto, Beca. Dwi'n siŵr y bysa Gruffydd wedi licio gweld hynny i chdi.'

'Dwn i'm,' meddai'n anghyfforddus, gan glymu'r darn olaf o fandais am arddwrn Jean. 'Dyna chi.'

'Diolch, 'mach i.'

'Rŵan trïwch eu cadw nhw'n sych am ryw ddiwrnod neu ddau, ocê? Gadwch y llestri a'r llnau. Mi alwa i yma eto yn ystod yr wythnos i gael golwg arnyn nhw. 'Dan ni'm isio i chi gael *infection*, wir.'

'Ti'm yn mynd rŵan, nag wyt?' meddai'n betrusgar.

'Mi ro'n i wedi sôn y byswn i'n galw i weld Gwenno a'i hogyn bach cyn diwadd y pnawn.'

'Aros am ginio, o leia. Mae gen i ddarn o ham neis yn y ffrij. Mi ddoth Janet â fo draw i mi ddoe. Wna i'm ei fyta fo i gyd fy hun. Mi fysa'n biti iddo fynd yn wast.'

Cododd Jean i roi ei ffedog amdani, a sylwodd Beca ar y twll yng nghefn ei theits am y tro cyntaf. Edrychodd ar ei mam yng nghyfraith yn fanylach. Roedd ei gwallt brith, a arferai fod mor dwt, yn fynsen flêr ar ei chorun, a'i ffrog flodeuog yn hongian am ei ffrâm fregus.

'Steddwch chi lawr, Jean,' meddai'n sydyn. 'Mi 'na i ginio i ni. Digon hawdd i mi alw i weld Gwenno fory, dydi.' Gwenodd Jean yn fodlon a gwrandawodd arni'n ufudd. 'Be gawn ni hefo'r ham 'ma?' gofynnodd Beca, gan agor yr oergell. Ar wahân i'r cig a photel fach o lefrith, roedd y silffoedd mwy neu lai yn foel. 'Sgynnoch chi dorth, Jean?'

'Yn y bin bara.'

Tynnodd Beca weddillion y dorth fach ohono, a

142

gweld ei bod wedi dechrau llwydo. Taflodd hi i'r bin sbwriel yn sydyn cyn i Jean ei gweld.

'Mi wna i biciad i'r siop yn sydyn i nôl rywfaint o betha i neud salad.'

'Sori, 'mach i,' meddai Jean mewn cywilydd. 'Dwi heb gael cyfle i fynd i wneud neges wythnos yma.'

'Mae'n iawn siŵr, fydda i'm dau funud yn y car. Mi ddo i â rhywfaint o fanion i'ch cadw chi i fynd hefyd tra dwi yma.'

'Diolch,' meddai, gan ymbalfalu yn ei phwrs.

'Peidiwch â phoeni, Jean. Dala i.'

'Na, 'sim isio i chdi neud hynny, siŵr.'

Gwagiodd Jean gynnwys ei phwrs ar y bwrdd, a rowliodd ychydig bunnoedd mewn newid mân ar lawr.

'Cadwa'r *receipt*, yli, ac mi dala i di tro nesa.'

'Iawn, dim problem. 'Sach chi'n licio i mi ddod â rwbath arbennig i chi?'

'Wsti be 'sa'n neis? Ryw gacan fach i ni gael hefo'n panad wedyn.'

'Sud un 'sach chi'n licio? Sbwnj? *Cream slice*?'

'Tyrd â cacan ffenest i ni'i rhannu. Mi roedd Gruffydd yn licio honno, doedd.'

'Dw inna'n dipyn o ffan hefyd,' gwenodd Beca.

DYDD GWENER, MEDI 8, 2018

Tynnodd Gruffydd gorcyn y botel win a'i gosod yn ofalus ar ganol y bwrdd. Sythodd gonglau'r lliain bwrdd arian ffansi roedd o wedi dod o hyd iddo yn y llofft sbâr, a chynnau'r canhwyllau bach. Roedd yna arogl hyfryd yn dod o'r badell ffrio. Un pryd roedd Gruffydd wedi llwyddo i'w feistroli ers iddo fod yn canlyn Beca, a *paella* oedd hwnnw. Doedd ei balet erioed wedi bod yn fentrus iawn. Cig, tatws a llysiau oedd y swper arferol gan ei fam. Doedd o erioed wedi cael bara garlleg tan iddo fynd i'r coleg ... Doedd o erioed wedi blasu garlleg 'tai'n dod i hynny!

Ar eu gwyliau cyntaf yn Majorca, ac yntau'n sglaffio omlet arall mewn bwyty rhamantus ar lan y môr, perswadiodd Beca fo i fentro cegiad o'i *phaella*. A byth ers hynny, roedd y pryd wedi dod yn ffefryn gan y ddau. Rhyfedd sut y gall synhwyrau ddeffro atgofion rhywun. Bob tro y clywai'r arogl hwnnw, câi ei atgoffa o'r gwyliau hyfryd hwnnw. Câi ei atgoffa o'r cyfnod diniwed pan oedd pob dim yn newydd ac yn gyffrous. Pan fyddai Beca yn ei gusanu a'i fwytho yn gyhoeddus am ei bod yn teimlo fel gwneud hynny, heb gywilydd yn y byd ... Prin y câi afael yn ei llaw yn ddiweddar.

Rhoddodd Gruffydd droad arall i'r reis cyn tynnu'r badell oddi ar y gwres. Roedd y wledd yn barod, ond doedd yna ddim golwg o Beca. Tolltodd wydraid o win iddo fo'i hun, cyn estyn ei ffôn o'i boced. Roedd ei shifft wedi dod i ben ers awr a hanner i fod. Doedd o ddim am fynd i swnian a hithau wedi bod wrthi ers ben bore. Efallai ei bod wedi galw i weld un o'r genod ar ei ffordd adref. Aeth i eistedd ar y soffa a rhoi'r teledu ymlaen i aros amdani.

Ddwy awr a dau wydraid arall o win yn ddiweddarach, roedd wedi syrthio i gysgu, nes i Beca gerdded i mewn a'i ddeffro.

'Haia, cariad,' meddai Gruffydd yn gysglyd. 'Faint o'r gloch ydi?'

'Jest yn hannar awr wedi naw.'

'Argol fawr,' meddai gan godi ar ei draed yn sydyn. 'Lle ti 'di bod?'

'Sori,' meddai'n ansicr. ''Nes i stopio i weld Gwenno ar fy ffordd adra a cholli trac o'r amsar. Ti'n gwbod fel ma'i'n siarad. Ti 'di bod yn aros amdana i?'

'Mi ro'n i 'di gneud *paella* bach i ni.'

Edrychodd Beca arno'n euog.

'Ti 'di byta'n barod, 'do?' meddai Gruffydd yn siomedig.

'Do, sori. Rannon ni tsips … Ond dwi dal reit llwglyd a deud y gwir wrtha chdi. Cnesa fo a gawn ni beth hefo'n gilydd rŵan.'

'Beryg bydd y sgwid 'tha rybyr.'

'Dim ots, nadi. Fytwn ni rownd y sgwid.'

Platiodd Gruffydd y bwyd yn anfodlon a'i stwffio i'r meicro yn flin.

'Pam nest ti'm ffonio i ddeud bo' chdi'n gneud bwyd? 'Swn i 'di dod adra'n gynt.'

'Do'n i'm isio i chdi 'nghyhuddo i o swnian eto.'

''Sdim isio bod felna, nag oes. Ges i ddiwrnod calad yn yr ysbyty ac mi ro'n i ffansi *gossip* bach hefo'n ffrind i godi 'nghalon i.'

'A fedrwn *i*'m dy gysuro di? Ma'i fath â bo' chdi'n osgoi dod adra dyddia yma 'di mynd.'

'Paid â bod yn wirion.'

Tolltodd Gruffydd wydraid o win iddi.

'Diolch,' meddai hithau, gan gymryd cegiad fawr ohono. 'Mi ro'n i angen hwnna.'

'Mae 'na rwbath bach i chdi ar y gwely yn y llofft sbâr,' meddai Gruffydd yn dawel.

Edrychodd Beca arno'n ddryslyd, cyn mynd i gael golwg.

'Gobeithio bo' nhw'm 'di gwywo!' gwaeddodd ar ei hôl. ''Dyn nhw'm 'di cael dŵr eto!'

Daeth Beca allan o'r llofft â llond ei breichiau o flodau drudfawr.

'Maen nhw'n lyfli, Gruffydd, diolch,' meddai, gan fynd ato i roi cusan ar ei foch. 'Be 'di'r achlysur?'

'Dim achlysur. Fi sy 'di bod yn poeni bo' ni ddim wedi gweld llawer ar ein gilydd yn ddiweddar. Pan dwi'n dod adra, ti'n mynd allan i weithio. Meddwl 'sa hi wedi bod yn neis cael noson romantig hefo'n gilydd. 'Sa well 'swn i wedi dy rybuddio di, sori.'

'Fi ddylia ddeud sori. Mae gwaith wedi bod mor hectig yn ddiweddar.'

'Dim ots, ti yma rŵan, dwyt,' meddai'n faddeugar.

'Tyrd i ista lawr rŵan i ni fyta'r stwnsh 'ma hefo'n gilydd.'

Chwarddodd y ddau.

'Siŵr bod y blas yn neisiach na'i olwg o,' meddai Beca gan wenu.

'Ti'n gwbod be arall sydd heddiw, dwyt?' meddai Gruffydd wedyn, a'i geg yn llawn.

'Be?'

'Mi ro'n i'n sbio ar y calendr gynna. 'Dan ni 'di'i farcio fo mewn pinc.'

'O, do?' meddai hithau, gan gymryd arni nad oedd yn gwybod.

'Ti'n ofiwletio. Heddiw 'di'r cyfla gora sgynnan ni i gonsîfio mis yma, 'de.'

'Dwi yn gwbod be ma' ofiwletio yn feddwl 'sti, Gruffydd,' meddai'n ffwr-bwt.

'Sori. Dwi'm isio dy roi di dan bwysa. Dwi'n siŵr bo' chdi wedi blino ar ôl y diwrnod ti 'di'i gael ... Jest meddwl o'n i y bysan ni'n cael chydig bach o hwyl nes ymlaen. Fysa'm raid i ni fynd dros ben llestri, na 'sa. 'Sa'n biti i ni golli'r cyfla, bysa.'

'Ga i weld sud fydda i'n teimlo wedyn,' meddai'n dawel, gan wthio'i bwyd gyda'i fforc. 'Dwi'n llawn, sori. Well i mi fynd i orwadd ar y soffa am dipyn bach.'

'O, ocê,' meddai yntau'n siomedig. 'Mae 'na botal arall yn y ffrij os ti ffansi mwy o win?'

'Ia plis.'

Estynnodd Gruffydd y botel a thywallt glasiad arall bob un iddyn nhw. Aeth i eistedd ar y soffa yn ymyl Beca a rhoi ei fraich amdani. Mwythodd ei gwallt, a dechrau cusanu ei gwddw yn gariadus.

"Sna rwbath ar teli heno, 'da?' gofynnodd Beca yn ddi-fflach, gan afael yn y remôt yn sydyn.

'Dwn i'm pam dwi'n trio weithia,' meddai Gruffydd dan ei wynt, gan dynnu ei fraich oddi arni.

'Be ddudist ti?' gofynnodd hithau'n flin.

'Dwn i'm pam dwi'n trio weithia, medda fi. Mae dy gael di i ddangos chydig bach o gariad fath â cael gwaed o garrag.'

'Wel, sori os dwi'm yn y mŵd ar ôl bod yn llnau chwd a gwaed drwy'r dydd!'

'Dim jest sôn am heno ydw i, Beca. 'Dan ni byth yn cusanu 'di mynd, heb sôn am gael secs. 'Dan ni 'di methu sawl cyfla *fertile* yn y ddau fis dwytha 'ma achos bo' chdi'm 'di bod yn y mŵd. A dwi'm 'di deud dim byd am y peth achos 'mod i'm isio dy ypsetio di.'

'Ti'n blydi *obsessed* hefo gneud babis!' meddai Beca'n flin.

'Nadw! Gawn ni anghofio am y calendr bondigrybwyll 'na os neith o i chdi deimlo'n well. Dwi jest isio i ni gael chydig bach o *intimacy*, ond waeth i mi fwytho pelan o glai ddim.'

"Di hynna ddim yn deg.'

'Be sydd, Beca? … Fi 'di o? Ti'm yn fy ffansïo i?'

'Paid â bod yn wirion! Dwi'n dy garu di.'

'Dwi'n dy garu di, Beca. A dwi isio dangos i chdi faint dwi'n dy garu di. Ond dwi'm yn traffarth trio dyddia yma achos dwi'n gwbod be 'di'r ymatab yn mynd i fod. Mond hyn a hyn o *knockdowns* fedar dyn ei gymyd, 'sti. Dwi'n teimlo ddigon dihyder fel ma'i.'

'Dwi jest wedi bod yn *stressed* yn ddiweddar hefo'r

holl fusnas babis 'ma. Mae'n ddrwg gen i os dwi 'di bod yn gneud i chdi deimlo felna. Y peth dwytha dwi isio neud ydi dy ypsetio di.'

Gafaelodd Gruffydd amdani yn dynn a'i chusanu ar ei gwefusau.

'Mi fysa chdi'n deud wrtha i os 'sat ti'n cael traed oer am gael babi, basat?' gofynnodd wedyn.

'Byswn siŵr,' meddai hithau'n dawel.

'Achos 'swn i'n dallt os 'sa chdi isio rhoi petha ar *hold* am dipyn bach. Ti'n cofio be ddudodd y nyrs 'na. Lasa gymryd misoedd i chdi ddod yn ôl i normal ar ôl cael *miscarriage*.'

Oedoedd Beca am eiliad cyn ateb.

'Ella na dyna fysa ora, jest am dipyn bach ... Dydw i ddim yn teimlo gant y cant eto.'

'Dyna 'nawn ni felly,' meddai Gruffydd gan wenu. ''Sa'n dda gen i 'sa chdi'n siarad hefo fi am y petha 'ma, Beca bach! 'Sa'n gneud petha lot haws i mi.'

'Dwi'n gwbod, sori. 'Na i drio siarad mwy o hyn ymlaen.'

'Reit 'ta, lle ma'r hen seboniach 'na gest ti gan dy fam ar dy ben-blwydd? Dwi am redag bath bach neis i chdi. *Scented candles*, miwsig morfil a'r *whole works*.'

'Yn y cwpwrdd o dan y sinc ... Diolch, Gruffydd,' meddai, gan fwytho ei foch yn dyner. 'Dwi'm yn dy haeddu di, 'sti.'

'Ti'n haeddu'r cwbl, Beca. 'Swn i'n gneud rwbath i dy neud di'n hapus ... Canhwylla lafendr 'ta *camomile* ti ffansi heno?'

'Www, lafendr, plis. Cofia beidio llenwi gormod

ar y bath. Ti'n cofio'r llanast 'na gafon ni tro dwytha. Does 'na'm llawar o le i fanwfro yno fo, nag oes.'

'Mi gei di'r bath mwya yn y siop pan fyddwn ni'n gneud bathrwm y tŷ, ocê? Un o'r rhai *roll top* 'na hefo tapia *brass* … Ond mond os ga i fwrdd pŵl yn y garej, 'de.'

'*Deal*,' meddai, gan wenu.

'Dos i nôl dy gylchgrona a ballu, 'ta. Mi 'na i weiddi pan fydd o'n barod.'

Aeth Beca i'r ystafell wely a thynnodd ei dillad oddi amdani. Edrychodd ar ei hadlewyrchiad noeth yn y drych, a gwisgodd ei chôt nos yn sydyn o gywilydd. Eisteddodd ar y gwely ac estyn ei hylifau a'i chadachau i dynnu'r colur budr oddi ar ei hwyneb. Clymodd ei gwallt hir yn uchel ar ei chorun ac estyn llond llaw o gylchgronau o dan y gwely. Agorodd Gruffydd y drws yn araf.

'Mae'r bath yn barod, *madame*,' meddai.

'Diolch, syr,' meddai hithau, gan gerdded ar ei ôl.

'Fysa chdi'n licio i mi ddod â dy win di i chdi?'

'Ia plis.'

Suddodd Beca i mewn o dan y trochion a chau ei llygaid, ac aeth Gruffydd i'r ystafell fyw. Wrth iddo godi'r gwydr oddi ar y bwrdd, sylwodd ar neges newydd ar ffôn Beca:

Noson grêt heno, del. Wela i chdi wythnos nesa.x

Ond nid neges gan Gwenno oedd hon.

'Ddoi di â thywel arall hefo chdi hefyd, Gruffydd?!' gwaeddodd Beca. 'Mae 'na docyn ohonyn nhw yn y fasgiad ddillad yn gegin!'

Stwffiodd Gruffydd y ffôn o dan un o glustogau'r soffa.

'Iawn! Dod rŵan, del!'

DYDD SADWRN, CHWEFROR 23, 2019, 11:50 y.b.

Rhedodd Glyn i'r ystafell newid a dechrau tynnu ei ddillad oddi amdano yn sydyn.

'Lle ddiawl ti 'di bod?' bytheiriodd Aron. 'Mae'r cic-off mewn deng munud.'

'Sori, bois! Hogyn 'cw 'di bod yn chwydu drwy'r nos. Mi oedd rhaid i mi gael llall yn barod i fynd i dŷ Mam i Haf gael tendio arno fo. Ac mi gychwynnodd hitha chwydu yn y car ar y ffordd yno wedyn, 'lly oedd rhaid i mi droi 'nôl a llnau'r llanast cyn dod yma.'

Taflodd Aron ei grys ato'n flin.

'Tynnwch 'ych bysadd allan, bois bach,' meddai. 'Fedrwn ni'm fforddio gneud llanast o betha heddiw 'ma o bob diwrnod.'

'Mae o yma rŵan, dydi,' meddai Rhys. 'Dyna sy'n bwysig.'

'"Di mam Gruffydd yma?' gofynnodd Glyn.

'Yndi. A Beca.'

'Shit,' meddai Glyn.

'Jest anghofiwch am bob dim sy 'di digwydd, ac ewch allan yna a chwara'ch gora,' meddai Aron. 'Dyna'r cwbl fedrwn ni neud.'

'Yn union. Sgynnan ni'm hôps caneri o ennill,' meddai Rhys. ''Dan ni'm 'di cael treining call ers dros fis. A ma' gynnan ni un prop a dau bac-rô ar goll.'

'Dim ots, nadi,' meddai Aron. 'Mond bo' gynnan ni bymthag dyn ar y cae. Jest peidiwch â brifo, wir dduw. Ella gymeran nhw biti drostan ni o dan yr amgylchiada. Dewch i fama rŵan ... pawb.'

Closiodd y tîm a rhoi eu breichiau am ysgwyddau ei gilydd.

'Rŵan 'ta, dwi'n gwbod nad oedd 'na 'run ohonan ni yn nabod Gruffydd yn dda iawn. Ond mae pawb yn fama yn nabod Beca, dydi.'

'Rhai ohonan ni'n well na'n gilydd,' meddai Glyn dan ei wynt.

'Mae be ddigwyddodd i'w gŵr hi yn uffernol. Un ohonan ni oedd o'r noson honno, a dwi isio i chi chwarae hefo hynny yn eich meddwl heddiw 'ma. Anghofiwch am yr holl lol sydd wedi mynd ymlaen dros yr wythnosa dwytha 'ma. Chwaraewch er cof amdano fo, ac i Beca a'i deulu fo.'

Stampiodd y criw eu stydiau ar lawr yn un côr, yn gynt ac yn gynt, nes bod y sŵn yn diasbedain ar draws yr ystafell newid.

'Allan â ni, hogia!'

Rhedodd y criw allan ar y cae yn un rhes. Fel yr oedd Aron yn mynd ar eu holau, bachodd Glyn ei fraich yn sydyn.

'Dyna ni felly ia, Aron?' gofynnodd Glyn yn flin. '*Back to normal*. Cario 'mlaen fel bod 'na'm byd wedi digwydd? ... Dwi'm yn dallt sut fedri di fod mor ffwrdd-â-hi am y peth.'

'Be arall ti isio i mi neud, Glyn? Mynd allan ar y cae 'na a cyfadda'r cwbl?'

'O, dwi'm yn gwbod,' meddai Glyn yn rhwystredig. 'Mae'r holl beth jest yn teimlo'n rong, dydi. Ti 'di dragio pawb i mewn i betha heb fod angan, 'do. Ella 'san ni 'di deud y gwir o'r dechra, 'sa petha wedi eu sortio bellach.'

''San ni 'di deud y gwir o'r dechra 'san ni'n jêl ar ein penna. Dyna ti isio? Haf yn cael ei gadael ar ei phen ei hun? Y plant 'na'n dod i dy fisitio di bob yn ail wicend?'

'Nage siŵr!'

'Wel cau dy blydi geg 'ta! Mae o 'di'i neud rŵan, 'do. Rŵan anghofia amdano fo a tyrd i chwara, wir dduw. Maen nhw'n gwitsiad amdanan ni.'

Dechreuodd Aron fynd am allan eto, cyn i Glyn gael gafael yn ei grys yn frwnt a'i daflu'n erbyn y loceri.

'Be ddiawl ti'n feddwl ti'n neud, Glyn?!'

'Be sy 'di bod yn mynd ymlaen rhyngtha chdi a Beca, Aron?' Poerodd Glyn y geiriau yn ei wyneb.

'Be ti'n feddwl, be sy 'di bod yn mynd ymlaen?'

''Dach chi 'di bod yn cysgu hefo'ch gilydd?'

'*Piss off*!'

'Wel, ydach chi?'

'A be os fysan ni? Rhyngtha fi a Beca fysa hynny. 'Di o uffar o'm byd i neud hefo chdi na neb arall.'

'Wel mae o os 'dan ni'n cael ein dragio i mewn i *manslaughter investigation*. Mae o'n effeithio arnan ni i gyd.'

'Does 'na'm byd yn mynd ymlaen rhyngtha fi a Beca, ocê?' meddai, gan droi ei gefn ar Glyn.

'Hefo hi est ti ar gwch Rhys, 'de.'

'Nage!'

'Pwy 'ta?'

'Meindia dy blydi busnas!'

'Chdi oedd yr un nath roi'r blydi dêr gwirion 'na i Gruffydd. Dim jest *initiation* oedd o, nage? Mi roedd o'n bersonol. Mi roeddach chdi'n jelys ohono fo achos bod gynno fo rwbath oeddach chdi isio.'

'Chydig o hwyl oedd o, Glyn. Chwarae'n troi'n chwerw, dyna'r cwbl. Do'n i'm isio lladd y boi, nag o'n!'

'Ti'n gwbod be, Aron. Ti wedi dod yn gymaint o ecsbyrt ar ddeud clwydda yn ddiweddar, dwi'm yn gwbod be i'w goelio dyddia yma.'

'Ti wir yn meddwl 'mod i wedi gneud hyn yn fwriadol?'

Cododd Glyn ei ysgwyddau.

'Mae'r holl beth yn gyfleus iawn, dydi, raid i chdi gyfadda. Ti 'di cael be ti isio rŵan, 'do, Beca i chdi dy hun o'r diwadd. Gruffydd allan o'r pictiwr am byth. Siŵr bo' chdi wrth dy fodd.'

'Pwy sy isio gelynion pan mae gynnyn nhw ffrindia fath â chdi, 'de.'

'Mi ro'n i'n meddwl bo' ni'n fêts. Ond ma'r ffordd ti 'di delio 'fo'r sefyllfa 'ma 'di'n rhoi ni i gyd yn y cach … Ti 'di mynnu cael dy ffordd dy hun erioed. Cael pawb i neud be oeddach chdi isio a stwffio pawb arall. 'Sa Gruffydd ddim wedi cytuno i'r dêr 'na 'sna 'sa chdi wedi'i wthio fo. Cwbl oedd o isio oedd bod yn un o'r tîm.'

'Dwi'n ddau ddeg pump, Glyn! 'Dan ni'm yn yr ysgol rŵan.'

'Dyna sud gest ti Beca i'r gwely? Cymryd mantais ohoni yn ei gwendid?'

Cododd Aron ei ddwrn yn ei dymer a'i daro yng nghanol ei wyneb. Atseiniodd y glec ar draws yr ystafell newid, a dechreuodd y gwaed bistyllio o'i drwyn a'i geg ar y teils oer.

'A dyna chdi brofi sud berson w't ti, Aron,' meddai Glyn, gan afael mewn tywel a'i ddal dros ei wyneb clwyfedig. 'Llongyfarchiadau. Gobeithio byddi di a gweddw Gruffydd yn hapus iawn hefo'ch gilydd.'

Rhuthrodd Aron oddi yno yn flin, ac eisteddodd Glyn ar un o'r meinciau i dendio ar ei friwiau.

'Lle mae Glyn?' gofynnodd Rhys ar y cae yn bryderus.

'Chwydu'n toilets,' meddai Aron yn sydyn. 'Beryg bod o wedi dal y byg 'na hefyd.'

'Be 'dan ni'n mynd i neud? Fedrwn ni'm chwarae hefo *fourteen* o ddynion. Mae petha ddigon drwg arnan ni fel ma'i.'

'Raid i ni fforffeitio, bydd.'

'Fedrwn ni'm fforffeitio, siŵr, a ninna wedi dragio mam Gruffydd a Beca yma!'

Rhedodd y dyfarnwr at y capten.

'Oes 'na broblem?' gofynnodd i Aron.

'Dim ond *fourteen* o ddynion sgynnan ni.'

'Wela i ... Mi fysa'n biti i ni orfod canslo o dan yr amgylchiadau ... Croeso i chi chwarae hefo un deg pedwar os ydach chi'n hapus i wneud hynny. Mond bo' gynnach chi o leia bump yn y sgrym. Mi ga i air hefo'r tîm arall i egluro'r sefyllfa.'

'Ella 'sa well i bawb 'san ni jest yn canslo,' meddai Aron wedi cynhyrfu. 'Mae'r sgrym ddigon gwan fel ma'i.'

'Ti 'di newid dy gân,' meddai Rhys. 'Chdi oedd yn deud gynna pa mor bwysig 'di'r gêm yma.'

''Dan ni'm isio gneud ffyliaid o'n hunain chwaith, nag oes.'

'Mond gneud chydig o newidiada 'dan ni isio, fyddwn ni'n iawn.'

Sylwodd Rhys ar y pryder ar wyneb Aron.

''Di bob dim yn iawn, yndi?'

'Yndi,' meddai'n ffwr-bwt.

'Ti a Glyn 'di ffraeo ne rwbath? Sylwais i arno fo yn dy ddal di'n ôl cyn i ni ddod allan.'

'Gafon ni ryw air croes gynna, dim byd mawr.'

'Am be?'

'Ro i un *guess* i chdi.'

'O'n i'n meddwl bo' bob dim wedi'i sortio rŵan.'

'Dim yn ôl Glyn, beth bynnag.'

Rhedodd Rhys yn ei ôl am yr ystafell newid.

'Lle ddiawl ti'n mynd rŵan?!' gwaeddodd Aron ar ei ôl.

'Dwi'n mynd i lusgo Glyn ar y cae 'ma. Os 'dan ni am golli, o leia mi gawn ni golli hefo'n gilydd.'

Roedd Glyn yn golchi ei wyneb yn y sinc, a hwnnw a'i lond o waed llachar.

'Be ddiawl sy 'di digwydd?!' gofynnodd Rhys wedi dychryn. 'Aron nath hyn i chdi?'

Nodiodd Glyn, gan sychu ei wyneb yn ofalus gyda'i dywel.

'Be ddoth dros ei ben o?!'

'Fi oedd yn pryfocio.'

'Be ti'n feddwl, pryfocio?'

'Holi am Beca o'n i.'

'Holi be?'

'Os oedd 'na fwy i'r peth nag oedd o'n ddeud wrthan ni.'

'Be ti'n mwydro, Glyn?'

''Dan ni wedi ama ers tro bod 'na rwbath yn mynd ymlaen rhwng y ddau, 'do.'

'Do ... Ond be sgin hynny i neud hefo be ddigwyddodd i Gruffydd? Hyd yn oed os fysa'r ddau 'di cael ffling ne ddwy, 'di o'm yn gneud gwahaniaeth rili, nadi ... Nath neb drio ei ladd o, naddo.'

'Ond mi fysa gynno fo motif.'

'Y *concussion* sy'n siarad rŵan,' chwarddodd Rhys yn nerfus.

'Meddylia am y peth rŵan, Rhys. Mae Aron wedi bod mewn cariad hefo'r hogan 'ma ers 'rysgol. Mae o 'di gorfod ei gwatsiad hi'n priodi boi arall, creu cartra yn Aberysgo, reit o dan ei drwyn o. Ella ei fod o wedi bachu amball noson hefo hi bob hyn a hyn, ond mynd yn ôl ato fo fysa hi bob tro, 'de. Mi roedd o'n jelys. Mi gafodd o gyfla i ddial go iawn y noson honno ... newid ei ffortiwn.'

'Ti'n trio deud wrtha i ei fod o wedi planio'r dêr 'ma o'r dechra? Ti'm yn gall!'

'Fo oedd yn ei beledu o hefo diodydd drwy'r nos, 'de.

158

Mi nath o'i yrru allan i'r oerfel heb ddim byd amdano fo ac ynta prin yn gallu cerddad.'

'Mi roeddan ni i gyd yno, Glyn. Mi adawon ni iddo fo fynd. 'Dan ni i gyd mor euog â'n gilydd.'

'Ond mi ddudodd Aron ei fod o am fynd yn ôl i'r clwb i chwilio amdano fo. Gynigiais i stopio yno ar 'yn ffordd adra, ond mi roedd o yn mynnu mynd yn 'i flaen. Ddudodd o ei fod o mor chwil nes ei fod o wedi anghofio amdano fo yn diwadd … Ond pwy sydd i ddeud nad aeth o'n ôl? Ella ei fod o wedi gweld Gruffydd yn y gwrych a'i adael o yno.'

'Ti'n malu cachu rŵan.'

'A be am y busnas llosgi dillad 'ma? Fedri di'm deud wrtha i fod hynna'n ymatab normal.'

Oedodd Rhys am eiliad, a mynd i eistedd ar un o'r meinciau a'i ben yn ei ddwylo.

'Ella … O, dwn i'm!'

'Dwn i'm amdana chdi, Rhys. Ond y mwya dwi wedi bod yn meddwl am y peth, y lleia o awydd sydd gen i i gadw'i bart o.'

'Be ti'n feddwl?'

'Fo sy 'di bod yn mynnu bo' pawb yn cadw'n dawel. Gwarchod ei groen ei hun mae o wedi bod yn ei neud ers y dechra, siŵr, dim meddwl amdanan ni! Mae o wedi bod yn palu clwydda o'r cychwyn cynta … Dwi'n meddwl y dylian ni fynd lawr i'r stesion a'i reportio fo.'

'Ti o ddifri?'

'Yndw. Mi ro'n i'n planio mynd ar ôl y gêm. Ti am ddod hefo fi?'

'Dwi'm yn meddwl bo' chdi'n sylweddoli pa mor

fawr 'di hyn, Glyn. Lasa fo fynd i jêl am be nath o …
Lasan ninna gael ein gyrru hefo fo hefyd!'

'Fedra i'm byw felma ar binna bob munud, Rhys.
Mae'r poeni 'ma yn 'y ngneud i'n sâl. 'Sa'n well gen i
wynebu be sy i ddod i mi a delio hefo fo na sbio dros
'yn ysgwydd bob munud. Lasan nhw fod yn ffeindiach
hefo ni os 'dan ni'n bod yn onast rŵan.'

'A be os w't ti'n anghywir? Be os ydi Aron yn gwbl
ddiniwad yn hyn i gyd? 'Dan ni'n ei yrru fo i'r lladd-
dy. Un o'n ffrindia gora ni.'

'Fyny i'r heddlu os 'dyn nhw am neud rwbath am
y peth, dydi. O leia mi fyddwn ni wedi bod yn onast.'

'Neith o byth fadda i chdi.'

Tynnodd Glyn y crys rygbi gwaedlyd oddi amdano.
'Wsti be, Rhys. Dwi ddigon bodlon cymryd y risg.'

Aeth Rhys i dyrchu drwy'r bag o ddillad sbâr, a
thaflu crys arall ato.

'Rho hwn amdanat, wir, a tyd allan. Ella neith y
gêm dynnu dy feddwl di oddi ar betha.'

'Mi chwaraea i'r gêm hefo fo, ond dwi ddim am
newid 'y meddwl, Rhys … 'Di Aron ddim am gael get
awê hefo hi tro 'ma.'

DYDD SADWRN, CHWEFROR 23, 2019, 12:30 y.p.

Sychodd Glyn y chwys oddi ar ei dalcen, cyn rhoi ei fraich dros ysgwydd yr hwcar dros dro wrth ei ochr. Teimlodd law Aron yn stwffio rhwng ei goesau, a thagodd wrth iddo wasgu mwy na'i grys yng nghledr ei law.

'Wps, sori,' chwarddodd Aron.

'Idiot,' meddai yntau dan ei wynt.

'*Crouch!*' gwaeddodd y dyfarnwr, a phlygodd y criw yn ufudd.

'Meddwl 'swn i'n trio rhoi gwên ar y gwyneb tin 'na sgen ti,' tuchodd Aron drwy wasgfa'r cluniau nobl.

'*Bind!*' gwaeddodd y dyfarnwr eto, a tharodd Glyn ei fraich arall dros ysgwydd ei wrthwynebydd.

'Cau hi, Aron!'

'Set!'

Gwthiodd y pac eu hysgwyddau i ganol eu gwrthwynebwyr, a thaflodd eu mewnwr y bêl i mewn i'r ffau.

'Sud mae dy drwyn di?!' gwaeddodd Aron.

'Mae 'nhrwyn i'n iawn! 'Y ngheg i ddylia chdi boeni amdani!'

Brwydrodd y ddau bac yn ffyrnig, cyn i'w gwrthwynebwyr daflu'r bêl am allan.

'Mi roedd gen ti gyts i ddod ar y cae,' meddai Aron gan godi'n sydyn. 'Ro i honna i chdi.'

'Gymrith hi fwy na dwrn gen ti i'n stopio i, Aron.'

Rhuthrodd un o'r gwrthwynebwyr i gyfeiriad Glyn â'r bêl yn ei law. Neidiodd yntau amdano, ond ei fethu o drwch blewyn.

'Dipyn o job stopio hwnna hefyd, oedd!' bytheiriodd Aron.

Pasiwyd y bêl i chwaraewr arall, a rhuthrodd hwnnw tuag at y llinell gais.

'Rywun stopio hwnna, wir dduw!' bloeddiodd Aron.

Llwyddodd Rhys i'w daclo. Ond gyda phawb arall mewn safleoedd dieithr, doedd neb yn rhy siŵr beth i'w wneud ac roedden nhw'n rhedeg i bob cyfeiriad fel haid o ffesantod ar ddydd San Steffan. Pasiwyd y bêl unwaith yn rhagor, a sgoriodd y lleill o dan y pyst. Chwythodd y dyfarnwr ei chwiban a chodi ei law i gadarnhau'r pwyntiau ychwanegol.

'Blydi hel!' bytheiriodd y capten. 'Dau ddeg *chwech* i dri, a dydi hi'm hyd yn oed yn *half time* eto!'

Chwibanodd y dyfarnwr unwaith eto, a chiciodd y gwrthwynebydd y bêl yn lân dros y pyst.

'Dau ddeg *wyth* i dri!' meddai Aron eto.

'Ti ar y cae 'ma hefyd, Aron,' meddai Glyn yn flin. 'Waeth i ti heb â rhoi bai ar bawb arall.'

''Sna'm byd yn bod ar 'yn chwarae i, Glyn.'

'Chdi 'di'r capten i fod.'

'Anodd ar y diawl capteinio pan mae gen ti lond cae o hen ferched yn chwara i chdi.'

Rhuthrodd Glyn tuag ato a rhoi sgwd egr iddo nes iddo ddisgyn ar y llawr. Cododd Aron yn sydyn a gafael yn ei grys o dan ei ên. Chwythodd y dyfarnwr ei chwiban i'w rhybuddio, a rhedodd Rhys at y ddau i'w stopio.

'Calliwch, 'newch chi!' bloeddiodd Rhys. 'Ne fydd y ddau ohonach chi yn y blydi *sin bin!*'

Dechreuodd y gwrthwynebwyr rowlio chwerthin am eu pennau, a rhedodd Beca ar y cae.

'Be ddiawl 'dach chi'n neud!' gofynnodd yn flin. 'Mae Jean yn fanna yn gweld y cwbl!'

'Camddealltwriaeth,' meddai Aron, gan estyn ei law i Glyn i'w hysgwyd. Wfftiodd yntau.

'Be sy'n bod ar y ddau ohonach chi?' gofynnodd hithau wedyn. ''Dach chi'n ffrindia gora i fod.'

'Gofynna i *lover boy* yn fanna,' meddai Glyn.

'Be ti'n malu cachu, Glyn?' gofynnodd Beca'n nerfus.

'Anwybydda fo!' meddai Aron yn sydyn. ''Di codi ochr rong i'r gwely heddiw.'

Edrychodd Beca arno'n amheus. Brasgamodd y dyfarnwr tuag atynt.

'Reit 'ta, hogia, os ydach chi wedi gorffan cael eich domestig, 'nawn ni gario 'mlaen hefo'r gêm, ia?'

'Ia ... sori, reff,' meddai Aron, gan droi ei gefn ar Glyn. 'Neith o'm digwydd eto.'

'Pawb sydd ddim yn rhan o'r tîm 'ma i adael y cae, os gwelwch yn dda!'

Tynnodd Beca Aron tuag ati'n sydyn.

'Be ti 'di bod yn ei ddeud wrth Glyn?' gofynnodd dan ei gwynt.

'Dim, wir i chdi!'

'Gawn ni air wedyn!'

Rhedodd Aron yn ôl i'w safle yn flin, ac aeth Beca yn ôl at Jean, oedd yn eistedd ar gadair glan môr wedi ei lapio mewn blanced gynnes.

'Ydi bob dim yn iawn, Beca?'

'Yndi tad, Jean. Peidiwch chi â phoeni. Hen ddadla gwirion rhwng un o'r chwaraewyr a'r capten. Mae o 'di'i sortio rŵan.'

'Da iawn … Faint o'r hanner yma sy 'na ar ôl, dwa?'

'Pum munud bach. 'Dach chi'n ocê yn fama? 'Dach chi'm yn rhynnu, na 'dach?'

'Mi rydw i braidd yn oer,' meddai'n dawel.

'Dowch, awn ni mewn i'r clwb i gael panad bach. Welith neb 'yn colli ni.'

'Ti'n siŵr?'

'Yndw. Mae gêm rygbi yn gallu bod ddigon diflas ar y gorau, dydi.'

'Does 'na'm llawar o siâp arnyn nhw, nag oes,' chwarddodd Jean.

'Dydi hi'm llawer o gêm *memorial* i chi, nadi,' chwarddodd Beca wedyn.

'Sori. Dwi'n siŵr 'sa Gruffydd 'di chwerthin ei hun 'sa fo 'di bod yma.'

Cerddodd y ddwy i mewn i gynhesrwydd y clwb, ac aeth Beca at y bar i archebu dwy baned o de. Gwenodd y barman arni'n gydymdeimladol.

'*On the house*,' meddai, gan estyn llond dyrnaid o fisgedi sinsir mewn plastig i'w rhoi ar ochr y soseri.

'Diolch, Geoff,' meddai hithau'n dawel.

'Sud w't ti?'

'Dwi'n ocê, chi. Dal i fynd.'

'Dy fam yng nghyfraith sydd hefo chdi?'

'Ia … wel dyna dwi'n meddwl dwi fod i'w galw hi rŵan beth bynnag.'

'Sud siâp sydd arnyn nhw allan yn fanna?'

'Difrifol!'

'Mi ro'n i'n ama. Mae'r treining wedi slacio lot mis yma. Ond fedri di'm gweld bai arnyn nhw chwaith, chware teg.'

'Na.'

'Ydi'r heddlu rywfaint nes i'r lan rŵan? Maen nhw wedi bod yma fwy nag unwaith yn gofyn cwestiyna. Mae o wedi bod yn gyfnod hir i chdi, 'do.'

'Gobeithio cawn ni gwest yn yr wythnos nesa 'ma rŵan, a threfnu cnebrwng o'r diwadd.'

Nodiodd Geoff mewn dealltwriaeth, wrth dollti'r dŵr berwedig ar ben y bagiau Tetley yn y cwpanau.

Oedodd Beca am eiliad cyn dweud dim.

'Oeddach chi yma'r noson honno, Geoff? … Pan fuodd Gruffydd …'

'Dim ond tan tua hanner awr wedi deg. A dwi'n cicio'n hun na wnes i aros yma'n hwyrach i gadw trefn arnyn nhw, cofia. Mae'n ddrwg iawn gen i. Ti'n gwbod cystal â neb be di'r trefniada ar nos Wener. Yr un drefn sydd wedi bod yma ers blynyddoedd ar ôl treining. Dwi'n diflannu pan mae'n stop tap ac maen nhw'n helpu eu hunain a gadael pres ar y bar. Tydw i'n eu nabod nhw ers pan oeddan nhw'n betha bach. Maen nhw yma tan dri, bedwar o'r gloch y bora weithia, dydyn. Aron oedd yn cloi fath ag arfar, goriad drwy'r *letter box*. Dwi 'rioed wedi cael unrhyw draffarth hefo nhw o'r blaen.'

'Oedd Gruffydd dal yma pan oeddach chi'n mynd adra?'

'Oedd, dwi'n cofio tynnu peint iddo fo jest cyn i mi fynd. Mi roedd pawb i weld yn cael amsar da ac yn chwerthin a sgwrsio. Mi roedd Gruffydd yn cymysgu'n iawn hefo nhw hefyd o be welwn i. Feddyliais i ddim am y peth.'

Gwenodd Beca arno ac aeth â'r paneidiau at y bwrdd.

'Dyna chi, Jean. Fyddwch chi wedi cnesu mewn dim rŵan.'

'Diolch, cariad … Mae o i weld yn ddyn neis.'

'Un o gymeriada ffeindia Aberysgo. Pawb yn nabod Geoff.'

'Mae gen ti lot o ffrindiau yma i weld.'

'Oes. Fama ges i'n magu, 'de. Mae pawb yn nabod ei gilydd ac yn edrach ar ôl naill a'r llall … Mae gen i dipyn o feddwl o'r lle.'

'Alla i weld hynny … Ti'n ffrindiau hefo'r criw rygbi 'ma hefyd?' gofynnodd yn chwilfrydig.

'Yndw,' meddai hithau'n ansicr. 'Mi roedd lot ohonyn nhw yn yr ysgol hefo fi.'

'Be am Gruffydd? Oedd o'n gneud hefo nhw?'

'Mi roedd o'n cychwyn dod i nabod pobl, dwi'n meddwl. Dyna pam 'nes i ei berswadio fo i ymuno hefo'r tîm. 'Dach chi'n gwbod gymaint o ffan oedd o o rygbi, ac mi roedd o'n chwaraewr go lew yn yr ysgol, doedd. Mi ro'n i'n meddwl ei fod o'n gyfla da iddo fo neud ffrindia ... Ond chafodd o'm llawar o gyfla, naddo.'

'A fuodd Gruffydd erioed yn gymdeithaswr mawr. Tynnu ar ôl ei dad oedd o felly.'

''Dach chi'n deud wrtha i! Mi roedd trio ei gael o i fynd allan ar nos Sadwrn fel trio rhoi bath i gath! Mi roedd well gynno fo aros adra i watsiad *Scrum V*!'

Chwarddodd Jean.

'Be am i chi aros yn fama yn ystod yr ail hannar?' awgrymodd Beca. 'Ddo i i'ch nôl chi pan fyddan nhw'n tynnu at y terfyn. Mond ryw ysgwyd llaw yn sydyn fydd isio wedyn, 'de. Awn ni am swpar i dŷ Mam a Dad wedyn, os liciwch chi. Ond mond os 'dach chi'n teimlo ddigon da, 'de. Mi wnes i sôn ein bod ni'n meddwl galw.'

'Ia, mi fysa hynna'n neis iawn. Diolch.'

Llowciodd Beca ei phaned yn sydyn, ac aeth allan i chwilio am Aron. Daeth o hyd iddo wrth ddrws yr ystafell newid â sigarét yn ei law.

'Siŵr gneith hwnna les i dy chwara di,' meddai wrtho'n feirniadol.

'Dwi'n *stressed*,' meddai yntau'n flin.

'Dw inna'm yn teimlo'n rhy grêt chwaith, a deud y gwir wrtha chdi. Ti 'di bod yn siarad hefo Glyn amdanan ni, 'do?'

'Naddo siŵr!'

'Be oedd y lol yna gynna, 'ta?'

'Dydi o ddim yn gwbod dim byd, siŵr. 'Di cael chwilan yn ei ben mae o. Mi fydd o wedi anghofio am y peth erbyn fory.'

'Gobeithio wir.'

'Be 'di'r ots eniwe, 'de? 'Di o'm yn fusnas i neb arall be 'dan ni'n neud, nadi.'

'Dwi'm 'di claddu 'ngŵr eto, Aron! 'Sa Jean yn torri ei chalon 'sa hi'n ffeindio allan! Dwi 'di bod yn treulio lot o amsar hefo hi'r diwrnodia dwytha 'ma. Dydi hi ddim yn dda. 'Sa hyn yn ddigon i'w gwthio hi dros y dibyn.'

Sugnodd Aron gegiad hir o fwg ei sigarét.

'Poeni amdani hi w't ti go iawn?'

'Be ti'n feddwl?'

'Dwi'n meddwl bo' chdi'n poeni mwy amdana chdi dy hun. Poeni be fysa pobl yn ddeud 'sa fo'n dod allan. A ti'n gwbod pam? Achos bo' gen ti gywilydd ohona i.'

'Mae gen i gywilydd o be 'dan ni wedi bod yn ei neud.'

'Ti'n difaru.'

'O, dwi'm yn gwbod, Aron,' meddai'n flin. 'Mae gen i betha eraill ar 'y meddwl ar hyn o bryd, a deud y gwir wrtha chdi.'

'Cofia 'mod i yma i chdi, Becs. 'Sna'm raid i chdi neud hyn ar dy ben dy hun.'

Ceisiodd Aron roi ei freichiau amdani, ond tynnodd hithau oddi wrtho.

'Dydw i ddim ar 'y mhen 'yn hun. Mae gen i Jean, a Mam a Dad … A deud y gwir wrtha chdi, Aron, dwi'n meddwl na'r peth calla i ni neud ar hyn o bryd ydi cymryd cam yn ôl o hyn i gyd a gadael i'r llwch setlo.'

'Ocê. Mi 'na i stopio cysylltu hefo chdi am dipyn

bach os na dyna ti isio. Pan w't ti'n barod i ailgychwyn petha, mi fydda i'n aros amdana chdi.'

'Dyna 'di'r peth, Aron. Dwi'm yn siŵr os dwi isio ailgychwyn petha.'

Taflodd Aron ei stwmp sigarét ar lawr a phlygu i dynhau ei griau yn dawel.

'Ti yn dallt, yn dwyt?' gofynnodd Beca wedyn.

'Dwi'n dallt bo' petha yn anodd arna chdi, Beca, yndw. Ond dydw i ddim yn dallt sut y medri di ddiffodd dy deimlada mor sydyn. O'n i'n meddwl bo' gynnan ni rwbath sbesial yn fama ... O'n i'n meddwl bo' chdi'n 'y ngharu i.'

'Mi ydw i'n dy garu di. Ond dwi'n caru Gruffydd hefyd.'

'Fo sydd wedi ennill eto, 'de.'

''Sna neb wedi ennill, Aron! Paid â deud peth mor wirion!'

'Hwn oedd ein cyfla ni i gychwyn petha o ddifri. 'Dan ni wedi bod yn siarad am y peth ers misoedd. Does 'na'm byd yn ein stopio ni rŵan a ti'n cael traed oer ... Be 'dan ni wedi bod yn neud diwrnodia dwytha 'ma? Ydi o wedi golygu rwbath i chdi?'

'Ydi siŵr ... Ond siawns y medri di ddallt nad ydi 'mhen i wedi bod yn y lle iawn ers dipyn. Mi ro'n i isio cysur a ...'

'Dyna dwi 'di bod erioed, 'de. Cysur. Pan oedd petha'n ddrwg rhyngtha chdi a Gruffydd, mi ro'n i yno, do'n. Mi roeddach chdi'n gwbod sud o'n i'n teimlo amdana chdi ac y byswn i'n neidio'n syth. Mi roedd o'n hawdd. Ac mi ro'n i ddigon gwirion i lyncu'r cwbl.'

'Doedd o ddim yn hawdd, coelia di fi! Mi ro'n i'n

casáu mynd tu ôl i gefn Gruffydd. Ond fedrwn i'm stopio'n hun achos mi ro'n i mewn cariad hefo chdi.'

'Stopia balu clwydda, Beca! Mi nest ti neud ffyliad o'r ddau ohonan ni. 'Sa chdi isio bod hefo fi go iawn 'sa chdi wedi hen orffan hefo fo. Chydig o hwyl o'n i a dyna fo.'

'Os na dyna ti'n feddwl, Aron, ti'm yn fy nabod i o gwbl, nag wyt ...'

DYDD SADWRN, CHWEFROR 23, 2019, 1:00 y.p.

Chwythodd y dyfarnwr y chwiban a chiciodd Aron y bêl i ailgychwyn y gêm. Daliodd un o'r gwrthwynebwyr hi yn yr awyr, a phrysurodd i redeg tuag atynt.

'Trïwch ddal hein yn eu hola gora gallwch chi!' bloeddiodd Aron. ''Dan ni i gyd yn gwbod bo' ni ddim yn mynd i guro hon. Ond gadewch i ni drio cael sgôr go lew o dderbyniol, wir!'

'Ella 'sa chdi'n siarad llai a symud mwy 'sa gynnan ni well tsians o sgorio!' ysgyrnygodd Glyn, cyn methu tacl arall.

'Fuo sgorio 'rioed yn broblem i mi, Glyn!' chwarddodd yn ei ôl.

Pasiodd un o'r gwrthwynebwyr y bêl i chwaraewr arall, cyn i Rhys Creep neidio am ei goesau yn drwsgl. Chwythodd y dyfarnwr ei chwiban, a galwodd ar Aron a Rhys i ddod ato.

'Blydi hel!' bytheiriodd y capten. 'Be sy, reff?' holodd yn ddiniwed.

'Tacl hwyr.'

'Mi roedd honna'n iawn, siŵr.'

'Mi roedd y bêl wedi hen fynd cyn i'ch chwaraewr chi fynd amdano.'

Ymbalfalodd y dyfarnwr yn ei boced am ei gardiau.

'O, plis, reff!' plediodd Rhys. 'Fydda i fwy gofalus tro nesa, gaddo!'

Daliodd y dyfarnwr y cerdyn melyn yn yr awyr a'i hysian oddi ar y cae.

'Idiot!' bloeddiodd Aron gan roi ochr pen i Rhys.

'A 'dan ni lawr i *fourteen* o ddynion eto. 'Sa well i ni ofyn i Jean 'sa hi'n licio chwarae. Siŵr 'sa hi'n gneud gwell job na'r rhan fwya ohonach chi!'

'Cic gosb i'r tîm gwyn!' gwaeddodd y dyfarnwr.

Cliriodd Glyn ei wddw a phoeri ar y cae yn flin. Tapiodd un o'r gwrthwynebwyr y bêl a'i chymryd yn sydyn. Cododd Glyn ei sanau at ei bengliniau yn benderfynol a dechreuodd ruthro tuag ato fel rhyw fustach gwyllt. Cyn i'r chwaraewr arall fedru ei osgoi, roedd Glyn wedi llamu am ei fferau a'i daro ar y llawr yn galed.

'Da iawn, boi!' chwarddodd Rhys o'r ochr, gan chwibanu i'w longyfarch.

Gwthiodd Glyn yn ei flaen gan lwyddo i droi'r chwaraewr arall a chael gafael yn y bêl. Syllodd arni yn ei ddwylo am eiliad heb wybod yn iawn beth i'w wneud â hi.

'Be ti'n feddwl ti'n neud, Glyn?' gwaeddodd Aron. 'Rhed, y clown gwirion!'

Straffaglodd Glyn ar ei draed a dechrau brasgamu tuag at y llinell gais. Dechreuodd y dorf floeddio'n wirion a churo dwylo. Teimlodd ei galon yn curo yn gynt ac yn gynt a'i frest yn tynhau, ond gwthiodd ei hun yn ei flaen. Gydag anadl ei wrthwynebwyr ar ei war, taflodd ei gorff yn ei flaen gan ddal y bêl uwch ei ben.

'Tiria hi, Glyn!' bloeddiodd Rhys.

Edrychodd Glyn arno yn ddryslyd.

'Rho hi lawr, wir dduw!'

Gosododd Glyn y bêl ar y llinell yn ofalus ac aeth y dorf i gyd yn wallgof. Rhedodd gweddill y tîm ato i'w longyfarch a rhoi eu breichiau amdano.

''Sach chi'n meddwl bo' ni wedi ennill, wir!' gwaeddodd Aron o ben draw'r cae.

Bowiodd Glyn arno gan wenu.

'Dim yn ddrwg i hwcar!' pryfociodd y capten wedyn. Cododd Glyn un bys arno.

Ciciodd Aron y bêl yn lân dros y pyst a rhedodd pawb yn ôl i'w safleoedd yn fodlon. Plygodd Glyn i gael ei wynt ato a digwydd edrych i gyfeiriad y dorf lle'r oedd Ditectif Ffion wedi ymddangos o nunlle.

'Shit … Aron!' meddai drwy ei ddannedd, gan wneud stumiau i dynnu ei sylw. Gwenodd Ffion arnynt a chodi ei llaw, cyn galw ar y dyfarnwr i ddod ati.

'Be ti'n feddwl ma' hon isio?' gofynnodd Aron.

'Dwi'm yn meddwl ei bod hi wedi dod yma i gefnogi rywsut,' meddai Glyn.

Chwythodd y dyfarnwr ei chwiban er mwyn hysbysu pawb fod y gêm ar ben yn gynnar. Cerddodd Ffion tuag atynt yn araf a llyncodd Glyn ei boer yn nerfus.

'Cais da,' meddai Ffion wrtho. 'Welais i'r foment

fawr drwy ffenest y clwb. Mae'n ddrwg gen i fod yn barti pwpyr ond dim *social call* ydi hon, mae arna i ofn.'

'O?' holodd Aron.

''Dach chi am ddod i'r stafelloedd newid hefo fi, hogia?' meddai Ffion yn dawel.

'I be?' meddai Rhys yn amddiffynnol.

'Mi fedrwn ni neud hyn yn fama o flaen Aberysgo i gyd, os liciwch chi,' meddai Ffion wedyn.

'Mae gynnan ni gêm i'w gorffan yn fama, del,' meddai Aron yn ddigywilydd. 'Be bynnag sydd gen ti i'w ddeud wrthan ni, mi gei di ei ddeud o rŵan. Sgynnan ni'm byd i fod â chywilydd ohono fo.'

'Siwtiwch eich hunain.'

Aeth Ffion i'w bag ac estyn ei llyfr nodiadau.

'Aron Evans, Glyn Owen, Rhys Edwards. Rydw i'n eich arestio chi mewn cysylltiad â marwolaeth Gruffydd Jones. Does dim rhaid i chi ddweud dim byd. Ond gall niweidio eich amddiffyniad os na fyddwch chi'n sôn, wrth gael eich holi, am rywbeth y byddwch chi'n dibynnu arno yn nes ymlaen yn y llys. Gall unrhyw beth yr ydych yn ei ddweud gael ei roi fel tystiolaeth.'

Teimlodd Glyn ei ben yn troi a thaflodd i fyny yn y fan a'r lle. Trodd yr hogiau i edrych ar Aron, oedd â'i ben yn ei ddwylo mewn anghrediniaeth.

Rhedodd Beca ar y cae a gafael ym mraich Ffion yn sydyn.

'Be sy'n mynd ymlaen?' gofynnodd, a'r panig yn amlwg yn ei llais. ''Dach chi'm yn eu harestio nhw?'

'Mae 'na dystiolaeth newydd wedi dod i law, Beca,

fel yr eglurais i wrthat ti yn y stesion wythnos dwytha. Alla i ddim dweud dim mwy ar hyn o bryd. Dim nes y byddwn ni wedi'u tsiarjio nhw.'

'Eu tsiarjio nhw?! … Camddealltwriaeth 'di hyn, siŵr. Dydyn nhw ddim yr hogia calla yn y byd pan maen nhw wedi cael diod. Ond fysan nhw'm yn lladd rhywun, siŵr! … Aron?'

Trodd Beca i edrych ar Aron, ac edrychodd yntau arni hithau a golwg wag ar ei wyneb.

'Mae'r fan gynnan ni yn y ffrynt, hogia,' meddai Ffion. 'Ydw i angan defnyddio handcyffs 'ta be?'

'Na,' meddai Glyn yn ei ddagrau. 'Jest ewch â ni, wir.'

Brysiodd Beca at Aron a rhoi ei breichiau amdano. Dechreuodd yntau gerdded yn ufudd i ganlyn y ddau swyddog.

'Plis deud wrtha fi ma camgymeriad mawr 'di hyn?'

'Camgymeriad oedd y cwbl lot,' meddai, gan ei gwthio oddi wrtho.

Gwyliodd Beca'r criw yn diflannu rownd y gongl a rhedodd i'r clwb i chwilio am Jean. Roedd ei mam yng nghyfraith yn eistedd wrth y ffenest yn pendwmpian a'i blanced dros ei choesau. Rhoddodd Beca ochenaid o ryddhad a sychodd ei bochau gyda'i llawes.

'Hei, be sy, del?' gofynnodd Geoff o'r tu ôl i'r bar. 'Be oedd y glas isio?'

'Peidiwch â son. Ydi hi wedi bod yn iawn?'

'Heb ddeud gair ers i chdi fynd am y cae. Es i â phanad arall iddi ryw chwartar awr yn ôl, ac mae hi'n cysgu ers ei hyfad hi.'

'Diolch, Geoff.'

Eisteddodd Beca wrth y bar.

'Dowch â brandi i mi, 'newch chi?'

'Brandi? O'n i'n meddwl na dynas Pinot Grigio oeddach chdi.'

'Dynas y brandi dwi pnawn 'ma. A gwnewch o'n un mawr!'

''Di'r Aron 'na mewn trwbl?' gofynnodd Geoff, gan dywallt jochiad o Hennessy i'r gwydr.

'Be sy'n gneud i chi feddwl hynny?' gofynnodd Beca'n amheus.

'Mae'r hen Ffion 'na wedi bod yn holi lot amdano fo pan mae hi wedi bod yn dod yma.'

'Do?'

'Ac amdana chdi 'tai'n dod i hynny ... Rŵan 'ta, dydi o ddim o 'musnas i be 'dach chi'r hen betha ifanc 'ma yn ei neud yn eich bywyda preifat. Ond raid i chdi ddallt bod ryw hen straeon felma yn gallu pardduo clwb. Mae damwain yn un peth, ond os 'di rhywun yn mynd i gychwyn sôn am *foul play* ymysg yr aelodau ... wel, mae gynnan ni broblem ar ein dwylo, does. Oes 'na rwbath wedi digwydd?'

''Dach chi'n iawn, Geoff, dydi o ddim o'ch busnas chi,' meddai Beca'n annifyr. Llowciodd ei diod yn sydyn. 'A be oedd gan Ffion i'w ddweud am y ffaith bo' chi wedi bod yn gadael i'r tîm yfad yma heb oruchwyliaeth?' meddai wedyn.

Cochodd y barman.

'O, naethoch chi ddim sôn am hynny felly, naddo? A be 'dach chi wedi bod yn ddeud wrthi pan mae hi wedi bod yn holi am *witness statement*? Palu clwydda?'

'Mae enw da'r clwb 'ma yn y fantol, Beca! 'Sa fiw i mi ddeud.'

'Mae gynnan ni i gyd ein cyfrinacha felly, does.'

DYDD SADWRN, CHWEFROR 23, 2019, 4:06 y.p.

Llowciodd Glyn gegiad arall o ddŵr o'r gwpan blastig a tharo'i fysedd drwy ei wallt yn nerfus. Teimlodd y chwys yn llifo i lawr ei war wrth i Ffion a'i chyd-weithiwr astudio eu nodiadau o ochr arall y ddesg. Edrychodd Ffion arno a rhyw wenu yn broffesiynol, cyn pwyso botwm ar y teclyn recordio.

'Cyfweliad rhif un,' meddai, gan edrych ar ei horiawr. 'Amser, chwe munud wedi pedwar … Rŵan 'ta, Glyn. Ti'n gwybod pam ein bod ni wedi dod â chdi i mewn yma, dwyt?'

Edrychodd Glyn ar y cyfreithiwr oedd yn eistedd wrth ei ochr, a nodiodd yntau arno.

'Wel, mi ddudoch chi eich bod chi'n f'arestio i mewn cysylltiad â marwolaeth Gruffydd Jones. Ond dwn i'm pam eich bod chi'n meddwl fod gen i unrhyw beth i neud hefo'r peth chwaith. Damwain oedd hi o be ro'n i'n ei ddallt.'

'Ond mi roeddat ti yno'r noson honno, yn doeddat Glyn?'

Edrychodd Glyn ar ei gyfreithiwr unwaith eto, a nodiodd yntau.

'Wel, o'n. Mi ro'n i yn y treining, ac mi 'nes i aros am beint neu ddau wedyn.'

'Be am i chdi ein harwain ni drwy'r hyn ti'n gofio o'r noson.'

'Ym … wel, mi gafon ni sesiwn ymarfer fach ar y cae.'

'Unrhyw beth penodol ti'n ei gofio am y sesiwn?'

'Mi roedd hi'n uffernol o oer, dwi'n cofio hynny. Mi gychwynnodd hi fwrw eira tuag at y diwedd. Dyna pam benderfynon ni orffen yn fuan.'

'Faint o sesiwn oedd hi felly?'

'Dwi'm yn cofio. Ryw awran ella.'

'Ond doeddat ti'm yno ar y dechrau,' meddai Ffion gan astudio ei nodiadau. 'Mi roeddat ti'n hwyr, os dwi'n cofio'n iawn.'

'O, oeddwn. Dwi'n cofio rŵan,' meddai'n ddryslyd.

'Mi roeddat ti mor hwyr yn wir fel nad wyt ti hyd yn oed yn cofio gweld Gruffydd.'

'Ym, nadw …' meddai.

'Mae hynny braidd yn rhyfedd, yn dydi, Glyn?'

'Wel dwi'm yn cofio ei weld o'n ymarfer … Ond mae gen i go' o'i weld o yn y clwb wedyn ar ôl i chi sôn.'

'O, deud ti.'

'Un tawel oedd o, ynde. Dim yn deud bw wrth bry.'

Cliriodd Aron ei wddw, ac eisteddodd yn ôl yn ei gadair yn hyderus.

'Sut siâp oedd ar Gruffydd yn y clwb y noson honno, Aron?' gofynnodd Ffion. 'Oedd o wedi meddwi?'

'Oedd, mi roedd o ddigon simsan ar ei draed … Doedd o ddim wedi arfar yfad, nag oedd.'

'A feddyliodd 'run ohonach chi y bysa'n syniad mynd ag o adra? Yn enwedig chdi.'

'Pam fi?'

'Wel, chdi ydi'r capten, 'de ... Dwi 'di gweld sut mae pawb yn edrach arna chdi ... Ac wsti be, Aron. Dwi ddim yn gallu gweithio allan yn iawn os mai edrach arna chdi ag edmygedd maen nhw, 'ta ofn.'

'Mi roedd o ddigon 'tebol i edrach ar ôl ei hun. Dim *babysitter* ydw i.'

Sipiodd Aron gegiad o'i de oer, a phwyso ei benliniau ar y bwrdd.

'Chdi oedd yn prynu diodydd iddo fo?' gofynnodd Ffion wedyn.

'Ges i siot neu ddau iddo fo, do ... Ond dim fi oedd yr unig un. 'Dan ni'n cael ryw sbort felma bob tro 'dan ni'n cael aelod newydd. Meddwi chydig arno fo a chodi cywilydd arno fo ... Hwyl diniwad, dyna'r cwbl oedd o.'

'Ond mi drodd petha'n chwerw tro 'ma, 'do.'

'Doedd 'na'm bai ar neb am be ddigwyddodd iddo fo,' meddai'n sydyn.

Oedodd Ffion am eiliad.

'Be ddigwyddodd i'w ddillad o, Aron?' meddai wedyn.

Tagodd Aron yn nerfus ac edrych i gyfeiriad ei gyfreithiwr. Ysgydwodd hwnnw ei ben.

'Oeddach chdi'n gwbod nad oedd ganddo fo gerpyn amdano pan gafodd o'i ffeindio yn y gwrych?' gofynnodd wedyn.

'*No comment*,' meddai Aron yn dawel.

'Mi ofynna i i chdi eto, Aron. Be ddigwyddodd i'w ddillad o?'

'*No comment.*'

Sgriblodd Ffion yn ei llyfr nodiadau, a gwenodd arno'n bryfoclyd.

'Welaist ti o'n gadael y clwb, Rhys?' gofynnodd Ffion, gan chwarae â'i beiro Bic rhwng ei bysedd.

'Naddo,' meddai yntau'n nerfus.

'Rŵan 'ta, Rhys, mae o'n 'y nharo i yn rhyfedd iawn eich bod chi i gyd wedi treulio'ch noson yn meddwi'r cradur, ond nad oes 'na'r un ohonach chi yn cofio sut orffennodd petha.'

'Mi roedd pawb wedi cael diod. Dwi'm yn cofio sut es i adra heb sôn am neb arall.'

'Aethoch chi i gyd i'r Bull wedyn o be ro'n i'n ei ddallt?'

'Do.'

'Ond ddoth Gruffydd ddim i fanno?'

'Ym, naddo ... Mi roedd o wedi sleifio adra heb i neb ei weld o.'

Tyrchodd Ffion drwy ei nodiadau yn araf, a llowciodd Rhys ei boer.

'Dwi 'di bod yn darllan dipyn amdana chdi, Rhys. Difyr iawn os ca i ddeud. Dwi'n synnu nad ydyn nhw wedi ffitio refolfing dôr yma i chdi ... *Burglary* ... ABH ... O, a'n ffefryn i os ca i ddeud, *possession of a class B drug with intent.*'

'Gwrandwch, dwi wedi gneud 'yn amsar a dwi 'di bod yn hogyn da ers i mi ddod allan. 'Di o'm yn deg bo' chi'n dragio'r petha 'ma'n ôl i fyny eto. Sgynno fo'm byd i neud hefo be ddigwyddodd i Gruffydd.'

'A be ddigwyddodd i Gruffydd, Rhys?'

'Dwi 'di deud wrthach chi, 'do,' meddai'n ansicr. 'Gafodd o un neu ddau yn ormod a mynd adra. Dyna'r cwbl dwi'n wbod.'

'Ti'n gwbod be 'sa'n digwydd 'san ni'n ffeindio bo' chdi'n deud clwydda, dwyt, Rhys? *Perverting the course of justice* hefo dy *form* di, mi fysa chdi yn Berwyn ar dy ben … Heb sôn am y *manslaughter charges*.'

'*Manslaughter*?!'

'Rŵan 'ta, oes gen ti rwbath i'w ddeud wrthan ni?'

'Oeddat ti'n nabod Gruffydd yn dda?'

Estynnodd Glyn hances o'i boced a sychu'r chwys oddi ar ei dalcen.

'Nag o'n,' meddai'n flinedig. 'Doeddwn i 'rioed wedi siarad hefo fo o'r blaen cyn iddo fo gychwyn dod i'r treining, mond ei weld o o gwmpas y lle 'ma hefo Beca.'

'Be am Beca? Wyt ti'n ei nabod hi'n dda?'

'Ydw am wn i … wel, mi ro'n i beth bynnag. Mi roedd 'na griw ohonan ni yn gneud hefo'n gilydd yn yr ysgol. Ond gwasgaru wnaeth lot ohonan ni ar ôl gadael i fynd i'r coleg a ballu. Doeddan ni ddim yn gweld llawar ohoni cyn iddi symud yn ôl i Aberysgo.'

'Felly mi roeddach chdi wedi bod yn gweld mwy ohoni yn ddiweddar?'

'Dwi'n ei gweld hi ar nosweithia allan o bryd i'w gilydd, a 'dan ni'n deud helô wrth ein gilydd. Dim byd mwy.'

'Oedd Aron yn yr un criw yn yr ysgol?'

'Oedd,' atebodd yntau yn nerfus.

'Ac mi roedd Beca ac o yn dipyn mwy na ffrindiau o be ro'n i'n ei ddallt.'

'Mi roeddan nhw'n canlyn am dipyn bach pan oeddan ni yn yr ysgol, oeddan ... Ond dim ond ryw bedair ar ddeg oeddan ni. Doedd o ddim byd *serious*.'

'Mi roedd ganddo fo dipyn o feddwl ohoni o be glywais i.'

'Wel oedd ... felly mae rhywun yn yr oed yna, ynde. Mae gan bawb feddwl mawr o'u cariad cynta, does.'

'A be am rŵan? Ydyn nhw dal yn gneud hefo'i gilydd?'

Llowciodd Glyn gegiad arall o'i ddŵr.

'Deud wrtha i am Beca, Aron.'

'Be 'dach chi isio wbod?'

'Ydach chi'n ffrindiau?'

Gwenodd Aron.

'Yndan, 'dan ni'n ffrindia da.'

'Dwi'n siŵr bo'r wythnosau dwytha 'ma wedi bod yn anodd arna chdi, gweld dy ffrind yn mynd drwy rywbeth mor ofnadwy.'

'Mae hi wedi bod yn waeth arni hi, yn do ... Dwi 'di trio ei chysuro gora medra i. Dyna'r cwbl fedar rywun neud pan mae rwbath felma yn digwydd, 'de.'

'Ti wedi bod yn gweld dipyn arni yn ddiweddar felly?'

'Do, am wn i.'

'Mae hi'n lwcus ofnadwy i dy gael di fel ffrind, dydi. I'w helpu pan mae peips dŵr yn byrstio yn y garafán ... cadw cwmni iddi pan mae ei rhieni i ffwrdd ...'

'Sud 'dach chi'n gwybod am hynny?' gofynnodd yn sydyn.

'O, mae gynnan ni lygaid ym mhob man, 'sti,' meddai Ffion gan wincio. 'Rŵan 'ta, Aron, bydd yn onest hefo fi. Oes 'na fwy i'r berthynas 'ma nag wyt ti'n ei gyfadda?'

Eisteddodd Aron yn ôl yn ei gadair eto a phlethu ei freichiau yn dawel.

'Mi rwyt ti mewn cariad hefo Beca, dwyt?' meddai Ffion wedyn.

Gwenodd Aron.

'Mi roeddat ti'n genfigennus o Gruffydd, yn doeddat. Mi roeddat ti'n ei gasáu o am fod ganddo fo'r un peth oeddach chdi yn ysu i'w gael ... Ei *bit on the side* hi oeddach chdi, ynde? Ond mi roeddat ti'n fodlon cymryd unrhyw beth er mwyn cael bod yn rhan o'i bywyd hi.'

Pwysodd Ffion yn ei blaen dros y ddesg, ac edrych i fyw ei lygaid.

'Ond dim ots be roeddat ti yn ei wneud na'i ddeud, fo oedd yr un oedd hi yn ei garu go iawn, ynde? Ac mi roedd hynny yn gwneud i dy waed di ferwi.'

'*No comment*,' meddai'n hyderus.

'Dyna pam roist ti'r cyffur 'na yn ei ddiod o'r noson honno?'

'Be?' meddai'n sydyn.

'Dim jest hwyl oeddach chdi isio, nage. Mi roeddat ti am gael gwarad ohono fo.'

'Rŵan 'ta, sgen i ddim syniad am be 'dach chi'n sôn rŵan,' meddai mewn panig. 'Dwi'm yn gwbod dim byd am unrhyw ddrygs!'

'Wel mae un ohonach chi'n gwbod. Ac ar hyn o bryd, Aron, chdi ydi'r unig un hefo motif.'

'Do'n i ddim isio'i ladd o,' meddai, a'i lais yn crynu.

'Wel, dwi'n awgrymu dy fod ti'n cychwyn siarad 'ta, boi. Achos 'di petha ddim yn edrach yn rhy grêt i chdi ar hyn o bryd.'

'O lle gest ti nhw 'ta, Rhys?' gofynnodd Ffion, gan godi ar ei thraed, a dechrau cerdded o amgylch yr ystafell yn araf.

'O lle ges i be?'

'Y *roofies*, 'de.'

'*Roofies*?'

'Dyna 'di'r term 'dach chi yn y *trade* yn ei ddefnyddio, 'de, am Rohypnol … Be nest ti, mynd ar ôl dy hen *associates* o'r clinc?'

'Pam ddiawl 'swn i isio rwbath felly? … Ella 'mod i'n cael ryw sbliff bach bob hyn a hyn, ond dwi'm yn cyboli hefo ryw hen bils. A 'swn i byth yn drygio hogan, siŵr.'

'Dwi'm yn sôn am ddrygio genod.'

'Be 'dach chi'n drio ddeud?' gofynnodd mewn sobrwydd.

'Mi ffeindion nhw *roofies* yn samplau gwaed Gruffydd.'

'Blydi hel,' meddai.

'Chdi oedd yn gyfrifol am ei ddrygio fo, Rhys?'

'Nage siŵr! Be 'dach chi'n feddwl ydw i?'

''Snad wyt ti'n gwybod yn barod, mae'r cyffur yma yn cael ei ddefnyddio fel *tranquilizer*. Hefo'r dos cywir, mi fedar wneud cyhyrau rhywun yn hollol ddiffrwyth.

Gwneud person yn gysglyd ac yn ddryslyd ... Mi roesoch chi'r stwff 'ma i Gruffydd, yn do.'

'Naddo!'

'Mi roesoch chi'r stwff 'ma yn ei ddiod o a'i yrru allan i'r oerfel heb ei ddillad.'

'Dim dyna ddigwyddodd!'

'Be ddigwyddodd felly, Rhys?'

'Syniad Aron oedd o,' meddai Glyn yn sydyn.

'Be?'

'Yr hen ddêr gwirion 'ma. Mi wnaethon ni neud i Gruffydd dynnu ei ddillad a gneud laps rownd y cae.'

'Ac mi adawoch chi o yno, yn yr oerfel?'

Edrychodd Glyn ar ei gyfreithiwr unwaith eto, a ysgydwodd hwnnw ei ben.

'Do,' meddai'n dawel, gan anwybyddu'r cyngor. 'Mi wnaethon ni ei adael o yno a mynd i'r Bull o'i flaen o. Mi ddudodd Aron ei fod o'n mynd yn ôl i chwilio amdano fo a gneud yn siŵr ei fod o'n iawn, ond aeth o ddim. Y peth nesa wyddwn i amdano fo oedd eu bod nhw wedi dod o hyd i'w gorff o.'

'Ac mi eisteddodd y cwbl lot ohonach chi'n ôl yn gwybod yn iawn be oedd wedi digwydd iddo fo a deud dim.'

Teimlodd Glyn ei hun yn mynd i ddechrau crio, a sugnodd drwy ei drwyn yn sydyn.

'Doedd 'na ddim malais yn y peth, dim o'n rhan i beth bynnag. Chydig o hwyl oedd o i fod, dyna'r cwbl ... Ond dydw i ddim yn gwbod dim am unrhyw ddrygs, raid i chi 'nghoelio i.'

Edrychodd Ffion ar ei horiawr.

'Ac mae'r cyfweliad wedi dod i ben am ddau funud ar hugain wedi pump.'

Diffoddodd y peiriant recordio, cyn codi ar ei thraed a hel ei nodiadau ynghyd.

'Diolch yn fawr i chdi, Glyn, mi rydan ni wedi cael digon o wybodaeth gen ti ar hyn o bryd.'

'Be sy'n mynd i ddigwydd rŵan? … Ga i fynd adra?'

'Na chei, mae arna i ofn. Mi gei di fynd yn ôl i'r *holding cell* am rŵan tra 'dan ni'n siarad hefo'r CPS.'

'A be wedyn?'

'Mi fyddan nhw'n penderfynu hefo be maen nhw am i ni dy tsiarjio di.'

'Ond dwi wedi bod yn onast hefo chi rŵan, 'do …' meddai'n bryderus. 'Siawns bod hynny yn mynd i fod o 'mhlaid i? Ella na dim ond rhybudd ga i gynnyn nhw.'

Chwarddodd Ffion.

'Dwi'n gwybod lle mae ei ddillad o!'

Aeth Ffion yn ôl i eistedd yn ei chadair a throi'r peiriant recordio ymlaen yn sydyn.

'Ella fod yna ychydig bach o olion yn yr hen goelcerth o hyd.'

'Mi wnest ti losgi ei ddillad o?'

'Dim fi … Aron.' Tarodd Rhys ei draed ar lawr yn nerfus. 'Mi aeth o yn ôl i'r clwb ar ôl i chi ddod o hyd i'r corff. Mi aeth o â'r dillad adra i'w llosgi yng ngwaelod yr ardd. Doedd o ddim byd i neud hefo neb arall … Mi wnaeth o'n rhybuddio ni i gadw'n dawel, ond geith y crinc fynd i ganu os 'di o'n meddwl 'mod i'n mynd i fynd lawr am hyn! ... Dwi ddim yn mynd i fynd i jêl eto dros rywun arall.'

'Ond mi roeddach chi i gyd yno'r noson honno, Rhys. Mi roeddach chi i gyd yn gyfrifol am y dêr 'ma.'

'Ei syniad o oedd y cwbl. Mi roedd o'n gwbod yn iawn be oedd o'n neud ... 'Swn i'm yn synnu mai fo roddodd y *roofies* yn ei ddiod o hefyd.'

'Ti'n meddwl ei fod o wedi bwriadu gwneud niwed i Gruffydd y noson honno?'

Oedodd Rhys am eiliad cyn ateb.

'Oedd o'n trio ei ladd o'r noson honno? Dwn i ddim. Ella fod gynno fo ormod o feddwl o Beca i hynny ... Ond mi roedd o isio ei frifo fo, oedd.'

Stopiodd Ffion y tâp unwaith eto, a chymerodd Rhys anadl ddofn. A dyna ugain mlynedd o gyfeillgarwch wedi ei rwygo'n rhacs mewn amrantiad.

DYDD SADWRN, MEDI 22, 2018

'Oes rhaid i ni wisgo'r dillad clown 'ma, Dewi?' meddai Gruffydd yn flin, gan dynnu'r sanau *check* pinc at ei bengliniau.

'Oes, ne 'nawn nhw'm dy adael di ar y cwrs.'

Stwffiodd Dewi gegiad arall o jaffa cêcs i'w geg, cyn tynnu'r clybiau golff o fŵt y car.

'A ti'n siŵr ein bod ni'n cael mynd i mewn am ddim?'

'Ydw, mae Tref wedi'i sortio fo. Ei dad o sy'n torri'r gwair yma. Dim ond crybwyll y peth yn *reception* sydd isio … Hwda.'

Estynnodd Dewi het bom-pom bob un iddynt o'i boced, a gwisgodd Gruffydd ei un o'n anfodlon. Straffaglodd ei gyfaill i godi'r clybiau ar ei ysgwydd a'r rheini ar eu pen i lawr yn ddiarwybod iddo, nes i'r cwbl lot ddisgyn ar y tarmac ag andros o glec.

'A faint o weithia ti wedi bod yn golffio 'lly?' chwarddodd Gruffydd, gan ei helpu i stwffio'r clybiau yn ôl i mewn.

'Oi, dwi'n dipyn o bytar i chdi gael dallt … Ond dyma'r tro cynta 'leni.'

'Be 'di dy handicap di?'

'Mae gen i fymryn o *tennis elbow* ers i mi fod yn y *gym* mis dwytha a rhyw grensian yn 'y mhen-glin, ond dwi'n o lew fel arall.'

Edrychodd Gruffydd arno mewn sobrwydd, cyn ei chychwyn hi am y dderbynfa. Chwarddodd y ferch ifanc y tu ôl i'r ddesg wrth weld y ddau yn nesáu tuag ati. Chwythodd swigen fybl gŷm arall, cyn rhoi ei ffeil ewinedd i lawr am y tro.

'*Good afternoon!*' bloeddiodd Dewi yn ei Saesneg crandiaf. '*We are friends with Trefor's father. May we come and play on your course?*'

'Iawn siŵr, del,' meddai hithau yn ei Chymraeg gorau. 'Ond 'sa well i chi dynnu'r capia 'na, ia. 'Dyn nhw'm yn alawio *fancy dress* ar y cwrs ... Ar *stag do* 'dach chi?'

'Ym ... ia,' meddai yntau'n ansicr. '*Stag do* ... hwyr. Y *gentleman* yma newydd briodi.'

'*Congratulations,*' meddai'n frwdfrydig. 'Sonia am y peth wrth y bar wedyn, ella gewch chi beint am ddim.'

'Eidîal,' meddai Dewi, gan bwnio'i ffrind yn hapus.

''Dach chi isio help hefo'r clybia heddiw? Mae gynnan ni *caddie* yn rhydd i ddod hefo chi. £100 am y pnawn.'

Edrychodd Dewi ar Gruffydd yn obeithiol.

'Na, dim diolch,' meddai yntau'n bendant.

'Be am bygi?'

Trodd Dewi ato eto yn erfyniol.

'Na, Dewi! Fedrwn ni fanijio'n hunain, diolch.'

'Dyma chi'r goriada i'ch locers. 'Sach chi plis yn rhoi unrhyw *valuables* sydd gynnach chi i mewn ynddyn nhw. Mae dad Tref 'di strimio drwy ddwy walad a *watch* wythnos yma yn barod.'

'Iawn, diolch yn fawr iawn i chi. Tyrd, Dewi.'

Tynnodd Gruffydd ei siwmper batrymog yn sydyn cyn brasgamu am yr ystafelloedd newid.

'Ddudish i na lol oedd y dillad 'ma, 'do!' meddai dan ei wynt, gan rowlio ei sanau pen-glin i lawr at ei fferau.

'Tref ddudodd bo' nhw'n strict hefo dillad yma. Dyma ma' pobl yn wisgo i chwara golff, 'de.'

'Mewn cartŵns ella.'

'Dim ots, nadi,' chwarddodd Dewi. 'Raid i chdi gymryd *chill pill*, 'sti, Gruffydd. Ti ar binna bob munud. Poeni be mae pobl erill yn feddwl ohona chdi … Raid i chdi fod fwy fel fi, 'sti. Diawl o ots gen i am neb arall a dwi'n hapus rhan fwya o'r amsar.'

Gwenodd Gruffydd ar ei ffrind gorau.

'Mi wyt ti'n foi hapus, dwyt,' meddai gan chwerthin.

'Mae isio i chdi feddwl mwy am nymbyr won, 'sti,' meddai Dewi, gan lygio ar handlen ei locer. 'Ti'n rhoi pobl erill o flaen be ti isio bob munud … Tra 'dan ni ar y pwnc, sud mae'r misus gen ti?'

'Be ti'n drio ddeud?' meddai'n amddiffynnol.

'Pan briodoch chi, pwy ddewisodd y feniw, y ceir, y miwsig, y dillad? … Yr unig recwest oedd gen ti oedd bo' chi'n cael *cheesecake* i bwdin. A be gest ti? Ryw lwmpyn brown oedd yn sticio yn dop dy geg di.'

'*Chocolate fondant* oedd hwnna. Ac mi o'n i'n meddwl ei fod o reit neis, a deud y gwir.'

'Doedd o'm yn *cheesecake*, nag oedd … Atgoffa fi

faint o *split shifts* nest ti i dalu am y piso dryw 'na oeddan nhw'n ei alw'n siampên?'

'Dyna ti fod i neud pan ti'n priodi 'de, Dewi. Mi rwyt ti'n aberthu amball beth er mwyn gneud dy ddyweddi yn hapus. Dyna ydi partneriaeth.'

'A faint o shiffts ecstra nath hi?'

Cochodd Gruffydd.

'Os ti'n gofyn i fi, ti'n rhy dda o'r blydi hannar iddi. Ti'n gneud bob dim i'w phlesio hi ac yn cael dim byd yn ôl.'

Waldiodd Gruffydd ddrws y locer yn flin a phrysuro am allan, gan lusgo'r clybiau golff ar ei ôl. Brysiodd Dewi i'w ganlyn, ac estyn pêl a tî iddo o'i boced.

'Sori os 'nes i hitio nerf, boi,' meddai'n dawel. 'Hwda, cym di'r siot gynta.'

'Nest ti'm hitio nerf,' meddai yntau'n amddiffynnol, gan wasgu'r tî i'r ddaear. 'Mae o jest yn 'y ngwylltio i pan mae pobl erill yn sticio'u trwyna i mewn i 'musnas i ac yn mynnu rhoi eu barn ar betha bob munud. Mae Mam 'run fath yn union.'

'Isio'r gora i chdi ydan ni, 'de.'

'Wel dydi lladd ar 'y ngwraig i ddim yn helpu, Dewi.'

'Ocê, sori.'

Cododd Gruffydd ei glwb yn barod i gymryd ei ergyd.

'Ti 'di ffeindio pwy ydi'r boi 'ma eto?'

Tarodd Gruffydd y bêl yn ddifeddwl gan ei gyrru i'r byncer agosaf.

'Blydi hel, Dewi! Naddo, dwi ddim wedi ffeindio

allan pwy 'di'r boi 'ma eto. A dwi'm isio gwbod chwaith.'

Gosododd Dewi ei bêl ar y tî.

'Ti'm isio gwbod pwy sy 'di bod yn shagio dy wraig di?'

'Nadw!'

'A 'di hi dal ddim yn gwbod bo' chdi'n gwbod?'

'Nadi.'

'Wel ti'n ffŵl os ti'n gofyn i fi,' meddai Dewi, gan daro'r bêl rhyw ddeng medr oddi wrth y twll cyntaf.

'Dydw i ddim yn gofyn i chdi, nadw,' meddai Gruffydd, gan daflu'r bag clybiau dros ei ysgwydd. 'Be ddigwyddodd i'r lein "os wyt ti'n hapus, dwi'n hapus"?'

'Wyt ti'n hapus bo' 'na rywun arall yn shagio dy wraig di?'

''Nei di plis stopio deud y gair shagio?! Ti'n 'y ngneud i'n anghyffyrddus.'

'Wel? Wyt ti'n hapus?'

'Dwi'm yn hapus bo' hi 'di bod yn cael affêr, nadw.'

'Dal yn cael affêr am y gwyddost ti.'

'Ocê, Dewi! Diolch am 'yn atgoffa i.'

'Wel mi fydd raid i chdi neud rwbath am y peth felly, bydd. Raid i chdi ei chwestiynu hi amdano fo, bydd, dal i wthio nes mae hi'n cyfadda. Fedri di'm mynd am byth yn cadw'r peth i chdi dy hun.'

'Pam ddim?'

'Achos dydi o ddim yn iach, siŵr!'

'I be a' i i sboilio petha? 'Dan ni'n iawn fel ydan ni.'

''Dach chi dal yn trio am fabi?'

Oedodd Gruffydd am eiliad cyn ateb.

'Mae petha ar *hold* ar hyn o bryd.'

'Dim yn y mŵd mae hi? 'Sgwn i pam.'

Dewisodd Gruffydd un o'i glybiau cyn straffaglu i lawr i'r byncer.

'Mae hi wedi cymryd mwy o amsar nag oeddan ni'n feddwl iddi ddod dros y gollad gafon ni,' meddai, gan waldio'r tywod i bob man.

'O, sori boi,' meddai Dewi'n euog.

Waldiodd Gruffydd yn ofer unwaith eto, ac oedodd Dewi am eiliad cyn siarad.

'Nath o groesi dy feddwl di ella na ddim chdi oedd y tad?'

'Do,' meddai gan swingio eto.

'Ac ella tasa hi wedi rhoi genedigaeth iddo fo y bysa fo'm yn edrach 'im byd tebyg i chdi?'

'Do,' meddai eto, gan daro'r bêl â'r fath arddeliad nes iddi hedfan o'r byncer a methu talcen Dewi o drwch blewyn.

'Mae 'na reswm pam bo'r petha 'ma'n digwydd, 'sti,' meddai Dewi yn gydymdeimladol. 'Ella na felly oedd petha fod. Ti'm isio bod yn magu babi boi arall, nag oes.'

'Wel, dydi hi'm yn ymddangos y bydda i'n magu 'mabi'n hun yn y dyfodol agos, mae hynna'n saff i ti.'

'Wel, na fyddi, heb gael secs! Dwn i'm faint nest ti wrando ar y gwersi biol 'na yn yr ysgol 'de, Gruffydd, ond mae o'n rhan reit bwysig o neud babis, 'sti.'

'Dim dyna ydi'r broblem, Dewi. Fuon ni'n trio am fisoedd cyn hyn a dim byd yn digwydd. Mae 'na rwbath yn bod, a fi 'di'r prif sysbect … Beryg na cheith hi fyth fabi hefo fi.'

Cododd Gruffydd y clybiau unwaith eto a cherdded yn ei flaen ar ôl ei bêl.

'Dyna pam bo' chdi'm am ei chonffryntio hi?' gofynnodd Dewi. 'Achos bo' chdi'm yn medru delifro'r *goods*?'

'Dyna 'di'n job i fel gŵr 'de, dwi fod i edrach ar ôl 'y ngwraig a rhoi babis iddi. Ond dwi da i *bugger all* ... Mae'n syndod ei bod hi hefo fi o gwbl.'

'Ti'm hyd yn oed yn gwbod bod 'na rwbath yn bod arna chdi eto! A hyd yn oed os fysa 'na, dydi hynny ddim yn esgus iddi hi fynd i gysgu o gwmpas, nadi ... Tasa hi isio bod hefo fo 'sa hi wedi d'adael di ers talwm, bysa. Ma' raid ei bod hi'n gweld rwbath yna chdi.'

'Ella bo' chdi'n iawn,' meddai'n dawel.

'A be 'sa chdi'n neud 'sa hi'n deud wrtha chdi bo' hi'n disgwyl eto?'

Cododd Gruffydd ei ysgwyddau.

'Ella na fysa fo'n ddrwg i gyd,' meddai wedyn.

'Ti'n fwy o ffŵl nag o'n i'n feddwl.'

'Mae'n iawn arna chdi, Dewi. Dwyt ti 'rioed 'di bod isio plant. Ti'm yn gwbod sud beth ydi o.'

'Naddo, Gruffydd. A ti'n gwbod pam? Achos 'mod i'n mwynhau 'mywyd. Dwi'n licio cael gneud be dwi isio pan dwi isio. Dwi'n licio medru mynd allan heb orfod brysio adra at y *babysitter*. Dwi'n licio gwario ar betha gwirion achos bo' gen i neb arall i boeni amdanyn nhw ... Ti'n gwbod be 'nes i brynu ar eBay diwrnod o'r blaen? Sêt car hen VW Beetle. Oes gen i Beetle i'w rhoi hi yno fo? Nag oes. Ond dim dyna ydi'r pwynt, nage. Mi 'nes i'w phrynu hi achos 'mod i'n meddwl bo'i'n edrach yn cŵl. Ac mae gen i ddigon o le yn tŷ achos ei fod o ddim yn llawn o grap Fisher Price.'

'Swnio fel rhyw fywyd hunanol iawn i fi.'

''Di o'm yn hunanol os na mond fi sy 'na, nadi. A 'sa chdi'n gofyn i fi, 'sa hi'n talu i chdi fod chydig bach fwy hunanol weithia ne neith Beca ddim byd ond cerddad drosta chdi am weddill dy oes.'

'Dwi'n licio medru rhannu petha hefo rywun.'

'Mae hitha yn un dda iawn am rannu hefyd, dydi,' meddai Dewi gan chwerthin.

'Doniol iawn … Reit, 'dan ni'n chwarae golff 'ta be?' meddai Gruffydd, gan estyn clwb o'r bag unwaith eto.

'Wsti be, Gruffydd, dwi'n bôrd braidd. Ffansi peint?'

DYDD GWENER, MAWRTH 7, 2019, 10:00 y.b.

Caeodd Beca'r gôt ddu newydd sbon amdani cyn edrych ar ei hwyneb yn y drych unwaith eto. Twtiodd y masgara gwrth-ddŵr ar ei blew amrannau a gwneud yn siŵr fod ganddi hances sbâr yn ei phoced, cyn gwisgo'i menig lledr a chamu allan o'r car. Tarodd ei stiletos ar y tarmac yn swnllyd wrth iddi nesáu at yr adeilad brawychus, a theimlodd ei ffrog ddu'n chwythu yn y gwynt oer o'i hôl. Cymerodd anadl ddofn, cyn cerdded i fyny'r hen stepiau cerrig at y fynedfa. Agorodd y drws trwm yn araf a chamu i gynhesrwydd y cyntedd.

'Enw plis.'

'Beca ... Beca Jones,' meddai'n nerfus, gan dynnu ei thrwydded yrru allan o'i bag.

'Oes gynnach chi *visiting pass*, Mrs Jones?' gofynnodd y swyddog.

'Mi roeddan nhw'n deud wrtha i 'mod i ddim angen un am ei fod o ar remánd,' meddai mewn panig. 'Dyma'r wybodaeth ges i ar e-bost,' meddai wedyn, gan estyn y darn papur o'i bag.

Astudiodd y swyddog y wybodaeth am eiliad.

'Dim problem o gwbl.'

'Diolch,' meddai Beca gan gau ei bag yn sydyn.

'Mi wnawn ni edrych ar ôl hwnna am y tro, os nad ydach chi'n meindio.'

'O, ocê,' meddai'n ansicr, gan ei basio yn amharod i'r swyddog.

''Sach chi'n camu i'r ochr am eiliad, Mrs Jones, mae 'nghydweithwraig am gynnal *search* fach bersonol rŵan cyn i chi fynd i mewn. Dim byd i fod yn nerfus amdano fo.'

'Iawn,' meddai, gan sefyll yno'n ufudd. Cerddodd y swyddog arall tuag ati a gwenu'n llawen.

'Bore da. Ew, mi rydach chi'n smart heddiw.'

'Angen mynd i rwla wedyn,' meddai'n sydyn.

Cododd y swyddog ei breichiau ar led fel bwgan brain, a tharo ei dwylo drosti.

'Iawn, mi rydach chi'n iawn i fynd i mewn rŵan.'

'Diolch.'

'Ga i jest ategu'r wybodaeth gafoch chi hefo'r e-bost. Dydan ni ddim yn caniatáu gormod o gyswllt corfforol. Hyg bach ar y dechrau a'r diwadd a dyna fo, plis. Mae rhaid i'r carcharor aros yn ei sêt, ond mae croeso i chi fynd i nôl paned neu fynd i'r toiled yn y neuadd os ydach chi isio. Mi fyddwn ni'n rhoi rhybudd o bum munud pan fydd yr awr yn dirwyn i ben.'

Nodiodd Beca, er nad oedd wedi amsugno fawr ddim o'r wybodaeth. Agorodd y swyddog y drws gyda'i cherdyn electronig, a cherddodd hithau yn ei blaen yn nerfus. Cafodd ei harwain at fwrdd ym mhen draw'r neuadd a'i gwahodd i eistedd ar y gadair blastig.

Teimlodd ei stumog yn troi wrth weld y dynion yn cerdded i mewn fesul un yn eu tracsiwts llwyd, a'u rhubanau melyn, llachar dros eu hysgwydd. Astudiodd wyneb pob un, pob crych, pob gwên, pob deigryn, ond doedd yna'r un yn perthyn i Aron. Sylwodd ar ambell un yn cofleidio neu rannu cusan â'u hymwelydd cyn eistedd yn eu sedd yn ufudd. Edrychodd eto ar y drws, ond doedd yna ddim golwg ohono fo.

Sylwodd un o'r swyddogion arni yn eistedd ar ei phen ei hun a dod ati i siarad.

'*Who are you waiting for, love?*'

'Aron,' meddai'n dawel, 'Aron Evans.'

'*I'll go and check what's holding them up. Why don't you go and make yourself a cuppa while you wait? I won't be long.*'

Cododd ar ei thraed a sythu ei ffrog, cyn cerdded yn wyliadwrus at y bwrdd paneidiau. Atseiniodd trawiadau ei sodlau uchel ar draws y neuadd fel drwm, a theimlodd lygaid y dynion i gyd yn syllu arni yn awchus. Tywalltodd goffi i gwpan bolisteirin yn araf a llwyeidiodd siwgr i'w grombil tywyll. Cerddodd yn ôl at ei bwrdd yn ofalus ac eisteddodd yn ei sedd unwaith eto.

Ymhen hir a hwyr, daeth gwaelod y gwpan i'r golwg a chododd ar ei thraed. Brasgamodd tuag at y fynedfa yn sydyn cyn i neb ei gweld yn crio.

'Ga i fynd allan, plis?' erfyniodd ar y swyddog wrth y drws.

'Cewch siŵr ... 'Dach chi ar frys?'

'Ddylwn i ddim bod wedi dod o gwbl.'

Fel yr oedd y swyddog yn agor y drws iddi, clywodd floedd o ben draw'r neuadd.

'Beca!'

Doedd dim rhaid iddi droi ei phen i weld pwy oedd yno.

'Ydach chi am fynd yn ôl i eistedd?' gofynnodd y swyddog yn gydymdeimladol.

Nodiodd, cyn cerdded yn ei hôl at y bwrdd. Eisteddodd yn ei sedd yn sydyn cyn i Aron gael cyfle i roi ei freichiau amdani.

'O'n i'n poeni bo' chdi wedi mynd,' meddai Aron gan ryw how-wenu. Cododd Beca ei phen a sylwi ar y llygad ddu egr a'r gwaed wedi sychu ar ei wefus.

'Be sydd wedi digwydd i chdi?' gofynnodd wedi dychryn.

'O, dim byd, ryw ddadl wirion dros fwyd yn y cantîn.'

'Ydyn nhw'n dy hambygio di?'

'Na 'dyn siŵr,' meddai'n amddiffynnol.

'Be mae'r swyddogion yn ei neud am y peth?'

'Dwi'm isio mynd i neud ffỳs, Beca.'

'Maen nhw 'di gweld y marcia, siawns?'

'Dwi 'di deud wrthyn nhw 'mod i'm isio mynd â'r matar ymhellach. 'Lly anghofia am y peth rŵan, ocê?'

Eisteddodd Beca yn ôl yn ei chadair yn dawel.

'Ti'n edrach yn neis,' meddai Aron ymhen hir a hwyr.

'Heddiw mae'r cnebrwng.'

'Dwi'n gwbod, mi soniodd Mam ar y ffôn. Sud w't ti?'

'Dim yn grêt. Ond mi fydd raid i mi jest cario 'mlaen, bydd.'

'Be am dy fam yng nghyfraith?'

''Di bod yn cadw'i hun yn brysur. Mi roedd hi i fyny tan hannar nos neithiwr yn gneud brechdana at y te. Ddudish i y bysa well i ni ei gynnal o yn y Lion, gadael iddyn nhw neud y gwaith. Ond mi roedd hi isio cael gneud.'

'Sori 'mod i'm yn gallu bod yna hefo chdi, Becs.'

Estynnodd Aron ei law iddi dros y bwrdd. Gafaelodd hithau ynddi, cyn tynnu ei llaw oddi yno yn sydyn wrth weld un o'r swyddogion yn edrych i'w cyfeiriad.

''Dyn nhw 'di bod yn siarad amdana i?' gofynnodd Aron wedyn.

'Be *ti*'n feddwl? Does 'na'm sgandal felma 'di bod yn Aberysgo ers i Mrs Nelson gael ei dal yn dwyn riwbob o'r ardd drws nesa!'

Chwarddodd Aron yn dawel.

'Ti'n gwbod na camgymeriad 'di hyn, yn dwyt, Beca? Y busnas drygs 'ma a ballu. Maen nhw 'di cael y boi rong, 'sti. Raid i chdi 'nghoelio i.'

Oedodd Beca am eiliad.

'Oeddach chdi'n meddwl be ddudist ti wythnos dwytha?' gofynnodd Beca wedyn.

'Be?'

'Bo' chdi'n difaru mynd hefo fi?'

'Nag o'n, siŵr! Mi ro'n i 'di dychryn, do'n. Mi ddudish i betha do'n i ddim yn feddwl. Ti'n gwbod faint o feddwl sydd gen i ohona chdi ... Sori.'

'Dw inna'n sori hefyd.'

'Dwi'm yn mynd i nunlla, ocê? Maen nhw'n mynd i ffeindio pwy sy 'di gneud hyn ac mi fydda i adra hefo chdi mewn dim, gei di weld … Sud mae Glyn a Rhys? Ti 'di eu gweld nhw o gwmpas y lle?'

'Mi welais i Rhys yn dre ddoe ar ei ffordd i'r stesion. Mae o'n gorfod mynd bob wythnos fel un o amoda'r *bail*. Doedd ganddo fo fawr i'w ddeud wrtha i. Dwi heb weld Glyn. Mi roedd 'na sôn fod Haf wedi ei adael o a mynd â'r plant hefo hi i dŷ ei mam.'

'Glyn druan.'

'Be amdana chdi?' gofynnodd Beca. 'Wyt ti'n côpio?'

'Yndw siŵr. Dwi rêl boi.'

''Sna'm raid i chdi smalio bod yn ddewr o 'mlaen i 'sti, Aron.'

'Dydw i ddim.'

Edrychodd Beca arno'n amheus.

'Ar remánd mae'r boi dwi'n rhannu cell hefo fo. Dave. 'Di'i gyhuddo o guro'i wraig hefo *baseball bat*. Mae hi mewn coma yn Walton.'

''Di o'n euog?'

'Nadi, medda fo. Ond 'swn i'm yn ei groesi o, 'de.'

'Be ti'n neud hefo chdi dy hun?'

'Dwi'n darllan, gneud dipyn o groswyrds. Jest rwbath i basio'r amsar. Mi roedd 'na deledu yn y stafall ond mi gollon ni hwnnw achos bo' llall 'di bygwth waldio rhywun hefo cadair.'

'Chei di'm symud cell?'

'Dwi'n iawn hefo hwn, 'sti. Ma'i werth bod yn fêts hefo pobl felna yn fama. Mae o'n gneud rhywun chydig bach saffach.'

'Nath o'm dy stopio di rhag cael cweir, naddo.'

'Pwy ti'n feddwl nath Dave fygwth ei waldio hefo cadair?'

'O,' gwenodd Beca.

'Dwi'n iawn, Beca, wir i chdi. A fydda i'm yma ddim. Dwi'm isio i chdi fod yn poeni amdana i heddiw o bob diwrnod.'

Edrychodd Beca ar ei horiawr.

'Ti'n gorfod mynd?' gofynnodd Aron yn siomedig.

'Mae gen i ryw bum munud arall.'

'Gest ti banad?'

'Do.'

Eisteddodd y ddau mewn distawrwydd am rai munudau. Syllodd Aron arni a gwenu; doedd hi erioed wedi edrych mor dlws.

'Ydyn nhw wedi rhoi syniad i chdi pryd i ddisgwyl yr achos llys?'

'Lasa hi fod yn fisoedd, medda'r twrna.'

'Mor hir â hynny? ... Dwn i'm sud mae Jean yn mynd i gôpio pan glywith hi be sy 'di digwydd.'

'Faint mae hi'n wbod?'

'Mae hi'n gwbod be 'di'r *charges*. Ond 'di hi'm yn gwbod bod 'na gysylltiad rhyngthan ni'n dau. Ac maen nhw bownd o sôn am hynny, dydyn. Wneith hi byth fadda i mi.'

'Fedran nhw'm profi dim byd, naf'dran. *Speculation*, dyna'r cwbl ydi o. Mond chdi a fi sy'n gwbod be sy 'di digwydd go iawn, ynde. Ella bysa werth i chdi siarad hefo hi am y peth gynta?'

'A deud be, Aron? Gyda llaw, Jean, o'n i'n meddwl y bysach chi'n licio gwbod y bues i'n cael affêr hefo'r dyn sydd wedi cael ei gyhuddo o ladd eich mab chi.'

'Ella ddim,' meddai yntau'n dawel.

'Mi wna i groesi'r bont yna pan ddo i ati, dwi'n meddwl. Y job bwysica ar hyn o bryd ydi cael heddiw o'r ffordd.'

Edrychodd Beca ar ei horiawr unwaith eto.

'Reit, raid i mi fynd rŵan. Mae Gwenno yn ein codi ni'n dwy am hanner dydd.'

'Gwenno?' gofynnodd Aron wedi'i synnu.

'Ia. Mi ro'n i ei heisio hi yna wrth fy ochr i, ac mi gynigiodd hi fynd â car, chwara teg. Wneith Mam ddim byd ond cynhyrfu mwy ar rywun.'

'Be am y sbrog?'

'Guto 'di'w enw fo, Aron. Ac ma'i mam hi yn ei warchod o am y pnawn.'

''Di o'n siarad a cerddad a ballu rŵan?'

'Pwy, Guto? Wel, nadi siŵr! Ryw ddau fis ydi o … Be 'di'r diddordeb mawr 'ma mewn babis mwya sydyn? Ti'm yn *broody*, nag wyt?'

'Callia!' chwarddodd yn nerfus.

Cododd Beca ar ei thraed ac estyn ei llaw i Aron.

'Be ti'n neud?' gofynnodd yntau'n ddryslyd.

'Ysgwyd dy law di. Dwi ofn gneud dim byd arall rhag ofn i mi gael row.'

'Tyrd yma,' meddai yntau, gan ei chofleidio yn dyner. 'Fydda i'n meddwl amdana chdi heddiw.'

'Diolch,' meddai hithau'n dawel.

'Ddoi di i 'ngweld i wythnos nesa?' gofynnodd Aron yn obeithiol.

'Ga i weld, ia.'

Tynnodd Beca ei bysedd drwy ei wallt yn gariadus cyn cerdded am y fynedfa.

DYDD GWENER, MAWRTH 7, 2019, 10:30 y.b.

Sglaffiodd Glyn ei bastai *chicken tikka* o siop y gongl, cyn agor un o'r niferoedd o ganiau oedd wrth ei draed ar lawr yr ystafell fyw. Llowciodd gegiad fawr ohono a thagu ar y swigod cynnes. Clywodd gnoc ar y drws a brysiodd i dynhau'r gôt nos oedd amdano. Cymerodd gipolwg drwy'r twll bach a gweld Ffion a'i stŵj yn sefyll ar y stepen. Rhegodd dan ei wynt, cyn mynd ati i agor y drws yn amharod.

'Aaa, Glyn, bore da,' meddai Ffion, gan astudio'r wisg anffurfiol oedd amdano.

'Ydi hi?' meddai yntau'n flin.

'Gawn ni ddod i mewn?'

Camodd Glyn i'r ochr heb yngan gair, a cherddodd y ddau heibio iddo i'r ystafell fyw.

'Gnewch eich hunain yn gartrefol,' meddai gan ailafael yn ei gan a chymryd llowciad arall ohono o'u blaenau.

Symudodd Ffion y bocsys têc-awe a'r caniau gwag oddi ar y soffa, a gosododd un foch ar un o'r clustogau strempiog yn ansicr.

'Can?' cynigiodd Glyn yn ffwrdd-â-hi.

Ysgydwodd y ddau eu pennau gan wenu'n fanesol.

'Mi fyswn i'n cynnig panad ond sgen i'm mygia glân ... na llefrith.'

'Dim problem o gwbl, Glyn. Wnawn ni ddim aros ... Ryw *broposition* bach sgynnan ni i chdi.'

'*Proposition?*'

'Geth?' meddai Ffion, gan hysian ei chydweithiwr i siarad.

'Wsti'r *charge* 'ma 'dan ni 'di neud yn dy erbyn di, 'de?' meddai Geth.

'Be? Y *manslaughter charge* 'ma y medrwn i fynd i jêl am ddeng mlynedd amdano fo?'

'Ym, ia,' atebodd Geth yn nerfus.

'Be amdano fo?'

'Meddwl oeddan ni ella bysa chdi'n licio'n helpu ni ... A drwy neud hynny, ella medrwn ni neud rwbath bach i dy helpu di.'

Edrychodd Glyn arno mewn sobrwydd.

'Be ti'n malu cachu?'

'Gwranda, Glyn,' meddai Ffion. ''Dan ni i gyd yn gwbod na Aron 'di'r drwg yn y caws yn fama, dydan. Sgen ti ddim *previous* o gwbl. Mae dy lechan di'n lân ... Tasa chdi'n cytuno i dystio yn erbyn Aron a'n bod ni'n gallu profi mai fo oedd yn gyfrifol, mi fysa petha'n edrach dipyn gwell arna chdi.'

''Sach chi'n gallu dropio'r *charges?*' gofynnodd yn obeithiol.

'Dwn i'm am hynny. Ond ella y bysan nhw'n lleihau'r *charge* i *involuntary manslaughter.*'

'A be 'sa hynny'n ei olygu?'

'Chydig fisoedd ella. *Suspended sentence* hyd yn oed, os wyt ti'n lwcus.'

Pwysodd Glyn ar y silff ffenest heb ddweud dim.

'Lle mae Haf gen ti?' gofynnodd Ffion.

'Hefo'n mam yng nghyfraith.'

'Yn barhaol?'

Cododd Glyn ei ysgwyddau.

'Ella y bysa hyn yn ddigon i ddod â nhw'n ôl yma ata chdi, Glyn. Dwyt ti ddim yn ddyn drwg, mae pawb yn gwybod hynny. Y cwbl wyt ti isio ydi'r gorau i dy deulu. Mi roeddat ti'n wirion y noson honno, oeddat. Mi aethoch chi dros ben llestri yn eich diod. Ond doedd yna ddim malais yn yr hyn wnest ti, ac mi fydd y rheithgor yn gweld hynna'n syth bìn. Os medrwn ni gryfhau'r achos sydd gynnan ni yn erbyn Aron, all hynny wneud dim ond cefnogi dy achos di.'

'Be 'dach chi isio gynna fi?'

'Mi rydan ni isio i chdi ddeud wrthyn nhw beth oedd natur perthynas Aron a Beca. Mi rydan ni angen profi fod ganddo fo'r motif i fod eisiau rhoi'r cyffuriau 'na yn ei ddiod o.'

'Ond dydw i ddim hyd yn oed yn gwybod os mai fo wnaeth ei ddrygio fo.'

'Y cwbl medrwn ni'i wneud ydi dangos fod ganddo fo reswm i wneud hynny.'

'Ac mi rydach chi am i mi ddeud hynny o flaen pawb? O'i flaen o?'

Cododd Ffion ar ei thraed yn sydyn.

'Does dim rhaid i chdi wneud penderfyniad heddiw. Meddylia di am y peth a tyrd yn ôl ata i. Ti'n gwybod sut i gael gafael arna i.'

'Be am Rhys? Ydi o mewn trwbl mawr?'

'Dydi petha ddim yn edrach mor dda arno fo, mae arna i ofn. Mae'n bosib y bydd o'n wynebu cyfnod hirach na chdi o dan glo ... Ond Aron ydi'r un 'dan ni am ei weld yn mynd i lawr am hyn. Ac mi wnawn ni ein gorau glas i'ch helpu chi os 'dach chi'n co-operetio.'

Cerddodd Ffion at y drws a Geth i'w chanlyn.

'Dwi'n gwybod y gwnei di'r penderfyniad iawn, Glyn,' meddai Ffion gan gamu drwy'r drws. 'Mi siaradwn ni eto'n fuan.'

Aeth Glyn i eistedd yng nghanol y llanast ar y soffa, a meddyliodd am yr hyn ddywedodd Gwenno wrtho'r diwrnod hwnnw. Gyda'r blynyddoedd o hanes oedd rhyngddynt, fedrai Beca ac Aron fyth fod yn ddim ond ffrindiau? Roedd pob peth yn gwneud synnwyr yn ei ben. Ond doedd hynny ddim yn gwneud y bradychu fymryn haws. Roedd ganddyn nhw ill dau eu hanes hefyd, dau ffrind gorau oedd wedi byw ym mhocedi ei gilydd ers roedden nhw'n bum mlwydd oed. Roedden nhw wedi chwerthin hefo'i gilydd, wedi crio hefo'i gilydd. Wedi gweld y gorau a'r gwaethaf o'r naill a'r llall. Roedd meddwl am sefyll yno o flaen pawb, edrych i fyw ei lygaid a'i yrru i'r lladd-dy yn troi ei stumog. Ond roedd meddwl am golli Haf a'r plant yn brifo mwy.

Heliodd y sbwriel yn ei hafflau a'u cario i'r bin. Taflodd y mynydd o lestri i'r peiriant golchi, cyn mynd i'r ystafell ymolchi a throi'r gawod ymlaen. Tynnodd oddi amdano, ac fel yr oedd yn camu i mewn i'r stêm croesawgar, clywodd y drws ffrynt yn agor yn araf. Taflodd dywel am ei ganol a rhuthro i'r cyntedd.

'Haf,' meddai, gan deimlo'i galon yn neidio i'w gorn gwddw.

'Wedi dod i nôl mwy o ddillad i'r plant,' meddai, gan wthio heibio iddo.

'Sud maen nhw?' gofynnodd, gan afael yn ei braich yn dyner.

'Iawn, yn dy golli di.'

'Dw inna yn eu colli nhw hefyd … dwi'n colli'r tri ohonach chi.'

Tynnodd Haf ei hun o'i afael a brasgamu i fyny'r grisiau. Brysiodd Glyn ar ei hôl.

'Be am i chi ddod yn ôl yma, Haf? Mi gysga i ar y soffa os lici di?'

'Ti'n gwbod fedra i'm gneud hynna, Glyn,' meddai drwy ei dagrau. 'Fedra i'm edrach arna chdi heb sôn am rannu'r un tŷ â chdi.'

'Ond be am y plant? Ti'n deud dy hun eu bod nhw'n gweld 'y ngholli i.'

'Waeth iddyn nhw gychwyn arfer hefo'r peth rŵan ddim, na waeth.'

Agorodd Haf ddroriau dillad y plant a dechrau stwffio eu cynnwys yn frysiog i mewn i sach ddu.

'Mi fuodd y Ffion 'na yma gynna,' meddai Glyn. 'Mi roedd hi'n sôn ella na fydda i'n gorfod mynd i jêl o gwbl rŵan.'

'Hip hip hwrê,' meddai hithau'n ddi-ffrwt.

'O'n i'n meddwl y bysa chdi'n hapus.'

'Sut fedra i fod yn hapus, Glyn? Mae 'ngŵr i ar *bail* am ladd rhywun! A ti'n gwbod be sy'n brifo fwya? Ei fod o wedi palu clwydda wrtha i am wythnosa. Wedi smalio ei fod o'n ddiniwad ac yn gwybod dim byd am y peth … Ddiawl o ots gen i be nest ti, Glyn, damwain neu beidio. Ti 'di lladd y berthynas yma.'

Gafaelodd Glyn am ei chanol mewn anobaith.

'O plis, Haf, paid â gneud hyn i ni!'

'Chdi sy 'di gneud hyn, Glyn! Chdi! 'Sa chdi wedi meddwl mwy am dy deulu cyn gneud rwbath mor wirion fysan ni ddim yn y sefyllfa yma rŵan!'

'Fedrwn ni ddod yn ôl o hyn. Mi gawn ni drefn ar ôl yr achos llys yma, dwi'n gaddo. Mi 'nawn ni symud o 'ma os ti isio. *Fresh start* i bawb.'

'Ta, Glyn.'

Clymodd Haf gwlwm yn y bag a rhedeg i lawr y grisiau.

'Paid â 'ngadael i, Haf. Plis! Dwi'n neb hebdda chdi a'r plant!'

Rhedodd Haf drwy'r drws a'i gau yn glep ar ei hôl.

DYDD GWENER, MAWRTH 7, 2019, 1:30 y.p.

Cerddodd Beca allan o'r eglwys i gyfeiliant 'Arglwydd, dyma fi', a gafaelodd yn llaw Gwenno yn dynn.

'Mi nest ti'n anhygoel,' sibrydodd ei ffrind pennaf wrthi.

'Diolch, Gwen,' meddai, gan sychu deigryn arall oddi ar ei boch gyda'i hances, oedd yn golur smyjlyd i gyd.

'Ti am i mi sefyll wrth y fynedfa hefo chdi? Mi fydd pobl isio cydymdeimlo hefo chi cyn mynd am y fynwent, byddan.'

'Ia plis.'

Safodd y ddwy gyda Jean ar y stepen, a lapiodd Beca ei sgarff yn dynnach am ei gwddw. Roedd y gwynt yn rhewllyd, ond eto'n gysur a'i bochau yn goch o grio. Cerddodd ei mam a'i thad ati a rhoi eu breichiau amdani.

''Y nghariad gwyn i,' meddai ei mam, gan ei chusanu ar ei boch. 'Ti'n gwybod fod dy dad a finnau yma yn gefn i chdi.'

'Diolch, Mam.'

Gafaelodd ei thad yn ei llaw a'i gwasgu'n dynn.

'Diolch, Dad.'

Cerddodd pawb heibio iddynt fesul un ac estyn eu llaw iddi cyn diflannu. Wrth i'r galarwyr olaf gerdded heibio, cychwynnodd y tair i lawr y llwybr at y fynwent. Ac yno wrth y giât yn ei siwt ddu roedd Ffion.

'Be 'dach chi'n da yma?' gofynnodd Beca'n sych.

'Dim ond dod i weld fod pob peth yn iawn,' meddai hithau'n dawel. 'Mae'n ddrwg iawn gen i am eich colled, Beca … Mrs Jones.'

Wfftiodd Beca gan gerdded heibio iddi.

'Does dim angen bod yn ddigywilydd, Beca bach,' meddai Jean. 'Dim ond gwneud ei gwaith mae hi.'

'Wel, dydi hi ddim yn gweithio'n ddigon caled 'sach chi'n gofyn i fi.'

'Mae hi wedi llwyddo i ddal y rhai sydd yn gyfrifol, mae hynny'n ddigon gen i.'

Penderfynodd Beca beidio ymateb, ac aeth i sefyll ar lan y bedd.

Dewi oedd yr unig un o'r rhai oedd yn cario roedd hi'n ei adnabod yn iawn. Fo oedd wedi gwahodd y pump arall drosti gan nad oedd ganddi syniad i bwy i ofyn. Doedd gan Gruffydd fawr o ffrindiau, a dim teulu oni bai am ambell ewythr dieithr. Ffrindiau coleg oedd y rhan fwyaf, ac un neu ddau aeth i'r ysgol gynradd gydag o. Roedd yn cofio sylwi ar rai ohonynt yn y parti priodas, ond ni thalod fawr o sylw pan oedd Gruffydd yn siarad amdanyn nhw.

Cododd yr hogiau'r arch a'i gostwng i'r twll yn ofalus. Estynnodd y gweinidog wahoddiad i bawb gydweddïo, a chaeodd Beca ei llygaid yn dynn. Aeth llais y gweinidog yn ddim yn ei chlustiau, a daeth wyneb annwyl Gruffydd i'w meddwl. Er ei bod yn gwybod yn iawn fod ei gorff yno o'i blaen, roedd y Gruffydd go iawn wedi hen fynd. A galaru amdano fo yr oedd hi, ag arogl y pridd yn ei ffroenau.

'Fel y tosturia tad wrth ei blant, felly y tosturia'r Arglwydd wrth y rhai a'i hofnant ef. Canys efe a edwyn ein defnydd ni; cofia mai llwch ydym. Dyddiau dyn sydd fel glaswelltyn ...'

Teimlodd Gwenno yn gwasgu ei llaw, a rhoddodd ei braich arall am ganol tenau Jean. 'Yn ffydd Crist, a chan gredu fod enaid ein brawd yn nwylo Duw, yr ydym yn traddodi ei gorff ef i'r ddaear, pridd i'r pridd, lludw i'r lludw, llwch i'r llwch.'

Nodiodd y gweinidog arnynt, a chlosiodd y tair at y bedd.

'Nos da'n hogyn bach i,' meddai Jean. ''Drycha ar ôl dy dad.'

Tagodd Beca ar ei dagrau, a suddodd ei stiletos yn ddyfnach i'r pridd wrth iddi gamu yn ei blaen.

'Sori am bob dim, Gruff,' meddai'n dawel. 'Y dyn ffeindia'n fyw. Ta-ta.'

'Yna clywais lais o'r nef yn dweud, "Ysgrifenna: O hyn allan gwyn eu byd y meirw sy'n marw yn yr Arglwydd. Ie, medd yr Ysbryd, cânt orffwys o'u llafur, oherwydd y mae eu gweithredoedd yn mynd gyda hwy."'

'Dowch,' meddai Gwenno'n addfwyn. 'Mi a' i â chi am y tŷ rŵan i chi gael pum munud bach cyn i bawb gyrraedd.'

'Diolch, Gwenno,' meddai Beca. 'Ti 'di bod yn grêt heddiw.'

'Paid â bod yn wirion, Becs. Does 'im isio diolch i mi, siŵr. Dyna be mae ffrindia yn da, 'de.'

'Dwn i ddim be 'swn i wedi'i neud dros yr wythnosa dwytha 'ma heb 'yn ffrind gora.'

'Lle wyt ti'n aros heno?'

'Mi ro'n i'n ystyried mynd i Ffrwd. Mae Jean yn mynd i aros at ei chyfnither am chydig nosweithia. Meddwl ella 'swn i'n teimlo ychydig agosach at Gruff yn fanno rywsut.'

''Sa chdi'n licio cwmni?'

'Be am Guto?'

'Mi fydd o'n iawn hefo Mam am noson, 'sti. Mi rois i ddigon o *formula* a chlytia yn ei fag o rhag ofn.'

''Sa cwmni'n lyfli.'

'Dowch 'ta, genod,' meddai Gwenno. 'Dwi'n siŵr bo' Jean yn tagu isio panad.'

Roedd Jean wedi paratoi coblyn o wledd i bawb, yn frechdanau, *quiches* a chacennau dirifedi. Ar ôl berwi'r tegell bedair gwaith, llwyddwyd o'r diwedd i'w pherswadio i eistedd a gadael i rywun arall fynd i lenwi cwpanau. Sipian ar ei phaned hirddisgwyliedig yr oedd hi pan ddaeth Dewi ati i siarad.

'Mrs J, sud ydach chi?' gofynnodd yn frwdfrydig.

Gwenodd Jean o glust i glust a'i gofleidio'n dynn.

'Dewi bach, 'y ngwas i! Mi rydw i'n o lew, diolch yn fawr iawn i chdi. Sud wyt ti?'

'Dwi'n ocê, chi, Mrs J … Jest dal 'im yn coelio ei fod o wedi mynd.'

'Dwi'n gwybod. Tydi hi wedi bod yn goblyn o sioc i ni i gyd. Mi roedd gan Gruffydd feddwl y byd ohona chdi, cofia. Yr un person wnaeth sefyll wrth ei ochr o drwy bob dim.'

''Dan ni 'di bod drwy dipyn hefo'n gilydd, 'do. Mae hi'n mynd i fod yn rhyfadd iawn hebddo fo. Fo oedd yr unig un oedd yn fodlon gwrando arna fi'n mwydro heb ddeud wrtha i am gau 'y ngheg ... Dwi'n mynd i'w golli fo fath â dwn i'm be.'

Mwythodd Jean ei ben yn famol.

'Mae gen i rywbeth ro'n i am ei ddangos i chdi 'fyd,' meddai Jean. 'Tyrd i'r llofft hefo fi am funud.'

'Mrs J! Dwi'm yn meddwl bod hynna yn *appropriate* iawn, 'dach chi?'

'Cau hi'r clown,' meddai hithau gan chwerthin, a'i daro ar ei law yn chwareus.

Cerddodd y ddau i fyny'r grisiau. 'Mynd drwy hen luniau o'n i ac mi ddes i ar draws un bach del o'r ddau ohonach chi.' Estynnodd Jean y bocs cardfwrdd o dan y gwely, a thyrchu drwy'r lluniau. 'Dyma fo, yli,' meddai, gan ei estyn iddo.

Chwarddodd Dewi wrth weld llun o'r ddau, prin allan o'u clytiau a llieiniau sychu llestri streipiog am eu pennau.

'Gŵr y llety oedd un ohonach chi a Joseff oedd y llall, ond fedra i'm yn 'y myw â chofio p'run oedd p'run.'

'Oes raid i chi ofyn, Mrs J? Gruffydd oedd Joseff, siŵr iawn. Fo oedd y *leading man* bob tro a finna oedd y *sidekick*. Felly fuodd hi am flynyddoedd, ynde ...

Wel, tan i Beca ddod ar y *scene*. Fo oedd yr *understudy* wedyn.'

'Mi roedd ganddo fo feddwl y byd o'r hogan 'na,' meddai Jean gan wenu. 'Dim fi oedd ei ffan mwya hi fel y gwyddost ti, Dewi. Ond mae hi wedi bod yn dda iawn hefo fi dros yr wythnosau dwytha 'ma. Angel go iawn. Mi fedra i weld rŵan pam roedd Gruffydd yn ei charu hi cymaint ag yr oedd o.'

Nodiodd Dewi yn dawel.

'Dydach chitha heb weld lygad yn lygad yn y gorffennol chwaith, naddo, Dewi.'

''Na chi un ffordd o'i rhoi hi.'

'Wel, dyma dy gyfla di i glirio'r aer o'r diwadd, ynde. Mi rydan ni i gyd isio cymaint o gefnogaeth ag y gallwn ni'i gael ar adegau felma. Mi roedd y ddau ohonach chi yn rhannau mor bwysig o fywyd Gruffydd.'

'Ella bo' chi'n iawn, Mrs J. Fysa Gruffydd ddim yn licio meddwl amdana i'n dal dig.'

'Am be fysat ti'n dal dig, Dewi bach?'

'Dim byd,' meddai'n frysiog. 'Anghofiwch 'mod i wedi dweud dim.'

Rhoddodd Jean y llun yn ôl yn y bocs a'i wthio yn ôl o dan y gwely. Eisteddodd ar erchwyn y gwely a chwarae gyda'i modrwy briodas ar ei bys yn anniddig.

'Ddigwyddodd 'na rywbeth rhyngthyn nhw?' gofynnodd ymhen hir a hwyr.

'Be 'dach chi'n feddwl?' gofynnodd Dewi yn anghyfforddus.

'Gafon nhw ffrae?'

'Do. Hen ffrae wirion dro yn ôl.'

'Am be?'

'Dwi'm hyd yn oed yn cofio'n iawn … Doeddan nhw'm yn cyd-weld ar rai petha, fel 'dach chi'n gwbod.'

'Am fyw yn Aberysgo?'

'Hynny … a plant a ballu.'

'Mi roeddan nhw'n trio?'

'Duw a ŵyr,' chwarddodd Dewi'n nerfus. 'Do'n i ddim yn holi am betha felly.'

'Mi roedd o isio a hithau ddim yn barod?'

'Mi wnaeth colli'r babi gael dipyn o effaith arnyn nhw, 'do.'

'Mi roedd hi'n disgwyl?' gofynnodd mewn syndod.

'O shit,' meddai'n sydyn gan sylweddoli ei fod wedi gadael y gath allan o'r cwd. 'Doeddach chi ddim yn gwybod?'

'Nag o'n,' meddai'n drist. 'Mi roeddan nhw ofn i mi wneud ffŷs, ma'n siŵr … Pryd oedd hyn?'

'Llynadd ryw ben.'

'O'r graduras. Taswn i'n gwybod fyswn i ddim wedi bod mor galad arni hi. Sut oedd Gruffydd?'

'*Gutted* fel y gallwch chi feddwl. Mi roedd o reit *keen* i roi cynnig arall arni hi, a hitha isio brêc.'

'O, 'ngwas i. Tasa fo ond wedi dod ata i i siarad. Mae o'n torri 'nghalon i i feddwl ei fod o wedi mynd drwy hynna ar ei ben ei hun.'

'Mi roedd ganddo fo ofn eich ypsetio chi, mae'n siŵr,' meddai Dewi gan roi ei fraich amdani. 'Ddyliwn i ddim fod wedi sôn wrthach chi, sori. Wnes i ddim meddwl.'

'Mae'n iawn, Dewi bach. Doeddat ti ddim i wybod. O leia mi roeddat ti yno'n gefn iddo fo.' Cerddodd Jean at y bwrdd gwisgo a thwtio ei gwallt yn y drych. 'Wel, well i ni fynd i lawr, mae'n siŵr,' meddai, gan gymryd anadl ddofn.

"Dach chi'n ocê, Mrs J?'

'Gora y medra i fod, am wn i,' meddai'n dawel. 'Mae o'n deimlad rhyfadd. Alla i ddim aros i gael y cnebrwng yma o'r ffordd. Ond eto, pan fydd o drosodd mi fydd yn golygu ein bod ni wedi ffarwelio hefo Gruffydd go iawn ... Os rwbath, mewn rhyw ffordd ryfadd, dwi ddim isio i'r diwrnod ddod i ben.'

Gafaelodd Dewi yn ei llaw yn dyner a'i harwain i lawr y grisiau.

'Gymwch chi banad arall, Mrs J?'

'Pam lai.'

'Ewch chi i ista i lawr ar y soffa 'na yn fanna ac mi ddo i ag un draw i chi.'

'Diolch, Dewi bach. Mi wnei di wraig dda i rywun.'

Chwarddodd y ddau.

Eisteddodd i lawr yn dawel a phawb yn sgwrsio blith draphlith o'i chwmpas. Sylwodd Beca arni o ben draw'r ystafell ac aeth ati i siarad.

'Sud ydach chi erbyn hyn, Jean?'

'Dwi'n iawn, 'mechan i,' meddai gan afael yn ei llaw. 'Sut wyt ti?'

'Dwi'n ocê. Teimlo chydig bach gwell ar ôl cael rwbath i'w fyta. Mae'r *quiches* 'na yn lyfli, Jean. Dwn i'm sut wnaethoch chi fanijio i neud hyn i gyd eich hun. Cystal ag unrhyw hotel.'

'Diolch. Mi roedd hi'n braf meddwl 'mod i'n gwneud rwbath o werth.'

"Dach chi dal yn meddwl mynd i aros at eich cyfnither heno?'

'Ydw. Dwi'n meddwl y gwneith les i mi fynd o'r tŷ yma am chydig ddiwrnodiau.'

'A finna, Jean bach. 'Dach chi'n haeddu brêc.'

'Mi fues i'n siarad hefo Dewi gynna.'

'O,' meddai Beca, gan droi ei thrwyn.

'Mi soniodd o wrtha i am y trafferthion fuest ti a Gruffydd yn eu cael cyn iddo fo farw,' meddai'n dawel.

'Pa drafferthion?' cynhyrfodd Beca.

'Dwi'n gwbod be sy wedi bod yn mynd ymlaen, Beca. Mi ddudodd o'r cwbl wrtha i.'

Tagodd Beca ar ei brechdan wy.

'Sut ddiawl mae Dewi'n gwybod?'

'Mae pobl yn siarad, dydyn, Beca. Ac mae dynion yn fwy sensitif i'r petha 'ma nag wyt ti'n ei feddwl, 'sti.'

'Dwi'm yn coelio ei fod o wedi deud wrthach chi!'

'Dwi'n ddiolchgar iawn ei fod o wedi dweud. Fysa gen i ddim syniad fel arall, a titha'n cymryd arnat fod yna ddim byd wedi digwydd.'

'Mi ro'n i'n caru Gruffydd, Jean, raid i chi goelio hynny. Do'n i ddim isio'i frifo fo.'

'Wel nag oeddat siŵr! Dwi'n gwbod hynny.'

'Mi roeddan ni'n mynd drwy batsh anodd … a …'

'Does dim rhaid i chdi roi eglurhad i mi, Beca. Alla i ddychmygu pa mor anodd oedd hi arna chdi … Mi es inna drwy rwbath tebyg iawn pan o'n i dy oed di.'

'Do wir? Soniodd Gruffydd ddim.'

'Doedd o ddim yn gwybod dim am y peth. Mi gadwais i'r cwbl i fi'n hun. Mi wyddost ti pa mor anodd oedd pethau arnan ni hefo'i dad fel roedd o. Mi ro'n i wedi gwirioni ar y dechrau. Roeddan ni yn y swigan fach 'ma, jest y ddau ohonan ni. Ond pan ddaeth y cwbl i ben yn annisgwyl, er ei fod o'n andros o anodd, mi roedd o'n ryddhad rywsut. Fi, Cliff a Gruffydd oedd i fod.'

'Raid i mi ddeud, 'nes i byth feddwl y bysach chi'n cymryd y newyddion cystal.'

'Rŵan fwy nag erioed, Beca, mi fyswn i'n licio gwybod y medrat ti ddod ata i i siarad os oes yna rywbeth yn dy boeni di. Dim ots be ddigwyddodd rhyngoch chi, mi fysa Gruffydd isio i mi edrach ar dy ôl di, dwi'n gwybod hynny.'

'Diolch, Jean,' meddai, gan ei chofleidio. 'Dwi wedi bod yn meddwl am y peth ers dipyn rŵan, a dwi'n meddwl y bysa'n well i bawb tasan ni'n dod â'r berthynas i ben. Dydw i ddim angan dyn i'n achub i, dwi'n gwybod hynny rŵan.'

Tynnodd Jean ei hun o'i gafael yn sydyn.

'Be ddudist ti?' gofynnodd mewn sioc.

'Dwi am orffan petha,' atebodd Beca yn ansicr.

'Do'n i'm yn ymwybodol fod yna ddim wedi cychwyn!'

Cododd Jean oddi ar y soffa'n sydyn.

'Be'n union ddudodd Dewi wrthach chi?' holodd Beca'n nerfus.

'Sôn amdanach chi'n colli'r babi a cymaint oeddach chdi wedi ypsetio am y peth.'

'Ond mi ddudoch chi eich bod chi wedi mynd drwy rywbeth tebyg pan oedd Cliff yn fyw, y ddau ohonach chi mewn swigan. Mi ro'n i'n meddwl ...'

'Sôn am golli babi o'n i, Beca. Dwi ddim wedi dweud gair wrth neb am y peth o'r blaen. Mi ro'n i'n meddwl y bysa clywad fod rhywun arall wedi mynd drwy rywbeth tebyg yn gysur i chdi … Ond dwyt ti ddim yn haeddu cydymdeimlad.'

Dechreuodd yr ystafell ddistewi o'u cwmpas, a throdd ambell un eu pen i edrych arnynt.

'Gwrandwch, Jean,' sibrydodd Beca o gywilydd. 'Doedd o'n golygu dim i mi. Gruffydd oedd yr un o'n i'n ei garu.'

'Does yna ddim rheswm i chi beidio bod hefo'ch gilydd rŵan, nag oes. Mi gewch chi neud fel liciwch chi. Siŵr dy fod di'n falch fod Gruffydd allan o'r pictiwr.'

'Nadw siŵr.'

'Oedd o'n gwybod?'

'Nag oedd, dwi'm yn meddwl.'

'Y cradur bach diniwad. Dwi 'di deud erioed nad oeddat ti i dy drystio. Hen beth goman wyt ti wedi bod erioed. Mi roedd Gruffydd yn rhy dda o'r hannar i chdi.'

'Mi roedd Gruffydd yn 'y ngharu i.'

'Oedd, y ffŵl gwirion ag oedd o. Ond doedd hynny ddim yn ddigon i chdi, nag oedd.'

'Dwi'n gwybod nad ydi o'n esgus, ond doedd petha ddim wedi bod yn dda rhyngthan ni'r flwyddyn ddwytha 'ma. Mi ro'n i'n teimlo fod 'na rywbeth ar goll. Chydig bach o gynnwrf. Mi roedd y ddau ohonan ni'n byw fel hen gwpwl. Mi roedd yr affêr yn ecseiting, am dipyn bach beth bynnag. Wedyn mi aeth petha'n rhy bell a fedrwn i ddim dod allan ohoni.'

'Pwy ydi o?' gofynnodd Jean yn siort.

''Dach chi ddim yn ei nabod o,' meddai hithau'n frysiog.

'Waeth i chdi ddeud wrtha i felly ddim.'

'Be 'di'r ots pwy ydi o, Jean?'

'Mae ots gen i! Mi fysa ots gan Gruffydd!'

Cododd Beca ar ei thraed yn sydyn.

'Dwi'm am siarad mwy am y peth hefo chi heddiw,' meddai'n dawel. ''Dach chi wedi cael sioc ac mae o 'di bod yn ddiwrnod hir i bawb. Mi ddo i draw ar ôl i chi ddod adra wythnos nesa.'

'Wnei di ddim ffasiwn beth! Dwi ddim isio dy weld di ar gyfyl y lle 'ma eto, ti yn 'y nghlywad i?!'

Cerddodd Beca allan drwy'r drws heb ddweud gair wrth neb, a sŵn ei stiletos yn atseinio ar lechi'r cyntedd.

DYDD GWENER, MAWRTH 7, 2019, 7:30 y.h.

Llowciodd Beca jochiad arall o fodca, cyn sychu ei llygaid â chefn ei llawes.

'Gymi di un arall?' gofynnodd Gwenno'n addfwyn.

'Oes raid i chdi ofyn?'

Tywalltodd Gwenno siot go lew i'r gwydr, cyn i Beca gael gafael yn y botel a pharhau i'w lenwi i'r top.

'Ara deg, Beca bach,' meddai Gwenno wedi dychryn.

'Wyt ti am adael i mi orffan y botal 'ma ar fy mhen fy hun 'ta be?'

Tywalltodd Gwenno wydraid iddi hi ei hun yn amharod a'i sipian yn araf.

'Be sy 'di dod drosta chdi heno?'

'Siawns bo' gen i hawl i gael drinc bach ar ôl claddu 'ngŵr, does.'

'Oes siŵr,' meddai Gwenno'n bryderus. 'Ond does 'im isio i chdi fynd dros ben llestri, nag oes.'

'Pam ddim?' meddai Beca, gan lowcio'i diod a thywallt jochiad arall iddi hi ei hun.

'Be ddigwyddodd yn y te pnawn 'ma, Beca? Mi nest ti ddiflannu mwya sydyn.'

'Jean a fi gafodd ffrae.'

'Am be?'

'Ti'm isio gwbod,' chwarddodd Beca.

Cododd oddi ar y soffa a mynd i ymbalfalu yng nghefn un o gypyrddau'r garafán. Tynnodd far mawr o siocled allan a'i chwifio o flaen Gwenno.

'*Emergency stash*,' chwarddodd.

Agorodd Beca y paced a thorri darn bob un iddynt.

'Mi es i i'w weld o heddiw,' meddai Beca, a'i cheg yn llawn siocled.

'Pwy?'

'Aron.'

'Be? Cyn y cnebrwng!' gofynnodd Gwenno wedi dychryn.

'Ia.'

'I be ddiawl nest ti beth felly?!'

'Mi ro'n i isio'i weld o. Isio sbio i'w llygada fo a gweld be oedd ganddo fo i'w ddeud.'

'A?'

'Mae o'n benderfynol o 'mherswadio i nad oedd ganddo fo ddim byd i'w neud hefo be ddigwyddodd i Gruffydd.'

'A ti'n ei goelio fo?'

'Dwn i'm, yndw … dwi'n meddwl.'

Ysgydwodd Gwenno ei phen yn dawel.

'Ti'n meddwl 'mod i'n wirion,' meddai Beca wedyn.

'Dwi'n meddwl bo' gen ti gymaint o feddwl ohono fo fel bo' chdi isio coelio be bynnag mae o'n ei ddeud wrtha chdi.'

'Ti'n meddwl mai fo sydd wedi gneud, dwyt?'

'Dwn i'm, Beca. Ond dydi hi ddim yn edrach yn grêt, nadi, raid i chdi gyfadda hynny.'

Llowciodd Gwenno ei diod cyn gofyn ei chwestiwn nesaf.

'Oes 'na rwbath yn mynd ymlaen rhyngthach chi'ch dau, Beca?'

'Callia!' chwarddodd Beca yn nerfus.

''Sa chdi'n deud wrtha i os bysa 'na, basat?'

'Byswn siŵr! 'Swn i'm yn cadw rwbath felna oddi wrtha chdi, na 'swn. Ffrindia 'di Aron a fi. Dim byd mwy.'

Cododd Beca oddi ar y soffa'n sigledig ac ymlwybro at y lle chwech. 'Reit, fedra i'm dal mwy, raid i mi fynd i agor y llifddora. Tollta wydriad arall i mi, 'nei di?'

Ysgydwodd Gwenno'r botel wag yn yr awyr.

'Damia,' meddai Beca.

'Wsti be, dwi'n meddwl bo' gen i botel win yn y bŵt,' meddai Gwenno. 'Helen gafodd hi i mi ar 'y mhen blwydd. Ryw beth rad o Lidl, y sguthan,' chwarddodd. 'Awydd mentro?'

'*Bring it on*, Gwenno bach. Mae'r gwydra gwin yn y cwpwrdd uwchben y sinc.'

Trodd Beca olau'r toiled ymlaen ac eistedd ar y pan. Teimlodd ei llygaid yn troi a rhoddodd ei phen i orffwys rhwng ei phengliniau. Wedi tynnu'r tsiaen, aeth i olchi ei dwylo a sylwi ar yr hen galendr ofiwletio ar y wal wrth y drych. Gwenodd wrth ei astudio'n annwyl. Gruffydd druan. Mi dreuliodd oriau ryw noson yn gwneud ei fathemateg a lliwio'r diwrnodiau ffrwythlon â phìn ffelt binc roedd o wedi ei phrynu'n arbennig o WHSmith's. Roedd hi'n ofiwletio heddiw, meddyliodd, cyn mynd i sychu ei dwylo. Fel yr oedd yn diffodd y golau, oedodd am eiliad … Roedd hi'n ofiwletio heddiw … Cymerodd olwg arall ar y calendr a chyfrif am yn ôl … wythnos … bythefnos … dair wythnos … doedd hi ddim yn cofio'r tro diwethaf iddi gael ei misglwyf …

Gwaeddodd Gwenno o dan y drws,

'Mi 'nes i ollwng un o'r gwydra yn y sinc, Becs, sori! 'Lly dwi 'di gorfod defnyddio mỳg! Dwi 'di dewis mỳg Dafydd Du o gefn y cwpwrdd! Rom bach o nostalgia!'

'Cym di'r gwydr, Gwenno. Dwi'm isio mwy o ddiod!'

'Pam?! Sâl ti?'

'Ia! Fath â blydi ci!'

DYDD GWENER, MAWRTH 15, 2019, 3:30 y.p.

Rhwbiodd Rhys gadach arall dros lyw'r *Sapphire Daydream* a chamu'n ôl i edmygu ei waith caled.

'Edrach yn dda gen ti, Rhys!' gwaeddodd Glyn o'r pontŵn.

'Diolch, boi! Ti am ddod drosodd?'

Cododd Glyn fflasg fawr a dau fŷg i ddangos iddo.

'Lle mae'r cania?' gofynnodd Rhys wedi ei synnu.

'Dwi'm 'di twtsiad dropyn ers dros wythnos. Isio cael trefn arna fi'n hun er mwyn Haf a'r plant. Dwi heb roi *give up* ar betha eto.'

'Da iawn chdi, boi. Dwi'n falch ohona chdi.'

Camodd Glyn ar y cwch a mynd i eistedd ar hen gadair glan môr. Tywalltodd fygiad o de bob un iddynt.

'Sgen ti'm ryw Hobnobs neu *chocolate digestives* yn cuddiad yn y gwaelod 'na yn rwla, nag oes, Rhys?'

'*You know me too well*, Glyn,' gwenodd.

Dringodd Rhys i lawr y grisiau serth.

'Ddoth Ffion i dy weld di?' gwaeddodd Glyn ar ei ôl.

'Hi a'i phwdl ffyddlon!' gwaeddodd Rhys yn ei ôl.

'Dwi'm hyd yn oed yn gwbod os 'dan ni fod i siarad hefo'n gilydd, a deud y gwir wrtha chdi!'

'Mae hi'n gwbod yn iawn be mae hi'n neud, Glyn! Mae hi isio i ni siarad, does! Cael ein storis yn strêt cyn yr achos! ... Neith *custard creams*?'

'Eidîal!'

Dringodd Rhys yn ei ôl ar y dec a mynd i eistedd yn sedd y gyrrwr. Sglaffiodd ddwy neu dair bisged cyn pasio'r paced i'w gyfaill.

'Ti 'di penderfynu be ti'n mynd i'w neud?' gofynnodd Glyn.

'Sgen i'm dewis, nag oes, Glyn, efo'n *previous* i. Raid i mi gymryd be bynnag maen nhw yn ei gynnig i mi.'

'Felly ti am dystio yn ei erbyn o?'

Nodiodd Rhys.

'Mae'n hynny neu fynd i jêl am ddegawd, dydi. Mae hi wedi sôn yn barod am y drygs. Mae hi'n ddigon o bitsh i ddal hynny yn f'erbyn i os dwi'n cadw'n dawel.'

'Be, ydi hi 'di trio deud na chdi nath ei sypleio fo?'

'Mi nath hi awgrymu'r peth, do.'

'Shit.'

'Dwi'm yn meddwl y bysa gan Aron glem lle i gael gafael ar ddrygs,' meddai Rhys. "Sa fo 'di meddwl na rywun sy'n toi ydi *roofie*.'

'Ti'n gwbod cystal â finna y bysa'n ddigon hawdd ffeindio *dealer* yn Aberysgo 'sa chdi isio un.'

'Ti'n meddwl na fo sy 'di gneud, dwyt,' meddai Rhys.

'Dwi'm yn gwbod be i'w goelio dyddia yma, a deud y gwir wrtha chdi. Mae Aron wedi newid. Dydi o'm 'run boi ag y gwnes i dyfu i fyny hefo fo. Dwi'm yn ei nabod o o gwbl wedi mynd. Nath o'm hyd yn oed sôn wrthan ni ei fod o'n gweld Beca, naddo. Mi roeddan ni'n arfar deud bob dim wrth ein gilydd. 'Dan ni'm hyd yn oed yn gwbod be oedd yn mynd ymlaen rhyngthyn nhw go iawn, na 'dan.'

'*Doesn't take a genius*, Glyn. Mae o wedi bod yn *obsessed* hefo hi ers oeddan ni yn yr ysgol.'

'Digon o obsesiwn i ladd ei gŵr hi?'

'Ella nath o'm trio'i ladd o,' meddai Rhys. 'Ella ei fod o wedi rhoi gormod o ddos iddo fo.'

'Ti'r un mor amheus â fi.'

'Ella 'mod i,' meddai Rhys, gan stwffio *custard cream* arall i'w geg. 'Y cwbl dwi'n ei wbod ydi na dim fi nath. Ac mae hynny'n ddigon gen i. Pan mae'n cyrraedd y pen, Glyn, mae rhaid i chdi feddwl amdana chdi dy hun. Mae Ffion yn cynnig *get out of jail free card* yn fama i chdi, yn llythrennol. Meddylia di am Haf a'r plant. Nhw 'di dy breioriti di.'

'Dwi'n gwbod bo' chdi'n iawn, Rhys. Ond mae jest meddwl am sefyll i fyny yn fanna, sbio i fyw ei lygaid o a rhoi cyllall yn ei gefn o yn 'y ngneud i'n sâl.'

'Feddyliodd o ddim amdanan ni pan losgodd o'r dillad 'na, naddo. Mi aeth o tu ôl i'n cefna ni i gyd. Cwbl oedd o'n feddwl amdano fo oedd achub ei groen ei hun. A dyna dw inna am neud tro 'ma hefyd. Fyny i'r *jury* wedyn, dydi … Reit, Glyn bach. Be am i ni fynd am dro bach? Neith les i chdi gael gwynt y môr i glirio'r pen 'na.'

'Pam lai. Sgen i'm byd gwell i neud.'

'*Thanks a bunch*,' meddai Rhys gan chwerthin.

'Sori boi, do'n i'm yn ei feddwl o felna. Ers i Haf a'r plant adael cwbl dwi'n neud yn y tŷ 'na ydi gwatsiad *daytime tv* a gneud jig-sos ar 'yn ffôn.'

'Dyna pam dwi'n licio dod i fama. Mae hyd yn oed ista yn y marina am awran neu ddwy yn gneud lles. Fedrwn ni ddim mynd yn bell beth bynnag, sgen i ddim sentan i brynu mwy o ddisl. Gobeithio daw'r achos llys 'ma reit handi i ni gael mynd yn ôl i weithio, wir.'

''Di'r injan newydd dal ar *hold* felly?'

'Fydd 'na ddim injan newydd am dipyn eto. Mi fydd y *savings* i gyd wedi mynd ar dwrna, beryg. Sud mae hi arna chdi?'

'Ddim yn grêt. Mae cyflog Haf yn cyfro'r morgej ar hyn o bryd, diolch byth.'

Taniodd Rhys yr injan.

'Tydan ni'n ddau hen lwsyr,' chwarddodd Rhys.

'O leia mae gynnan ni'n gilydd,' gwenodd Glyn, gan godi ei fỳg mewn llwncdestun.

Tarodd Rhys ei fỳg yntau yn ei erbyn.

'Lle 'dan ni am fynd 'ta?' gofynnodd Glyn wedyn.

'Be am anelu at Ynys Tudwal? Ryw filltir neu ddwy ydi honno, 'de.'

Rhwbiodd Glyn ei ddwylo yn erbyn ei gilydd i geisio cynhesu.

'Mae'r gwynt 'ma ddigon oer hefyd, dydi. Beryg byddwn ni 'di rhynnu.'

'Duw, fyddwn ni'n iawn, siŵr. Mae 'na flancedi yn y gist lawr grisia, dwi'n siŵr, os ti isio mynd i sbio.'

Cerddodd Glyn i lawr y grisiau yn ofalus a mynd i dyrchu yn y gist. Estynnodd ddwy hen flanced liwgar oedd wedi gweld dyddiau gwell a'u cario yn ôl ar y dec. Estynnodd un i Rhys ac agorodd y llall yn fawr yn barod i'w rhoi amdano. Wrth iddo'i hysgwyd, disgynnodd blwmars pinc ffriliog allan ohoni fel parasiwt, a hofran yn yr awel oer am eiliad cyn disgyn i'r llawr.

'Blydi hel, Rhys! Pwy ti 'di bod yn ei enterteinio yn fama? Big Daddy?'

'Paid â bod mor ddigywilydd! Tyrd â nhw yma.'

Lansiodd Glyn y blwmars i'w gyfeiriad fel catapwlt, ac astudiodd hwnnw'r dilledyn yn ofalus.

''Di'r rheina ddim yn perthyn i'r un o'n genod i.'

'Wel pwy arall bia nhw 'ta?'

Pendronodd Rhys am eiliad neu ddwy.

'Aron 'de. Mae rhaid mai'r hogan ddoth Aron yma oedd bia nhw. Siŵr bo' nhw 'di bod yn gneud y jigi jigi yn y flancad 'na a'i bod hi wedi'u gadael nhw ar ôl.'

'Ych a fi!' meddai Glyn, gan daflu'r flanced oddi arno'n sydyn. 'Wel 'di'r rheina ddim yn perthyn i Beca, mae hynny'n sicr,' meddai wedyn. 'Ddudodd o ddim byd wrtha chdi amdani?'

'Naddo.'

'Pam 'sa fo ddim isio i ni wbod, dwa?' gofynnodd Glyn.

'Ella na dy fam di oedd hi.'

'Callia'r sglyfath! 'Di Mam 'im yn gwisgo blwmars mor fawr â'r rheina beth bynnag, y diawl digywilydd.'

'Sud gwyddost ti?'

'Mond *four foot nine* ydi hi. 'Sa hi'n gallu defnyddio rheina fath â hamoc ... Ella na dy fam *di* oedd hi. Ella na cynnal un o'i phartis *Tupperware* oedd hi.'

Gwgodd Rhys.

'Ella bo'i'n briod,' meddai Glyn wedyn.

'Mae o'n licio'r rheini, dydi,' meddai Rhys.

Pendronodd y ddau am eiliad nes daeth coblyn o glec o grombil y cwch. Diffoddodd yr injan.

'Be ddiawl oedd hynna?' Roedd Glyn wedi dychryn.

'Yr injan sy 'di ddiffodd,' meddai Rhys.

'Dwi'n gwbod hynny, dydw'r clown! Be sy 'di digwydd iddi? Mi oedd 'na uffar o fang rŵan.'

Ceisiodd Rhys danio'r injan unwaith eto, ond yn ofer.

'O blydi hel,' meddai Rhys.

'Be?'

'Mae hi'n gonar.'

'Ti o ddifri?' meddai Glyn mewn panig. 'Be 'dan ni fod i neud rŵan?'

'Wel mae gen i ddau opsiwn i chdi. Un, mi rwyt ti'n nofio ond mae 'na jans y gwnei di rewi cyn cyrraedd y lan. Neu opsiwn dau, ffonio'r *coastguard*.'

Rhuthrodd Glyn i'w boced i estyn ei ffôn.

'Sgen i'm signal! Be amdana chdi?'

Brysiodd Rhys i estyn ei un yntau.

'Dim byd,' meddai, gan ei daflu ar lawr.

'Ydi dy radio di'n gweithio?'

'Na, mae hwnnw'n gonar ers talwm.'

'Does 'na'm llawer o'm byd sydd ddim yn gonar ar y cwch 'ma, nag oes, Rhys,' meddai'n flin.

'Hei, paid â rhoi bai arna i! 'Nes i'm dy orfodi di i ddod.'

'Be 'dan ni'n mynd i neud rŵan?'

'Fydd raid i ni jest gwitsiad i weld os ddaw 'na rywun heibio, bydd.'

'Lasan ni fod yma am oria! Does 'na neb arall ddigon gwirion i fentro allan ar bnawn mor oer. 'Dan ni angen bod yn ôl cyn y cyrffiw am saith o'r gloch.'

'Os na ddaw 'na rywun cyn iddi dywyllu mi 'nawn ni saethu fflêr neu ddwy i'r awyr. Mae rhywun bownd o ddod wedyn.'

'Ti'n clywad hanas pobl yn *stranded* ar y môr am fisoedd,' meddai Glyn yn ddramatig. 'Yfad eu pi-pi eu hunain i aros yn fyw. Os 'dan ni'n cyrraedd y pen, dwi'n cynnig ein bod ni'n dy fyta di gynta.'

'Mae 'na storfa o fisgets a tunia bêcd bîns yn y gwaelod 'na. Mi gadwith ni i fynd am wythnosa. Ac os ydan ni'n cyrraedd y pen, mi wna i dy fyta *di*, diolch yn fawr, Glyn. Mae 'na fwy o gig arna chdi.'

'Sawl dot sy 'na mewn SOS?'

'A sud w't ti'n mynd i yrru'r SOS 'ma? Mewn potal?! Tafla hi ddigon pell, ella ddaw 'na fôr-forwyn i'n helpu ni.'

''Sim isio gneud hwyl am 'y mhen i, nag oes. Dwi'n panicio braidd yn fama.'

'Ryw chwartar milltir ydan ni o'r marina. Mae rhywun bownd o'n gweld ni.'

'Fedra i'm torri'r cyrffiw 'ma, Rhys,' meddai Glyn wedi cynhyrfu. 'Fedra i ddim. 'San ni'n torri amoda'r *bail* 'san ni'n jêl hefo Aron ar ein penna.'

'Wnawn ni ddim torri'r cyrffiw, dwi'n gaddo i chdi. Rŵan ista lawr, lapia'r flancad 'na amdanat a thollta banad arall i ni.'

Eisteddodd Glyn ar y gadair glan môr yn ufudd, a llenwodd y ddau fŷg unwaith eto.

'Sud le ydi jêl, Rhys?' gofynnodd ymhen hir a hwyr.

'Fedra i feddwl am lefydd brafiach i dreulio'n amsar, dduda i hynny wrtha chdi.'

'Ond ti 'di bod yno fwy nag unwaith, 'do. Os 'di hi mor uffernol â hynny yno, siawns na fysat ti'n torri'r gyfraith am yr eilwaith.'

'Dwyt ti'm yn torri'r gyfraith hefo'r bwriad o gael dy ddal, nag wyt,' meddai Rhys gan ryw how-chwerthin.

'Pam nest ti 'ta?'

'Gychwynnais i fynd allan i yfad hefo'r ddau frawd 'na o dre, yn do. Mi roeddan nhw'n gwerthu gêr rownd y pybs ar nos Sadwrn, ac mi es inna i neud 'run fath. Mi ro'n i'n gweld fy hun yn gneud tocyn bach reit ddel o bres, felly mi wnes i gario 'mlaen.'

'Ond mi aeth petha'n flêr.'

Cymerodd Rhys gegiad hir o'i de cyn ateb.

'Mi roedd gen ti bobl oedd ar y stwff bob wicend ac yn methu fforddio cadw'r habit i fynd, felly mi roeddan nhw'n mynd i ddyled. Ac mi ges i'r job o fynd rownd i hel y pres.'

'Dyna sud gest ti dy neud am ABH?'

Nodiodd Rhys.

'Hwnnw oedd y *final straw* i mi,' meddai. 'Mi roedd cariad y boi 'nes i'w leinio yn siarad amdano fo yn y cwrt. Deud cymaint o ddrwg oedd y cyffuria wedi ei neud iddo fo, ei fod o wedi colli ei job ac yn diodda o iselder drwg. Mi ro'n i wedi dychryn gymaint arno fo fel ei fod o ofn mynd allan o'r tŷ. Wnaetha fo ddim hyd yn oed atab y drws pan oedd rywun yn cnocio. Felly pan es i lawr y tro hwnnw, mi ddudish i wrtha fi'n hun na hwnnw fysa'r tro ola.'

'Ella na fydd raid i chdi fynd yn ôl os 'nawn ni sioe go lew yn y cwrt.'

'Ni?'

'Dwyt ti'm yn haeddu hyn, Rhys. Dwi'm yn haeddu hyn.'

'Felly ti am dystio yn y cwrt?'

Cymerodd Glyn anadl ddofn a lapio'r flanced yn dynnach amdano.

'Hwn ydi'r syrpréis felly?'

Camodd Gwenno ar fwrdd y cwch yn ofalus, a chodi ei *boob tube* coch oedd yn prysur lithro oddi ar ei bronnau mawrion.

'Ia,' meddai Aron yn hyderus. 'Be ti'n feddwl?'

'Pan soniaist ti am fwyd môr, mi ro'n i 'di hannar gobeithio dy fod di am fynd â fi i'r Caban Cimwch 'na wrth y traeth,' meddai'n siomedig. 'A finna wedi gwisgo i fyny a bob dim.'

'Gawn ni lonydd yn fama, cawn.'

'Be oedd? Ofn cael dy weld hefo fi oeddach chdi?'

'Nage siŵr,' meddai yntau'n anghyfforddus.

'Cwch Rhys ydi hwn?'

'Ia.'

'Ddudist ti wrtho fo pwy oedd dy ddêt di?'

'Ti'n gwbod fel maen nhw, fo a Glyn. 'San nhw wedi dod yma i bryfocio a'n styrbio ni ... Ddudist ti wrth Beca bo' chdi'n mynd allan hefo fi?'

'Naddo,' meddai hithau'n euog.

'Wel, 'na fo 'ta. Ein cyfrinach fach ni ydi hi felly, 'de ... Gymi di rwbath i'w yfad?'

Agorodd Aron y bocs rhew a thyrchu i'w berfeddion.

'Sgen ti win gwyn?' gofynnodd Gwenno yn obeithiol.

'O, nag oes. Mond cwrw sgen i. O'n i'n meddwl na hogan peintia oeddach chdi?'

'Be wnaeth i chdi feddwl hynny?' gofynnodd yn biwis.

'Dwn i'm,' atebodd yntau'n nerfus. 'Un o'r hogia ti 'di bod erioed, 'de. Hogan a'i thraed ar y ddaear. O'n i'n meddwl na diod go iawn 'sa chdi isio.'

'Dim fel Beca ti'n feddwl, a'i "Pinot Grigio" sidêt?'

'Wel, ia … Ddylia chdi ei gymryd o fel compliment.'

'Pasia botal i mi 'ta,' meddai'n ffwr-bwt. 'Be sy ar y meniw 'ta?'

'Macrall.'

'Macrall?'

'Chei di ddim byd gwell, 'sti, na macrall wedi'i choginio ar y barbeciw a darn o fara menyn.'

'Deud ti,' meddai Gwenno yn siomedig. 'Doedd 'im isio i chdi fynd i'r fath draffarth.'

'Dim ond y gora i chdi,' meddai, gan fynd ati i danio'r *disposable barbecue*. 'Ti 'di gweld Beca'n ddiweddar?'

Rowliodd Gwenno ei llygaid.

'Jest meddwl sud oedd paratoada'r briodas yn mynd yn eu blaen gynni hi o'n i,' ychwanegodd. 'Mi roedd hi i weld reit *stressed* pan welais i hi ddwytha.'

'Grêt,' meddai'n bryfoclyd. 'Mae'r ddau ohonyn nhw fath â dau *deenager*. Mewn cariad go iawn. Mae hi wedi ecseitio'n lân i gael symud i Ffrwd a chychwyn teulu.'

'O, reit,' meddai Aron, heb wneud unrhyw ymgais

i guddio'r siom yn ei lais. 'Falch o glywed ei bod hi'n hapus.'

'Dwi yn gwbod be 'di hyn, 'sti,' meddai Gwenno'n amheus.

'Be 'di be?'

'Y dêt 'ma. Bydd yn onast hefo fi rŵan, Aron. 'Sa well gen ti o lawer gael Beca yma na fi, bysa?'

'Na 'sa, siŵr!'

'Dwi'n gwbod na fi 'di'r ail ddewis gen ti. Felly mae hi wedi bod erioed.'

'Paid â bod yn wirion, Gwenno.'

'Ffrind Beca dwi wedi bod erioed. Dwi'n siŵr nad oedd hanner y criw oedd yn ein dosbarth ni yn gwbod be oedd 'yn enw i, hyd yn oed. Fi oedd yr un plymp, chydig bach yn blaen oedd yn gneud i Beca edrach yn well. Os nad oedd yr hogia yn cael lwc hefo hi, mi roeddan nhw'n dod i siarad hefo fi. A'r unig reswm oeddan nhw'n gneud hynny oedd er mwyn trio dod yn agosach ati hi.'

''Dan ni ddim yn yr ysgol rŵan, Gwenno,' meddai Aron yn ffeind. 'Ti'n ddynas ddel rŵan, a dim jest deud hynna ydw i, wir i chdi. Wyt, mi rwyt ti'n hollol wahanol i Beca, ond dydi hynny ddim yn beth drwg, cofia.'

'Ddudish i erioed wrth Beca, ond mi roedd gen i goblyn o grysh arna chdi pan oeddach chi'n canlyn ers talwm, 'sti.'

'Go iawn?'

'Mi ro'n i mor genfigennus ohoni. Ac yn flin hefo hi am dy drin di mor sâl. 'Swn i ond wedi cael y cyfla ...'

'Wel, does 'na'm byd yn dy stopio di rŵan, nag oes,' meddai Aron, gan nesáu ati a'i chusanu'n dyner ar ei gwefusau.

Cochodd Gwenno at ei chlustiau.

'Wyt ti'n llwglyd?' gofynnodd Aron.

'Ym, yndw,' meddai wedi'i chynhyrfu.

'Mi a' i i goginio'r mecryll 'na 'ta. Ti'n ddigon cynnas?'

'Mi ydw i chydig bach yn oer,' meddai, gan rwbio'r croen gŵydd ar ei breichiau.

'Rho hon drostat, yli,' meddai Aron, gan lapio blanced wlân amryliw amdani.

'Diolch,' gwenodd.

'Gymi di ddiod arall? Mi a' i i nôl potal win o'r siop os ti isio, 'sti.'

'Na. Mi roeddach chdi'n iawn gynna 'sti, Aron, hogan peintia ydw i.'

Gwenodd Aron, ac estynnodd botel arall iddi o'r bocs rhew.

Taflodd Aron y pysgod ar y tân, a syllodd ar Gwenno drwy'r mwg. Doedd o ddim yn dweud celwydd pan ddywedodd o wrthi ei bod hi'n ddel. Roedd hi'n amlwg wedi gwneud ymdrech heno. Roedd ei gwallt hir, tywyll wedi'i sythu yn daclus a'r colur syml yn gwneud i'w llygaid gwyrdd ddisgleirio. Daliodd Gwenno o'n edrych arni, a throdd ei ben yn sydyn. Cochodd hithau unwaith eto.

Wrth iddo blatio'r pryd, teimlodd ei ffôn yn crynu ym mhoced ei drywsus. Neges arall gan Beca yn achwyn am ei chariad diflas ac yn breuddwydio am gael bod yn ei freichiau eto. Stwffiodd Aron y ffôn yn ôl i'w boced yn flin, a chario'r bwyd at Gwenno.

'Mae 'na ogla da iawn arno fo beth bynnag,' gwenodd Gwenno yn ddiniwed.

'Braidd yn boeth ydi o,' meddai Aron. 'Ella y bysa werth i ni adael iddo oeri am funud neu ddau. 'Sa chdi'n licio *tour* o'r cwch tra 'dan ni'n disgwyl?'

'Ym, ocê,' meddai Gwenno'n ansicr. Estynnodd Aron ei law iddi a gafaelodd hithau ynddi yn nerfus.

'Mae 'na wely cyfforddus iawn yn y gwaelod 'na, 'sti,' sibrydodd Aron.

'Oes?' meddai Gwenno, a'i llais yn crynu.

'Matras ddŵr ydi hi. Rywbath brynodd Rhys oddi ar y we.'

'Mae o mewn lle handi iawn os oes angan ei thopio hi i fyny, dydi,' chwarddodd Gwenno yn nerfus, gan dynnu'r flanced yn dynnach dros ei hysgwyddau noeth.

'Tyrd,' meddai Aron, gan ei harwain i lawr y grisiau.

Trodd Aron y golau ymlaen, a disgleiriodd cannoedd o oleuadau bach tylwyth teg uwchben y gwely.

'Sori am y goleuada,' chwarddodd Aron. 'Fama mae Rhys yn dod â'i genod i gyd. Mae hi fath ag un o glybia Peter Stringfellow yma.'

'Dwi'n meddwl eu bod nhw reit romantig,' meddai hithau gan wenu. Safodd ar flaenau ei thraed ac ymestyn ato am gusan arall. Tynnodd Aron y flanced oddi amdani a'i chusanu'n nwydus. Disgynnodd ei thop i lawr wrth iddynt gofleidio gan ddangos ei bronnau noeth, a brysiodd Gwenno i geisio ei godi mewn panig.

'Ti'm angen hwnna, nag ces,' meddai Aron yn chwareus, gan ei dynnu yn is ac edmygu ei ffigwr llawn. Rhedodd ei fysedd yn ysgafn dros ei chroen a theimlodd Gwenno bob blewyn ar ei chorff yn codi. Arweiniodd Aron hi at y gwely, ac ufuddhaodd hithau. Gorweddodd y ddau ar y fatres ryfedd gan barhau i gusanu, a'u cyrff yn cael eu taflu i bob cyfeiriad ar y tonnau. Tynnodd Aron ei grys a syllodd Gwenno ar ei gyhyrau mawrion, chwyslyd. Estynnodd Aron am sip ei thrywsus hithau, cyn iddi dynnu ei law oddi yno'n sydyn.

'Sori,' meddai Gwenno'n frysiog, gan godi ar ei heistedd.

'Mae'n iawn siŵr, does 'im isio i chdi fod yn sori. Fi sy'n mynd â petha rhy sydyn.'

'Na, dim dyna ydi o. Dwi isio ... dwi isio i chdi gario 'mlaen.'

'Be sy 'ta, del?'

'Nyrfys ydw i braidd. Dydw i ddim yn ... brofiadol iawn,' meddai'n dawel.

'Does 'na'm gwahaniaeth am hynny, nag oes. Dim ots gen i faint o ddynion ti wedi bod hefo nhw, siŵr.'

'Dyna'r peth, Aron, dydw i ddim wedi ...'

'Be? Cysgu hefo rywun?'

Ysgydwodd Gwenno ei phen yn llawn cywilydd.

'Ti 'rioed wedi bod hefo neb o'r blaen?' gofynnodd Aron wedyn.

'Naddo.'

Cododd Aron oddi ar y gwely yn sydyn.

'Blydi hel.'

'Ti'n meddwl 'mod i'n od rŵan, dwyt,' meddai Gwenno yn drist. ''Sa well 'swn i heb ddeud dim byd.'

'Paid â bod yn wirion, dydw i ddim yn meddwl bo' chdi'n od, siŵr! Jest wedi'n synnu ydw i. Methu dallt sud nad ydi o wedi digwydd i chdi.'

'Pan dwi 'di bod yn agos i neud rhywbath o'r blaen, dwi 'di bod yn cael traed oer. Dwi 'rioed wedi bod mewn perthynas go iawn, a dwi heb deimlo'n ddigon cyffforddus i ddangos 'y nghorff i neb. Ond hefo chdi … mae o'n teimlo'n iawn, rywsut.'

'Dwi'm isio i chdi neud dim byd nad wyt ti'n gyfforddus hefo fo, Gwenno.'

'Mi ydw i'n gyfforddus, wir i chdi … Ond dydw i ddim yn siŵr iawn be dwi'n neud,' chwarddodd yn nerfus.

Gafaelodd Aron yn ei hwyneb â'i ddwy law a'i chusanu'n dyner. Gorweddodd y ddau yn ôl ar y gwely a thynnodd Aron ei dillad yn ofalus.

'Mi wnes i ddeud wrtha chdi gynna, 'do, Gwenno. Ti'n ddelach nag wyt ti'n feddwl wyt ti, 'sti. A does 'na neb fysa well gen i fod hefo nhw heno na chdi.'

DYDD GWENER, MAWRTH 15, 2019, 5:00 y.p.

'Mi es i yno bore wedyn, 'sti,' meddai Rhys drwy'r twll lleiaf yn ei flanced, a'r gwynt yn chwyrlïo'n oer o'i gwmpas.

'Be, ar ôl dêt Aron?' holodd Glyn, oedd wedi dod o hyd i hen falaclafa ym mherfeddion y cwch.

'Ia. 'Di mynd yno i nôl 'y mocs twŵls o'n i ac mi roedd hi dal yn y gwely. Mi ddoth draw tua deg o'r gloch hefo'r goriad, felly mi gafodd warad ohoni reit sydyn, graduras. Dim ots be ddudi di amdana i 'de, Glyn, wna i byth yrru hogan adra bora wedyn heb gael brecwast iawn.'

'Yr hen romantig,' meddai Glyn gan chwerthin.

'Weithia mi gawn nhw ginio hyd yn oed, os 'dyn nhw'n lwcus. Ond raid i mi fod yn ofalus lle dwi'n mynd â nhw rŵan. Mi roedd un o'r genod es i hefo hi ryw wicend yn fy syrfio i a'r fodan newydd pan es i ar ddêt ddwytha.'

'Ti'm yn meddwl bo'i'n hen bryd i chdi ffeindio cariad rŵan, 'da, Rhys? Ti'm wedi cael llond bol ar fynd o un hogan i'r llall?'

Edrychodd Rhys arno'n ddryslyd cyn dechrau rowlio chwerthin.

'Ti'n gall, 'da? I be ddiawl 'swn i isio cariad? Cwbl maen nhw'n neud ydi nagio. Dwi wrth 'y modd hefo merched, paid â 'nghael i'n rong. Ond mae rhyw ddeuddeg awr ar y tro yn hen ddigon gynna fi. Ti'm yn cofio'r teimlad yna oeddach chdi'n gael pan oeddach chdi'n cychwyn mynd hefo Haf? Yr ecseitment yna fath â pilipalas yn dy fol? Dwi'n cael y teimlad hwnnw bob wicend.'

'Mae 'na rwbath i'w ddeud dros ddisgyn mewn cariad hefyd, 'sti.'

'Ella bo' 'na am chydig flynyddoedd. Ond diflannu mae'r teimlad yna yn diwadd, 'de. Mae bywyd yn mynd yn boring eto ar ôl dipyn, dydi. 'Dach chi'n symud i mewn hefo'ch gilydd, a ti'n poeni mwy am dalu bilia na thalu am nosweithia allan.'

'That's life.'

'Wel dydi o ddim i fi, sori.'

'Ti'n meddwl y gwneith Aron a Beca roi go arni?' gofynnodd Glyn wedyn.

'Mi fydd hi'n anodd ar y diawl iddyn nhw neud dim a fynta'n jêl, bydd. A dydi Beca ddim yn fy nharo i fath â rywun 'sa'n aros o gwmpas rywsut.'

'Ella y bysa hi iddo fo.'

'Wel, os fysa gynni hi gymaint o feddwl â hynny ohono fo mi fysa wedi gadael Gruffydd ers talwm, bysa. Ella bysa'r cradur dal yn fyw 'sa hi ddim wedi bod mor hunanol.'

'Ti'n iawn yn fanna.'

'Beca Davies, hogan ddela Ysgol Aberysgo. A'r benna am achosi trwbl!'

Chwarddodd Glyn a neidio ar ei draed i gynhesu. Syllodd i gyfeiriad y marina a sylwodd ar olau bach melyn yn nesáu tuag atynt.

'Hei, Rhys! Dwi'n meddwl bod 'na gwch yn dod ffor'ma! Tania un o'r fflêrs 'na i dynnu sylw!'

Estynnodd Rhys am ei leitar yn sydyn gan ollwng y fflamau coch, llachar i'r awyr. Fflachiodd y golau bach yn ei ôl arnynt.

'Hale-blydi-liwia!' gwaeddodd Glyn. ''Dan ni wedi'n hachub!'

'Diolch i'r nefoedd,' chwarddodd Rhys. 'Doedd gen i ddim stumog i dy fyta di.'

DYDD SUL, EBRILL 8, 2018

'Gwenno? Gwenno? Ti wedi deffro?'

Agorodd Gwenno ei llygaid yn araf i weld Aron yn eistedd ar erchwyn y gwely a phaned yn ei law.

'Bora da,' meddai wrthi gan wenu.

'Bora da,' meddai hithau, gan rwbio cwsg o'i llygaid.

'Dwi 'di gneud panad i chdi. Do'n i'm yn gwbod os oeddach chdi'n cymryd siwgr 'ta be.'

'Fel mae o'n dod, diolch i chdi.'

'Mi roedd neithiwr yn hwyl, doedd,' meddai Aron yn nerfus.

'Oedd, mi roedd o,' meddai hithau'n swil, gan sipian ei phaned.

'Fuo jest iawn i Rhys gerddad i mewn arnan ni gynna.'

'Ro'n i'n meddwl 'mod i wedi clywed lleisia. Mi ro'n i'n hanner cysgu, mae'n siŵr.'

'Wedi dod i nôl ryw focs tŵls oedd o, medda fo, ond mi ges i warad ohono fo reit handi.'

'Lwcus.'

'Does yna ddim brys o gwbl i chdi fynd, ocê? Newidia di ar ôl dy banad.'

'O reit, ocê,' meddai hithau'n annisgwyl. 'Oedd gen ti blania heddiw? Ella medrwn ni fynd i chwilio am ginio i rwla yn munud?'

'Wsti be, Gwenno,' meddai'n nerfus, "swn i wrth fy modd ond mi rydw i wedi gaddo i Jôs y byswn i'n mynd lawr i'r gweithdy i neud rywfaint o waith heddiw. Gafon ni ordor mawr o bartia i mewn ddoe, felly mae isio mynd drwy'r rheini i gyd cyn bora fory.'

'Na, mae'n iawn siŵr,' meddai'n siomedig. 'Jest syniad oedd o.'

'Mi drefnwn ni rwbath eto yn fuan, ia?'

'Does 'im raid i chdi'n hiwmro i, 'sti,' meddai Gwenno'n flin.

'Be ti'n feddwl?'

'Os ti'm isio 'ngweld i eto fedri di jest deud, 'sti. Dwi'n hogan fawr, fedra i ei handlo fo.'

'Dwi 'di deud 'mod i am dy weld di eto a dwi'n ei feddwl o, ocê?'

'A lle ti am fynd â fi tro nesa? Ella bo' 'na ryw ogof dywyll yn rwla i ni gael picnic.'

'Argol fawr, ti'n anodd dy blesio 'de,' chwarddodd Aron.

'Bydd yn onast rŵan. Yr unig reswm ddoist ti â fi ar y cwch 'ma oedd am dy fod di'n gwbod na fysa neb arall yn ein gweld ni.'

'Ella bod 'na rom bach o hynny yni hi ar y dechra, mi 'na i gyfadda. Ond mi ro'n i hefyd yn gwbod, fel mae Rhys yn licio'n atgoffa ni bob dydd Sul, fod genod wrth eu bodda yn cael dod yma. Ac mi ro'n i'n meddwl y bysa chdi'n licio yma hefyd … A dydi cael llonydd ddim yn ddrwg i gyd bob tro, nadi. 'San ni'm 'di gallu gneud be nathon ni neithiwr yn y Caban Cimwch, na 'san.'

Winciodd Aron arni a chwarddodd hithau.

'Ond os na dyna fysa chdi'n licio, mi a' i â chdi i fanno tro nesa os lici di. Dêt go iawn.'

'Ti o ddifri?'

'Yndw siŵr. Be am i ni gyfarfod yno nos Sadwrn nesa tua saith o'r gloch? Mi drefna i'r cwbl.'

'Ocê,' meddai wedi cynhyrfu.

'A dwi'n gaddo na fydd raid i chdi fyta macrall yno,' chwarddodd Aron.

'Mi roedd y wylan yn meddwl ei bod hi'n flasus iawn,' chwarddodd hithau.

'Oedd, y jadan fach! Newidia di 'ta, del, ac mi a' i â chdi adra.'

Brysiodd Gwenno i roi ei dillad amdani cyn i Aron weld ei chorff yng ngolau dydd, a rhedodd drwy'r glaw at y fan.

DYDD LLUN, MAI 13, 2019, 9:30 y.b.

Chwydodd Beca yn y toiled am yr eildro'r bore hwnnw, cyn codi oddi ar ei phengliniau a sticio ei cheg o dan y tap. Cymerodd gipolwg arni hi ei hun yn y drych bach uwch ei phen. Roedd hi'n edrych fel drychiolaeth. Roedd ei gwallt taclus wedi daffod yn gudynnau chwyslyd o amgylch ei bochau llwydion, a'i masgara wedi dechrau rhedeg yn ddwy afon ddu o gonglau ei llygaid. Tynnodd ei gwallt yn rhydd a tharo brwsh drwyddo'n sydyn, cyn sychu ei llygaid â darn o bapur toiled. Roedd hi'n siŵr ei bod wedi colli pwysau dros y ddau fis diwethaf yma. Roedd ei gruddiau wedi suddo i'w cheg gan wneud iddi edrych fel pe bai'n sugno lemon yn barhaol, a'i hysgwyddau yn fwy esgyrnog nag arfer. Roedd yn taflu i fyny o leiaf ddwywaith y dydd yn ddi-ffael, oedd yn ei gwneud hyd yn oed yn anoddach iddi guddio'r gyfrinach rhag ei rhieni. Roedd y ddau wedi mynd yn bryderus iawn amdani'n ddiweddar ac yn poeni fod holl bwysau'r achos llys yn ei gwneud yn sâl. Ond cuddio'r bol oedd y dasg fwyaf ohonynt i gyd. Doedd yna ddim amdani bellach ond gwisgo topiau hir a gadael botwm ei thrywsus ar agor oddi tano. Byddai rhaid i'r cyfan ddod allan ymhen hir a hwyr, wrth gwrs. Ond am rŵan, er lles pawb, gwyddai mai cadw'n dawel oedd orau.

'Ti'n iawn yn fanna, Beca bach?' gwaeddodd ei mam drwy ddrws yr ystafell ymolchi.

'Ydw. Dwi'n dod allan rŵan,' meddai, gan dynnu'r tsiaen yn sydyn.

'Dyna'r eildro i ti fod yn y bathrwm yn yr awr ddwytha yma.'

''Dach chi'n fy amseru i rŵan,' meddai'n flin, gan agor y drws yn araf.

'Poeni amdana chdi ydw i, ynde,' meddai gan roi ei breichiau amdani. 'Mi rwyt ti'n llwyd, Beca. Ti wedi mynd yn dena ac yn ddi-ffrwt. Ti'n edrach yn waeth nag arfer y bore 'ma, a deud y gwir wrthat ti.'

'O, diolch yn fawr iawn i chi,' meddai'n goeglyd, gan dynnu ei hun o'i gafael.

'Wyt ti'n sâl?'

'Nadw, dwi'm yn sâl! Poeni ydw i am yr achos llys 'ma, 'de. 'Dach chi'n gwbod sud mae rhywun pan maen nhw'n mynd yn nyrfys. Mae o 'di bod yn chwarae hafoc hefo 'nhu mewn i drwy'r bora.'

'A does 'na'm byd arall yn dy boeni di?'

'Nag oes, Mam. Rŵan 'ta, gawn ni gychwyn am y lle 'na plis ne chyrhaeddwn ni byth.'

'Jest aros i dy dad ddod yn ôl o'r siop. Mi 'nes i ei yrru o yno gynna i nôl lwcosêd i chdi a phacad arall o hancesi.'

'Dwi'm isio lwcosêd.'

'Mi yfith dy dad o felly.'

Aeth y ddwy i eistedd ar y soffa gan syllu ar y

cloc mawr ar y wal a gwrando ar ei dic-tocian hypnotig.

'Does 'im isio i chdi fod yn nerfus, Beca,' meddai ei mam ymhen hir a hwyr. 'Mi rydan ni wedi bod yn disgwyl am yr achos 'ma ers misoedd rŵan, yn do. Mi fydd y cwbl drosodd mewn dim ac mi geith yr hen sglyfath Aron 'na fynd i jêl lle mae o fod.'

'Sawl tro sydd raid i mi ddeud wrthach chi, Mam? Dim fo wnaeth! Mi rydw i'n trio deud wrth bawb a does 'na neb yn gwrando arna i.'

'Fo oedd dy gariad cynta di, Beca, dwi'n dallt hynny, wir i chdi. Mi rwyt ti'n mynd i fod isio cadw'i bart o … Dydi rhywun byth yn anghofio'u cariad cynta.'

'Siarad o brofiad?' meddai Beca dan ei gwynt.

'Be?'

'Dwi'n gwbod am Mr Winston, chi, Mam,' meddai'n ddigyffro. 'Hwnnw oedd yn arfar dod acw i ddarllan y mitar ers talwm. Dwi'n gwbod ers pan o'n i'n hogan fach … Mi roedd o'n yr ysgol hefo chi, doedd?'

'Dwn i'm am be ti'n sôn,' meddai hithau gan gochi.

'Ella 'mod i'n ddiniwad ond do'n i ddim yn fyddar, chi. Mi ro'n i'n arfar ista ar y grisia 'na yn gwrando arnach chi a Dad yn sibrwd gweiddi pan o'n i fod yn 'y ngwely. Oeddach chi'n gwbod hynna? … A dwi'n gwbod na mynd i aros at Anti Doris nath Dad am y bythefnos yna pan oedd o i fod yn Lerpwl ar drip busnas. Welis i o yn mynd heibio ar y bỳs wyth i'w waith ryw fora.'

'Blip bach oedd hynna, dyna'r cwbl,' meddai ei mam yn llawn cywilydd. 'Mi ddoth yn ei ôl a 'dan ni

251

erioed wedi bod mor hapus ... Mae pob cwpl yn mynd drwy gyfnoda anodd, Beca. Rhai anoddach na'i gilydd ella. Ond os 'dach chi'n caru'ch gilydd go iawn mi ddowch chi drwyddi.'

"Dach chi'n caru Dad?'

'Yndw siŵr! Fo ydi'r unig ddyn dwi wedi'i garu erioed. Ac mae o'n fy ngharu inna ... Dwi'n gwbod mai hogan Dad wyt ti wedi bod erioed. Ond plis paid â dal yr hen gamgymeriad gwirion yna yn fy erbyn i. Mae gen inna feddwl y byd ohona chdi hefyd.'

'Dwi'n mynd i witsiad yn y car,' meddai Beca'n dawel.

Cerddodd allan drwy'r drws a mynd i eistedd yn sedd ôl y Volvo. Cnociodd ei thad ar y ffenest ymhen dim ac agorodd hithau'r drws.

'Dy fam yn deud bo' chdi isio lwcosêd,' meddai'n ffeind.

'Dwi'm yn licio lwcosêd, Dad.'

'Mi yfa i o felly,' meddai, gan agor y caead a'i lowcio. 'Mi ddois i â sosej rôl i chdi hefyd rhag ofn bo' chdi'n llwglyd.'

Hwrjodd ei thad y snac pinc, drewllyd iddi a theimlodd gyfog yn codi unwaith eto. Brysiodd allan o'r car a chwydu yng nghanol *hydrangeas* ei mam.

'Wya oedd yn effeithio ar dy fam,' meddai ei thad gan rwbio'i chefn yn dyner. 'Rheini a becyn. Ches i'm brecwast wedi'i ffrio am naw mis.'

Cododd Beca ei phen yn araf a syllu ar ei thad mewn sobrwydd. Cynigiodd yntau hances iddi o'i boced.

''Dach chi'n gwbod?' meddai Beca gan sychu ei cheg.

'Ydw siŵr. Mae tada yn gallu synhwyro'r petha 'ma, 'sti.'

'Ydi Mam yn gwbod?'

'Nadi, dim eto beth bynnag ... Rŵan 'ta, deud i mi, Beca bach. Ai babi Gruffydd ydi hwn? 'Ta'r hogyn 'ma ti wedi bod yn mynd i'w weld gyda'r nosa sy'n gyfrifol?'

'Dwi'm yn gwbod,' meddai drwy ei dagrau.

'Dim isio i chdi fynd i ypsetio,' meddai ei thad, gan roi ei freichiau amdani.

'Fuo Gruffydd a fi ddim yn trio am fisoedd. Ond mi roedd petha wedi bod yn gwella rhyngthan ni cyn iddo fo farw. Felly mae 'na bosibilrwydd mai ei fabi o ydi o.'

'Wel 'na fo felly, ynde.'

'Be 'dach chi'n feddwl?'

'Wel os oes 'na siawns mai babi Gruffydd ydi o, does yna ddim rhaid i ti fynd i gyboli hefo'r hogyn arall 'ma, nag oes. Fydd neb ddim callach.'

''Di petha ddim mor hawdd â hynny, Dad.'

'Pam?'

Fel yr oedd Beca ar fin cyfaddef y cwbl, rhuthrodd ei mam drwy ddrws y tŷ.

'Pam na ddest ti i ddeud dy fod di'n ôl, John?' gofynnodd Glenda wedi cynhyrfu. 'Dewch, pawb i'r car rŵan neu mi fyddan nhw wedi cychwyn hebddan ni.'

Cyn i Beca fynd yn ôl i'r car, gafaelodd ei thad yn ei braich yn slei bach.

'Mi siaradwn ni wedyn,' meddai'n dawel, cyn mynd i eistedd yn sedd y gyrrwr a chychwyn yr injan.

'Damia!'

Pinsiodd Glyn ei fys wrth agor y bwrdd smwddio a dawnsiodd o amgylch y gegin yn ei drôns. Gosododd ei grys glân yn ofalus arno a throi'r hetar ymlaen. Doedd ond wedi bod wrthi am funud neu ddau pan sylwodd ar y marciau brown roedd y teclyn yn eu gadael ar ei ôl. Astudiodd yr hetar yn agosach a sylwi ei fod ar y *setting* uchaf, a'r crys gwyn wedi deifio i gyd.

'Damia, damia, damia!' bloeddiodd, gan gythru am y grisiau. Fel yr oedd ar fin rhuthro am y llofft, pwy ddaeth drwy'r drws ond Haf.

'Ti byth yn barod?' meddai Haf wrtho'n dawel.

'Creisis hefo'r crys,' meddai Glyn mewn sioc.

'Mae gen ti un newydd ar ben y wardrob brynais i i ti ar sêl ha' dwytha.'

'Oes?'

'Mi a' i i'w nôl o a'i smwddio'n sydyn i ti. Dos di i siafio neu fyddwn ni'n hwyr.'

'Ti'n dod hefo fi?' gofynnodd Glyn wedi cynhyrfu.

'Fedrwn i ddim cysgu neithiwr yn meddwl amdana chdi yn mynd i'r cwrt 'na ar dy ben dy hun.'

'Ydi hyn yn golygu bo' chdi'n ...'

'Paid â darllan gormod i betha,' meddai hithau gan dorri ar ei draws. 'Dwi'm isio i chdi godi dy obeithion ... Ond mae pawb angen ffrind, does.'

'Oes,' meddai yntau'n dawel.

Brasgamodd Glyn heibio iddi, cyn troi ar ei sawdl a phlannu cusan anferth ar ei boch.

'Diolch,' meddai cyn rhedeg yn ei ôl am yr ystafell ymolchi.

'Evans!' bloeddiodd y swyddog gan waldio ar ddrws y gell. '*Van's ready for you.*'

'*Ok, thank you.*'

Sythodd Aron ei dei a rhoi ei gôt amdano.

'*Good luck* 'de, mêt,' meddai Dave, oedd a'i ben yng nghrombil cylchgrawn *GQ*.

'Diolch, boi,' meddai Aron yn nerfus.

'Ti'n gwbod pwy 'di'r *prosecutor*?'

'Ryw Elin Williams, dwi'n meddwl.'

Gwingodd Dave mewn cydymdeimlad.

'Be? 'Di hi'n un galad?' gofynnodd Aron wedi dychryn.

'Na, fyddi di'n iawn 'sti, mêt,' meddai yntau'n ansicr. '*Sweet talkia* hi a fyddi di rêl boi. Dwyt ti ddim yn *guilty*, nag wyt, 'lly o leia ti'm yn gorfod poeni am ddeud clwydda.'

'Nadw, ma'n siŵr.'

'Fydd dy misus di yna?'

'Bydd,' meddai, gan sylwi ar eironi'r cwestiwn. 'Sgynni hi'm dewis.'

'*That's the spirit*,' meddai Dave gan chwerthin. 'Mi roedd y bois yn deud bo' nhw 'di'i gweld hi yn un o'r sesiyna fisitio. Uffar o din gynni hi.'

'Oi!'

'Sori, boi, jest deud be o'n i 'di'i glywad. 'Di hi'n dipyn o lwcar felly, yndi?'

'Ydi. Rhy dda i fi o lawar. Pob lwc i chdi hefyd, 'de. Ti'n gweld dy dwrna heddiw, wyt?'

'Diolch, boi. Yndw. Mae Janine wedi deffro o'r coma, 'lly mae petha'n edrach yn well nag oeddan nhw.'

Nodiodd Aron gan wenu'n nerfus. Clywodd y ddau'r sŵn janglio goriadau cyfarwydd y tu allan ac agorodd drws y gell yn sydyn.

'*Are you ready?*' gofynnodd y swyddog yn frysiog.

'*Yes,*' atebodd Aron.

'*Let's go then, Evans. Chop chop. I haven't got all day.*'

Cododd Dave ei law ac aeth yn ôl i astudio'i gylchgrawn.

'Gymi di rwbath arall i'w fyta, washi?'

Stwffiodd Rhys ei bedwaredd selsigen i'w geg cyn gosod ei gyllell a fforc yn ôl ar y plât yn daclus.

'Na, dim diolch, Mam,' meddai â llond ei geg. 'Dwi'n llawn at y top.'

'Rŵan, ti'n siŵr bo' chdi ddim isio i mi ddod hefo chdi heddiw?' gofynnodd, gan dynnu ei ffedog gomig â llun dynes mewn dillad isa arni.

'Dwi'n ddiolchgar iawn bo' chi wedi cynnig, Mam, wir i chi. Ond 'sa well gen i i chi beidio 'ngweld i yn y doc 'na eto.'

'Os na dyna ti isio,' meddai, gan roi cusan iddo ar ei dalcen.

'Treial byr fydd o, chi, gewch chi weld.'

'Gobeithio wir,' meddai, a'i llais yn crynu.

'Dwi'n mynd i'r cwrt 'na heddiw yn gwbod nad ydw

i ddim wedi gneud dim byd o'i le. Teimlad newydd i fi.'

'Wel gobeithio mai felly y gwelith y rheithgor bethau hefyd, ynde … Wnaeth dy dad gysylltu?'

'Ges i decst gynno fo neithiwr yn deud pob lwc. Yn Berlin mae o ar ryw *stag do*. Rhy ddrud i ffonio, medda fo.'

'Y diawl crintachlyd,' meddai hithau'n flin.

'Mae'n ocê, Mam. Dwi'n gwbod bo' chi yma i fi, dim ots gen i am neb arall.'

Cododd Rhys ar ei draed a'i chofleidio. 'Diolch am bob dim, Mam. Sori am eich siomi chi eto.'

'Hei, does gen ti ddim byd i fod yn sori amdano fo, ti'n 'y nghlywad i? Rŵan dos di i'r cwrt 'na a dangos iddyn nhw cymaint o seren wyt ti!'

Gwenodd Rhys arni, a sychodd hithau'r diferion sos coch oddi ar ei ên.

''Dach chi'n barod, Mrs J?' meddai Dewi.

'Ydw,' gwaeddodd Jean o'r gegin, gan gau caead y fflasg a rhoi dwy gwpan tsieina yn ei basged bicnic.

'Argol, be 'di'r holl betha 'ma, Mrs J? I cwrt 'dan ni'n mynd, chi, dim i weld nain yr Hugan Fach Goch.'

'Wedi gneud cinio bach i ni ydw i, rwbath i'n cadw ni i fynd yn ystod y dydd.'

'Dwi'm yn meddwl 'nawn nhw adael i chi fyta yn y cwrt, chi.'

'Mi gawn ni ei adael o yn y car felly, cawn.'

''Swn i wedi prynu cinio i chi, siŵr.'

'I be awn ni i wario, ynde? Siŵr bo' nhw'n codi

ffortiwn yn y caffi 'na. A Duw a ŵyr am faint o ddiwrnodia y byddwn ni yno.'

'Cyflyma'n byd, gora'n byd,' meddai Dewi, gan deimlo ei fol yn troi unwaith eto. 'Glywsoch chi rwbath gan Beca wedyn?'

'Naddo. Mi ganodd y ffôn ddwywaith dair neithiwr ond mi benderfynais i beidio ei ateb o. Doedd gen i ddim owns o fynadd mynd i rwdlan hefo neb.'

'Mi fydd raid i chi siarad hefo hi ryw ben, bydd.'

'I be, 'da?'

'Be bynnag ydi canlyniad yr achos 'ma, allwch chi ddim gneud hyn ar eich pen eich hun, Jean. Beca ydi'r unig un sydd ag unrhyw syniad be 'dach chi'n mynd drwyddo fo.'

'Wsti be, Dewi? Dwi'm yn meddwl 'mod i 'rioed wedi dy glywed di yn 'y ngalw i'n Jean o'r blaen.'

'Wel 'dach chi'n gwbod 'mod i'n *serious* felly, dydach,' meddai gan chwerthin. 'Well bo' chi'n gwrando arna i. Rŵan dowch am y car 'na reit handi.'

Gafaelodd Dewi yn y fasged bicnic a chlodd Jean y drws ar eu hôl.

'O ran diddordeb, be sydd ar y brechdana 'ma?' holodd Dewi yn farus.

'Sbarion porc, stwffin a saws afal ar ôl ddoe ... Mae 'na botia bach o dreiffl i mewn yna yn rwla hefyd.'

Ac allai Dewi feddwl am ddim byd arall yr holl ffordd i'r llys.

Sipiodd Aron gegiad arall o ddŵr yn grynedig ac edrychodd ar Elin Williams, oedd heb dynnu ei llygaid oddi arno.

'Mi ofynna i'r cwestiwn i chi eto, Mr Evans. Os nad oeddech chi wedi gwneud unrhyw beth o'i le, pam eich bod chi wedi mynd yn ôl i'r clwb rygbi'r bore canlynol i nôl dillad Gruffydd Jones?'

'Mi 'nes i banicio,' meddai, gan glirio'i wddw. 'Pan glywais i ei fod o wedi marw mi 'nes i feddwl yn syth am be oeddan ni wedi'i neud iddo fo'r noson cynt. Mi ro'n i'n poeni be fysa'n digwydd i ni 'sa rywun yn ffeindio allan am y dêr.'

'A ia, y dêr yma rydan ni wedi bod yn clywad cymaint o sôn amdano fo. Beth am i chi atgoffa'r rheithgor unwaith eto, Mr Evans, be yn union wnaethoch chi i Gruffydd Jones y noson honno?'

Sylwodd Aron ar y rheithgor drwy gil ei lygaid, ond doedd fiw iddo edrych ar eu hwynebau.

'Mi roeddan ni wedi gneud ryw goncocshiyn afiach iddo fo i'w yfad, ond mi roedd o'n gwrthod gneud. Felly mi wnaethon ni iddo fo dynnu ei ddillad a gneud laps rownd y cae. A tra oedd o ym mhen pella'r cae mi

259

redon ni i'r dafarn o'i flaen o a chloi ei ddillad o yn y stafell newid.'

'"Ni" ddudoch chi yn fanna, Mr Evans? Pwy yn union ddywedodd wrth Gruffydd am dynnu ei ddillad?'

Gwyrodd Aron ei ben gan deimlo'r chwys yn llifo i lawr ei war.

'Wel yn rhyfedd iawn, Aron, mae pob un wan jac o'ch cyd-chwaraewyr chi yn cofio. A wyddoch chi pwy ddywedon nhw oedd wedi rhoi'r dêr yma i Gruffydd? Chi.'

'Ond wnaeth neb arall wrthwynebu,' meddai'n sydyn.

'Ond chi wnaeth y gorchymyn yna, ynde, Aron. Eich syniad chi oedd o. A chi hefyd, meddai rhai, berswadiodd bawb i'w adael o yno.'

'Dim fy syniad i oedd hynny!' meddai gan godi ei lais.

'Nage?'

'Nage.'

'Ond mi roeddech chi wedi sôn eich bod chi am fynd yn ôl yno wedyn i wneud yn siŵr ei fod o'n iawn. Aethoch chi?'

'Naddo.'

'Pam? Mi wnaeth Glyn Owen yn fan hyn gynnig mynd yn ei ôl, ond mi roeddech chi yn benderfynol o fynd eich hun, medda fo.'

Edrychodd Aron ar ei gyfaill oedd yn eistedd gyferbyn ag o, ond ni chododd hwnnw ei ben.

'Mi ro'n i wedi meddwi, do'n,' meddai Aron. 'Mi 'nes i jest anghofio amdano fo.'

'Ynteu wnaethoch chi ei adael yno yn fwriadol?'

'Naddo! 'Swn i'n gwbod bod o mor chwil 'swn i byth wedi mynd a'i adael o ar ei ben ei hun. 'Swn i byth wedi gneud iddo fo neud y dêr gwirion 'na yn y lle cynta.'

'A dyna ddiwedd ar fy nghwestiynu i am rŵan, Eich Anrhydedd.'

Ysgydwodd Aron ei ben ar ôl sylweddoli beth yr oedd newydd ei ddweud.

'Oes gennych chi unrhyw gwestiynau pellach, Mr Jenkins?' gofynnodd y barnwr. Cododd y bargyfreithiwr ar ei draed a gwenodd ar ei gleient.

'Pryd oedd y tro cyntaf i chi fod mewn trwbl hefo'r heddlu, Mr Evans?'

'Dydw i erioed wedi bod mewn trwbl hefo'r heddlu o'r blaen. Dyma'r tro cyntaf.'

'Dwedwch wrtha i ac wrth y rheithgor yma, Mr Evans, be oedd yn mynd drwy'ch meddwl chi'r noson honno pan roddodd y tîm y dêr yna i Gruffydd Jones?'

'Dim ond hwyl diniwad oedd o. Mae pawb yn cael ryw dasga gwirion i'w gneud pan maen nhw'n ymuno hefo'r tîm rygbi. Doedd o ddim y peth calla i'w neud ym mis Ionawr, dwi'n dallt hynny'n iawn. Ond doeddan ni ddim wedi bwriadu'i frifo fo, raid i chi 'nghoelio i.'

'Faint oeddech chi wedi ei yfed y noson honno, Mr Evans?'

'Ryw chwech neu saith beint ella. Dwi'm yn cofio'n iawn.'

'Fyddech chi'n dweud eich bod chi wedi meddwi

gormod i sylweddoli yn hollol beth oeddech chi yn ei wneud?'

'Byswn.'

'Dyna ddiwedd ar fy nghwestiynu innau am rŵan, Eich Anrhydedd.'

'Diolch yn fawr i chi'ch dau,' meddai'r barnwr. 'Mi gewch chi eistedd, Mr Evans.'

Diolchodd Aron i'r nefoedd fod y gwahoddiad wedi dod gan fod ei goesau ar fin rhoi oddi tano. Edrychodd y barnwr ar gloc y llys.

'Mi gawn ni egwyl am dipyn bach rŵan, dwi'n meddwl,' meddai. 'Mi wnawn ni ailgychwyn mewn hanner awr am dri o'r gloch.'

Deffrodd y galeri yn don swnllyd unwaith eto.

'Rhy chwil wir!' wfftiodd Jean. 'Dydi bod yn feddw ddim yn esgusodi'r hyn wnaeth o.'

'Wn i, Mrs J,' meddai Dewi. 'Dewch, awn ni allan i gael awyr iach, ia?'

Brysiodd y ddau am y drws.

'Rhyfedd nad ydi Jean wedi dod atan ni i siarad,' meddai Glenda.

'Dydi hi ddim yn hi'i hun, nadi,' meddai Beca yn nerfus. 'Well ganddi fod ar ei phen ei hun, chi.'

'Gwas priodas Gruffydd sydd hefo hi?'

'Ia, Dewi, ei ffrind gora fo.'

'Rhyfadd nad ydan ni wedi dy glywed di'n sôn mwy amdano fo.'

'Doedd o mond yn ei weld o'n achlysurol,' meddai Beca'n euog. 'Dewch am allan, wir. Dwi isio pi-pi.'

Brysiodd Beca am y lle chwech, ac yno yn y ciw o'i

blaen roedd Haf. Gwenodd y ddwy ar ei gilydd yn chwithig.

'Sud wyt ti, Beca?' gofynnodd Haf yn dawel.

'Dwi'n ocê 'sti, diolch.'

'Gwranda, Beca. Doedd gen i ddim syniad be oedd wedi mynd ymlaen y noson honno. 'Swn i'n gwbod … wel 'swn i ddim wedi ei gadw o i fi'n hun. Mae'n ddrwg iawn gen i am be ddigwyddodd i Gruffydd.'

'Does 'na ddim bai arna chdi, nag oes. Dwi'n siŵr ei fod o'n anodd arna chditha hefyd, gweld Glyn yn eistedd yn y doc 'na.'

Nodiodd Haf.

'Dwi'n gwbod na fysa Glyn wedi gneud dim byd i frifo Gruffydd,' meddai Beca.

'Diolch. Mae clywad hynna yn golygu lot, wir i chdi.'

Daeth rhywun o'r ciwbicl ac edrychodd Beca ar Haf yn obeithiol a'i phledren yn llawn.

'Dos di o 'mlaen i os ti isio,' meddai Haf.

'Ti'n siŵr?'

'Yndw tad. Ti weld yn fwy desbret na fi,' chwarddodd.

'Diolch, Haf. Dwi'n pi-pi bob munud wedi mynd.'

Brysiodd Beca i'r toiled a chau'r drws ar ei hôl, a phendronodd Haf am yr hyn roedd Beca newydd ei ddweud, cyn plethu ei choesau ychydig yn dynnach.

Cerddodd Beca yn ôl i gyfeiriad y llys a sylwodd ar ei mam yn loetran wrth y drws. Trodd ar ei sawdl a phenderfynu mynd allan am awyr iach. Eisteddodd ar y wal y tu allan i'r brif fynedfa ac estynnodd ei ffôn o'i phoced ... Neges gan Gwenno yn dymuno'n dda iddi ... Gwenodd, a gyrrodd galon fechan yn ei hôl iddi ...

'Beca!'

Trodd ei phen i weld Dewi yn ymlwybro tuag ati. Grêt, doedd ganddi ddim amynedd i fwydro hefo'r clown hwnnw o bawb.

'Cael awyr iach wyt ti?' gofynnodd Dewi yn chwithig.

'Ia.'

'Mae'n boeth yn y cwrt 'na, dydi.'

'Ydi,' meddai hithau'n swta.

'Gwranda, o'n i'n meddwl y bysa chdi'n licio gwbod ...'

'Bo' Jean yn gwbod am y babi?' meddai gan dorri ar ei draws. 'Dwi'n gwbod, Dewi. Diolch yn fawr iawn i chdi am honna. Mi roedd o'n goron ar ddiwrnod cwbl shit.'

'O ia, sori am hynna,' meddai, gan grafu ei ben yn nerfus. 'Dim dyna o'n i isio ddeud wrtha chdi chwaith.'

'O?'

'Dwi'n gwbod am yr affêr.'

'Be?!' bloeddiodd Beca.

'Dwi'n gwbod ers misoedd, a deud y gwir wrtha chdi.'

'Sut?'

'Gruffydd ddudodd wrtha i.'

'Mi roedd Gruffydd yn gwbod?!'

'Mi welodd o negas ar dy ffôn di ryw noson. Ddoth 'na'm enw i fyny. Mi roeddach chdi wedi deud wrth Gruffydd dy fod di wedi bod yn gweld un o dy ffrindia a'r boi 'ma yn deud pa mor dda oedd eich noson chi wedi bod.'

'Dwi'm yn coelio hyn! Pam ddiawl na ddudodd o ddim byd wrtha i?'

'Achos nad oedd o isio dy golli di. Dyna pam o'n i'n meddwl y dylia chdi gael gwbod. Mi roedd o wedi madda'r cwbl, Beca. Doedd o ddim am feiddio codi'r peth hefo chdi rhag ofn iddo fo ddifetha petha ... Mi roedd o hyd yn oed yn iawn am y babi.'

'Be ti'n feddwl?' gofynnodd hithau'n amddiffynnol.

'Dwi'n gwbod eich bod chi wedi bod yn cael ... problema,' meddai, gan bwyntio at ei bol. 'Mi roedd o wedi mynd i amau ers tro nad y fo oedd tad y babi nest ti'i golli. Ond mi fysa wedi madda bob dim er mwyn cael teulu hefo chdi.'

'O, Gruffydd bach,' meddai'n dawel. 'Mi roedd o'n haeddu gwell na fi, doedd?'

'Oedd, mi roedd o,' meddai Dewi'n ddiflewyn-ar-dafod. 'Ac mi 'nes i'w atgoffa fo o'r ffaith yna dro ar ôl tro. Ond mi roedd o'n dy garu di. Dwi'n gwbod nad ydan ni wedi gweld lygad yn llygad bob tro, ond mi ro'n i'n meddwl dy fod ti'n haeddu cael gwbod hynny.'

Dechreuodd Dewi gerdded yn ei ôl at ei gar.

'Sud mae Jean?' gofynnodd Beca ar ei ôl.

'Iawn 'de.'

'Dal yn flin hefo fi, mae'n siŵr.'

'Uffernol,' meddai Dewi, gan biffian chwerthin.

'Dydi hi byth yn mynd i anghofio am hyn, nadi?'

'Ella bo' Gruffydd yn debycach i'w fam na ti'n feddwl,' meddai gan wincio.

Gwenodd Beca arno.

'Diolch, Dewi,' meddai'n amharod.

Cododd Dewi ei law arni mewn dealltwriaeth. Canodd y gloch yn y fynedfa ac ymlwybrodd pawb yn ôl i'w seti.

DYDD LLUN, MAI 13, 2019, 3:00 y.p.

Cliriodd Geoff ei wddw gan geisio'i orau i beidio edrych i gyfeiriad y tri llanc yn y doc.

Gwenodd Elin Williams arno.

'Mr King, wnewch chi ddweud wrth y rheithgor beth ydi eich gwaith o ddydd i ddydd?'

'Fi sydd yn rhedeg y bar yn y clwb rygbi yn Aberysgo.'

'Ac ydach chi'n adnabod y tri yma?' gofynnodd, gan bwyntio at y tri diffynnydd.

'Ydw,' meddai'n nerfus.

'A sut ydach chi'n eu hadnabod nhw?'

'Maen nhw'n chwarae i'r tîm cyntaf.'

'Fyddech chi'n dweud eich bod chi'n eu hadnabod nhw'n dda?'

'Byswn,' meddai'n ansicr. 'Maen nhw'n chwarae i'r clwb ers pan oeddan nhw'n ddim o bethau.'

'Ydyn nhw'n dod i'r bar yn gyson felly?'

'Ydyn. Maen nhw'n dueddol o ddod i gael peint neu ddau ar ôl bod yn ymarfer ar nos Wener.'

'Wela i.'

'A ddaethon nhw i'r bar nos Wener yr 11eg o Ionawr?'

'Y noson fuodd yr hogyn ifanc farw?'

Nodiodd y bargyfreithiwr.

'Oeddan. Mi roeddan nhw yno.'

'Allwch chi gofio sut awyrgylch oedd yna'r noson honno?'

'Mi roedd pawb i weld mewn hwyliau da. Dipyn o dynnu coes, ond dim byd yn wahanol i'r arfer.'

'Tynnu coes?'

'Ia, ryw alw enwau ar ei gilydd a dweud jôcs. Dim byd annifyr o'r hyn welwn i beth bynnag.'

'Oedden nhw'n tynnu coes Gruffydd Jones, yr hogyn newydd?'

'Oeddan.'

'Oedd yna rywun yn arbennig oedd i weld yn tynnu coes?'

Oedodd am eiliad cyn ateb.

'Mi roedd llais Aron i'w glywed reit uchel,' meddai'n nerfus. 'Ond fo ydi'r capten, ynde.'

'Ia yn wir, fo ydi'r capten,' meddai Elin Williams gan wenu.

'Oeddech chi'n gweld dipyn ar Beca Jones, gweddw Gruffydd Jones, yn y clwb rygbi?'

'Gwrthwynebiad, Eich Anrhydedd!' bloeddiodd bargyfreithiwr yr amddiffyniad ar ei thraws.

'A beth yw eich sail, Mr Jenkins?'

'Alla i ddim gweld pam fod holi am weddw'r dioddefwr yn berthnasol i'r cwestiynu yma. Wedi'r cyfan, doedd hi ddim yn bresennol ar y noson o dan sylw.'

'Anghytunaf. Parhewch, Mrs Williams.'

'Diolch, Eich Anrhydedd. Mi wna i ofyn y cwestiwn

yna eto, Mr King. Oedd Beca Jones yn galw heibio'n aml?'

'Mi roeddwn i'n ei gweld hi o bryd i'w gilydd, oeddwn.'

'Dod i gefnogi oedd hi?'

'Ia.'

'Oedd hi'n dod i gefnogi rhywun yn arbennig?'

Edrychodd Geoff i gyfeiriad y galeri, gan sylwi ar Beca ym mhen pellaf y neuadd wedi suddo i'w sedd.

'Dim i mi fod yn gwybod,' meddai'n dawel.

'Mi roedd yna si fod Beca Jones ac Aron Evans yn arfer bod yn eitem pan oedden nhw yn yr ysgol. Yn eich geiriau eich hun, mi rydach chi'n adnabod y dynion yma ers pan oedden nhw yn ddim o bethau. Oeddech chi'n ymwybodol o'r berthynas yma?'

'Dilyn y chwarae ydw i. Dydw i ddim yn cadw sgôr ar gariadon y chwaraewyr.'

Oedodd Elin Williams am funud neu ddau cyn gofyn ei chwestiwn nesaf.

'Oeddech chi'n sylweddoli ei bod yn anghyfreithlon caniatáu i gwsmeriaid barhau i yfed mewn adeilad trwyddedig ar ôl i'r gloch olaf yna ganu, Mr King?'

'Oeddwn,' atebodd yn nerfus.

'Mae yna si yn lleol ei fod wedi dod yn dipyn o draddodiad gennych chi ar nos Wener. Mi rydach chi'n gadael i'r chwaraewyr yfed yno hyd berfeddion, ac mi rydach chi'n gofyn iddyn nhw adael eu harian wrth y til a chloi ar eu holau.'

'Gwrthwynebiad, Eich Anrhydedd!' bloeddiodd Mr Jenkins. 'Nid oes gan Miss Williams dystion nac unrhyw dystiolaeth i gefnogi'r honiad hwn a hoffwn iddo gael ei ddiddymu o'r cofnodion.'

'Cytunaf, Mr Jenkins.'

Gwenodd Elin Williams.

'Mae'n ddrwg gen i, Eich Anrhydedd ... Mr King, oeddech chi y tu ôl i'r bar drwy'r nos ar yr 11eg o Ionawr?'

'Rhyw fynd a dod o'r cefn ydw i bob tro,' atebodd Geoff yn bryderus. 'Doeddwn i ddim yn ymwybodol fod yna unrhyw beth wedi digwydd tan i mi ddod yn ôl a gweld y bar yn wag.'

'Dyna ddiwedd ar fy nghwestiynu am y tro,' meddai Elin yn siomedig.

'Mr Jenkins? Oeddech chi am gwestiynu'r tyst ymhellach?'

'Diolch, Eich Anrhydedd ... Mr King, beth wnaeth eich taro'n anarferol am y noson dan sylw?'

'Dim byd. Doedd yna ddim byd yn wahanol i'r arfer. Mi roedd hi fel unrhyw nos Wener arall, a dweud y gwir. Mi gafodd yr hogiau eu peintiau a'u hwyl diniwed, a dyna'r cwbl alla i ddeud wrthach chi.'

'Dyna ddiwedd ar fy nghwestiynu innau am y tro,' meddai, gan nodio ar Aron yn hyderus.

Gwenodd Geoff yn ddiolchgar ar y tri yn y doc.

'Diolch yn fawr, Mr Jenkins,' meddai'r barnwr, gan fynd ati i astudio ei nodiadau. 'Rydym yn awr am wahodd y patholegydd Richard Williams i'r blwch tystio, os gwelwch yn dda. Hoffwn rybuddio pawb yn y galeri, yn arbennig felly deulu a chyfeillion y dioddefwr, ei bod yn bosib y bydd y dystiolaeth sydd i ddod yn graffig a bod rhwydd hynt i chi adael yr ystafell wrth i Dr Williams draddodi, os ydych chi'n dymuno gwneud hynny.'

Trodd Dewi at Jean a rhoi ei law ar ei braich.

'Ydach chi am fynd allan hefo fi, Mrs J?' sibrydodd wrthi.

'Nadw,' meddai gan gymryd anadl ddofn. 'Mi rydw i am gael gwybod beth yn union ddigwyddodd iddo fo.'

Cerddodd Dr Williams yn ei flaen a thyngu llw yn y dull arferol. Safodd Elin Williams ar ei thraed.

'Dr Williams, allwch chi ddweud ychydig bach wrthym ni am stad y dioddefwr Gruffydd Jones pan weloch chi'r corff am y tro cyntaf?'

'Yr hyn wnaeth fy nharo gyntaf am y corff oedd y marciau coch ar y croen, *frost erythema*. Arwydd o hypothermia ydi hwn, a chan fod y gŵr yma yn noeth pan gafodd ei ddarganfod, dyma oeddwn i yn ei feddwl oedd achos ei farwolaeth ar yr olwg gyntaf.'

'Wnaeth yna rywbeth arall amlwg eich taro cyn i chi fynd i archwilio ymhellach?'

'Mi roedd yna farc gweddol newydd ar ei ben.'

'A beth allai fod wedi achosi hyn?'

'Posib iawn ei fod wedi taro ei ben ar gongl go galed megis congl cwpwrdd.'

'A faint o drawiad oedd hwn?'

'Trawiad bach. Digon i dorri'r croen ac achosi chwydd bach, ond dim digon i achosi unrhyw fath o goncyshion.'

'Mi roedd o'n ddyn iach, Dr Williams?'

'Oedd, doedd yna ddim wnaeth fy nharo o gwbl o ran ei iechyd ar wahân i broblemau atgenhedlu posib.'

Trodd John i edrych ar Beca a gosododd hithau ei llaw ar ei bol yn slei bach.

'Problemau atgenhedlu, Dr Williams? Allwch chi ymhelaethu, os gwelwch yn dda?'

'Mi roedd yna rwystr yn un o'r tiwbiau sydd yn cario sberm.'

'Wela i. A fyddai hyn wedi'i wneud yn anffrwythlon?'

'Mae'n bosib y byddai wedi cael ychydig o broblemau atgenhedlu, ond fyddai o ddim wedi ei wneud yn anffrwythlon.'

'Mi edrychwn ni yn fanylach ar achos y farwolaeth rŵan, Dr Williams. Allwch chi egluro wrth y rheithgor beth yn union oedd eich canfyddiadau?'

'Yn y prawf *toxology*, mi ddarganfuwyd alcohol, parasetamol a'r hyn yr ydym ni yn ei alw yn *fluintrazepam*.'

'Allwch chi egluro wrthym ni beth yn union yw'r cyffur *fluintrazepam*?'

'Gair arall mwy cyffredin amdano yw Rohypnol.'

'*Tranquilliser*, ydw i'n iawn?'

'Ydych.'

'A sut fyddai rhywun wedi injestio'r cyffur yma, Dr Williams?'

'Mae'n dod mewn sawl ffurf, ond fel tabledi gan amlaf.'

'A faint yn union o Rohypnol oedd yn system Gruffydd Jones?'

'Digon i barlysu'r corff dros dro ac i achosi dryswch go ddifrifol, ond dim digon i ladd.'

'Ac felly beth oedd y casgliad ddaethoch chi iddo,

Dr Williams? Beth yn union wnaeth ladd Gruffydd Jones yn eich barn chi?'

'Mi fyddai'r Rohypnol wedi ei ddrysu a'i barlysu, ac mae'n bosib iawn ei fod wedi syrthio i gysgu ar ôl dipyn. Ac yntau heb ddillad amdano ar noson mor oer, mae'n debyg mai hypothermia oedd achos ei farwolaeth yn y pen draw.'

'Pe na fyddai'r Rohypnol wedi bod yn ei system, Dr Williams, sut fyddai pethau wedi bod yn wahanol?'

'Allwn ni ddim dweud i sicrwydd. Ond heb os, pe bai wedi bod yn sobor ac yn ei iawn bwyll byddai ganddo well siawns o fod wedi darganfod lloches neu ffordd arall i gadw'n gynnes rhag yr oerfel, a thrwy wneud hynny, rwystro'r hypothermia rhag gafael.'

'Diolch yn fawr iawn, Dr Williams. Dyna ddiwedd ar fy nghwestiynu am y tro.'

'Mr Jenkins?' gofynnodd y barnwr.

'Dim cwestiynau ar hyn o bryd, Eich Anrhydedd,' meddai'r bargyfreithiwr.

'A dyna orffen yn daclus am heddiw,' meddai'r barnwr. 'Gofynnwn i chi ddychwelyd yn brydlon am 10:30 bore fory, os gwelwch yn dda. Diolch yn fawr iawn.'

Deffrodd y galeri unwaith eto.

'I be oedd eisiau sôn am ei drafferthion personol o?' gofynnodd Beca yn flin.

'Hitia befo am hynny rŵan,' meddai ei mam yn gariadus. 'Fydd y rheithgor ddim wedi meddwl ddwy waith am y peth, 'sti. Tyrd, mi awn ni am adra.'

'Mi ro'n i wedi amau nad fo oedd y tad,' meddai Jean yn flin.

'Allwn ni ddim bod yn sicr o hynny, naf'drwn,' meddai Dewi. 'Glywoch chi be ddudodd y doctor. Doedd o ddim yn *infertile*, nag oedd.'

'Dwn i ddim be oedd gan hynny i'w wneud hefo'i farwolaeth o beth bynnag, y cradur. Codi cywilydd arno fo felna.'

'Maen nhw'n gorfod creu darlun llawn ohono fo, dydyn, Mrs J. Mi ofynnodd hi os oedd o'n iach a doedd o ddim, nag oedd.'

'A be am y gnoc 'ma ar ei ben? Gafodd o'i guro gynnyn nhw hefyd?'

Cododd Dewi ei ysgwyddau.

'Dwn i'm, Mrs J bach. Dowch, mi awn ni adra. Mae gynnon ni ddiwrnod arall hir o'n blaena ni fory.'

Gosododd un o'r swyddogion gyffion am arddyrnau Aron a'i arwain i lawr o'r doc.

'Wela i chi fory, bois,' meddai wrth y ddau arall.

'Ia, welwn ni di fory, Aron,' meddai Glyn yn nerfus.

'Blydi hel,' meddai Rhys gan gymryd anadl ddofn. 'Mi roedd hwnna'n ddiwrnod hir.'

'Fedra i'm diodda ei weld o'n mynd am y carchar 'na eto heno a ninna'n cael mynd adra,' meddai Glyn.

'Dim ein bai ni 'di hynna, nage, mêt.'

'Nage, dwi'n gwbod ... Oeddach chdi am ddod adra hefo ni?'

'Na, well i mi beidio cael fy ngweld yn gadael hefo chdi, rhag ofn.'

'Ia siŵr, 'nes i'm meddwl.'

'Dwi mor falch drostat ti a Haf, boi.'

'Dydan ni ddim yn ôl hefo'n gilydd, cofia. Ond mae ei chael hi yma hefo fi yn gychwyn beth bynnag, dydi.'

'Mae'r ffaith bo' hi wedi penderfynu sefyll wrth dy ochr di ar ôl bob dim yn deud lot.'

Nodiodd Glyn gan wenu'n fodlon. Cerddodd Haf i lawr atynt a rhoi ei breichiau am Glyn.

'Sud wyt ti?' gofynnodd Haf iddo'n gydymdeimladol.

'Iawn, dwi'n meddwl. Gest ti gwmni yn ystod y dydd?'

'Naddo, dim felly. Mi welais i Beca amsar cinio.'

'Do? Fuest ti'n siarad hefo hi?'

'Do, rywfaint. Gwitsiad yn y ciw i fynd i'r toilet oeddan ni. Ac wsti be, dwi ddim yn gwbod os na fi sydd yn darllan gormod i mewn i betha, ond fyswn i ddim yn synnu ei bod hi'n disgwyl, 'sti.'

'Be?!' bloeddiodd Rhys, wedi clywed y ddau yn siarad.

'Be sy'n gneud i chdi feddwl hynny?' holodd Glyn wedi dychryn.

'Mi roedd hi bron â byrstio isio mynd i'r toilet. Mi wnes i adael iddi fynd o 'mlaen i.'

'Mi roedd hi wedi bod yn eistedd yn y cwrt 'na drwy'r bora, doedd,' meddai Glyn. ''Di hynny ddim yn profi ei bod hi'n disgwyl, nadi.'

'Nadi, ella. Ond mi roedd 'na rwbath yn y ffordd ddudodd hi wrtha i. Doedd o ddim yn taro deuddeg rywsut.'

Tarodd Ffion frwsh drwy ei gwallt yn sydyn, cyn mynd i chwilota am ei goriadau yn y drôr llanast.

''Dach chi'n siŵr eich bod chi'n iawn rŵan, Mam?' gofynnodd, gan dynnu'r goriadau o grombil y drôr a thaflu ei chôt amdani.

'Ydw siŵr. Rŵan cer am y cwrt 'na neu mi fyddi di'n hwyr.'

'Anni!' gwaeddodd Ffion o waelod y grisiau. 'Tyrd i roi sws i Mam! Dwi'n mynd rŵan!'

Rhedodd y ferch fach i lawr y grisiau gyda degau o gadwynau am ei gwddw a cholur pinc ar ei bochau.

'Lle ti'n mynd, Mam?' holodd yn drist.

Cododd Ffion y ferch fach a'i mwytho.

'I weithio, ond fydda i'm yn hir.'

'Dyna ti'n ddeud bob tro,' meddai ei merch yn bwdlyd.

'Dwi'n ei feddwl o heddiw, dwi'n gaddo. Fydda i adra erbyn amser swpar.'

'Ydi Nain yn aros am swpar?'

'Ydi os di hi isio?' meddai, gan edrych ar ei mam. Nodiodd hithau.

'Lle mae dy frodyr di?' holodd Ffion. ''Dyn nhw dal yn chwarae pêl-droed?'

Nodiodd Anni.

'Dudwch wrthyn nhw 'mod i'n deud ta-ta, Mam. A' i'm allan rhag ofn i Wil ypsetio.'

'Mi wna i. Paid â phoeni amdanan ni, mi fyddwn ni'n iawn. Gawn ni hwyl, yn cawn, Anni?'

Nodiodd Anni a rhedeg at ei nain am fwythau.

'Iawn. Hwyl,' meddai Ffion gan gerdded drwy'r drws at y giât, lle'r oedd Geth wedi bod yn aros amdani ers ugain munud.

'Mi fysat ti wedi cael dod i mewn 'sat ti isio, 'sti,' meddai, gan sodro ei hun yn y sêt flaen.

'Mae'n iawn, bòs. Do'n i'm yn licio bod yn ddigywilydd.'

'Paid â bod yn wirion. Ti fel teulu i mi rŵan, dwyt.'

'Ydw?' holodd Geth yn bryderus.

'Wel, dwi'n gweld cymaint arna chdi ag ydw i ar 'y mhlant 'yn hun … os nad mwy.'

'Sori,' meddai Geth gan danio'r injan.

'Does 'im isio i chdi ymddiheuro, siŵr, er bod dy bersonoliaeth di'n gallu bod fymryn yn *annoying*.'

'Diolch!' meddai Geth wedyn, heb wybod yn siŵr sut i ymateb.

'Fi sydd wedi dewis y bywyd yma, ynde,' meddai Ffion wedyn. 'Fi sydd wedi dewis rhoi 'ngyrfa gynta. Alla i ddim beio neb ond fi'n hun.'

Ymbalfalodd Ffion yn ei bag am baced o bolo mints a thaflu dau neu dri i'w cheg.

'Deud i mi, Geth,' meddai, gan gynnig da-da iddo. 'Wyt ti'n meddwl wrtha chdi dy hun weithia bo' chdi wedi gwneud coblyn o gamgymeriad hefo dy fywyd?'

'Dwi'n cael amball ddiwrnod anodd,' meddai. 'Pan

mae gwaith wedi bod yn drwm a dwi'n dod adra ac isio gneud dim byd ond mynd i 'ngwely, mi rydw i'n meddwl os 'nes i'r penderfyniad iawn yn symud i'r CID. Droeon eraill mi rydw i'n ffeindio ryw gliw pwysig neu'n dal rhywun sydd wedi bod ar y *run*. Ac mae hynny'n fy atgoffa i pam dwi'n gneud hyn.'

'Be mae Catrin yn ei feddwl am yr holl beth?'

'Mae hi'n gwbod nad ydi hi'n job arferol ac na fedrwn ni dreulio bob noson hefo'n gilydd. Ond mi roedd hi'n gwbod hynny pan gychwynnon ni fynd allan. Ella bydd petha'n newid pan gawn ni blant. Ond am rŵan dwi'n meddwl ein bod ni'n dallt 'yn gilydd.'

'Mae plant yn gneud petha'n fwy cymhleth,' meddai Ffion, gan sipian polo mint arall.

'Be oedd eich gŵr yn feddwl o'ch job chi?'

'Fuodd o 'rioed yn ffan. Mi roedd bod yn gwnstabl yn iawn gynno fo. Mi roedd yna ddigon o ferched yn gneud hynny. Ond pan gychwynnais i ddringo'r ystol mi aeth o'n llai cefnogol.'

'Dim yn gweld digon arnach chi oedd o?'

'Dwyn ei rôl o o'n i. Fi oedd yn ennill y cyflog mwya. Fi oedd yn gneud y job fwya dynol, am wn i. Pan gollodd o'i job hefo'r papur newydd mi fuodd yn magu'r fenga am chwe mis. Honno oedd y ffeinal *straw*, dwi'n meddwl.'

''Dach chi'n ei golli o?'

'Dwi yn colli'r cwmni. Dwi'n colli'r uned deuluol yna, y pump ohonan ni hefo'n gilydd. Ond dydw i ddim yn ei golli o, nadw. Mi roedd petha wedi mynd reit chwerw erbyn y diwedd, a doedd o ddim yn gneud synnwyr i ni fod hefo'n gilydd. Mi roedd hi'n ffeindiach ar y plant i mi orffan pethau.'

''Dach chi wir yn meddwl bo' chi wedi rhoi'ch gyrfa gynta?'

'Wel, mae'n ddiwrnod hyfforddiant athrawon heddiw ac mi fedrwn i fod adra yn pobi cacennau hefo Anni fach. Ond lle ydw i? Mewn car hefo chdi eto, Geth, sy am ryw reswm yn ogleuo fath â sana.'

Crychodd Ffion ei thrwyn.

'O sori,' meddai Geth. 'Mae 'mag *gym* i yn y cefn ers neithiwr.'

Agorodd Ffion ei ffenest.

'Dwi'n gwbod faint 'dach chi'n caru'r plant 'na, bòs,' meddai Geth yn chwithig. 'Dwi 'di'ch gweld chi'n sbio ar y llun 'na ohonyn nhw ar eich desg. A dwi 'di'ch clywad chi'n siarad hefo nhw ar y ffôn. Mae gynnyn nhw feddwl y byd ohonach chi.'

'Dydw i ddim iws iddyn nhw ar ben arall y ffôn, nadw,' meddai'n euog.

'Os 'dach chi'n gofyn i fi, cwbl 'dach chi wedi ei neud ydi rhoi'r plant gynta,' meddai'n nerfus. ''Sa well gynnach chi fod adra hefo nhw, ond mi rydach chi'n mynd allan i weithio bob dydd er mwyn cael y bywyd gorau iddyn nhw. Does gynnyn nhw neb arall. 'Dach chi'n gneud y cwbl lot ... Ac i fod yn berffaith onast, dwi'n meddwl eich bod chi'n dipyn o *super woman* ... 'Dach chi'n dditectif go lew hefyd.'

Cochodd Geth at ei glustiau.

'O Geth,' meddai Ffion, gan rwbio'i wallt yn bryfoclyd. 'Un da wyt ti am godi calon rywun, 'de.'

'Felly maen nhw'n ddeud, bòs,' meddai gan wenu.

'Beryg y bydd y tri 'na angen dy wasanaeth di wythnos yma.'

''Dach chi'n meddwl y gwnawn nhw dystio yn erbyn ei gilydd?'

'Mi frathodd Rhys fy llaw i pan soniais i wrtho fo. Dwn i'm am Glyn.'

'Oes gynnach chi biti drostyn nhw weithia? Pan mae'r bobl 'ma yn y doc?'

'Rho hi felma,' meddai Ffion wedyn. 'Os mai fi sy'n gyfrifol am eu cael nhw i'r doc 'na, pur anaml maen nhw'n ddieuog.'

Chwarddodd Geth.

'Na, o ddifri rŵan,' meddai Ffion. 'Pan dwi'n gweld hogia ifanc, tadau reit amal, yn cael eu gyrru i'r carchar a'u gwragedd a'u mamau yn gweiddi crio ar eu hola nhw, mi rydw i'n cydymdeimlo mymryn hefo nhw. Ond pan mae gen ti hen ddiawlaid coci fel yr Aron yna sy'n meddwl y cawn nhw siarad hefo chdi fel lician nhw am dy fod di'n ddynas, mi 'na i gyfadda 'mod i'n cael plesar o'u gweld nhw'n cael eu cosbi.'

Gwenodd Geth.

'Faint o'r gloch 'di hi, 'da?' gofynnodd Ffion wedyn.

'Jest iawn yn chwartar wedi deg.'

'Grêt. Gawn ni frecwast o McDonald's. Be gymi di, Geth? Fi sy'n talu.'

''Di'r Caban Cimwch yn gneud *drive through*, 'dwch?' pryfociodd.

'Paid â'i phwsio hi!'

Gwthiodd Beca ei ffa pob gyda'i fforc yn ffyslyd.

'Wyt ti am fyta hwnna 'ta jest chwarae hefo fo?' gofynnodd ei mam.

'Dwi'm isio fo,' meddai, gan osod ei fforc ar ei phlât, oedd brin wedi ei gyffwrdd.

'Chdi ddewisodd fîns ar dost,' meddai ei mam yn flin. 'Wast o £2.50.'

''Nes i jest cymryd rwbath i gau'ch ceg chi.'

'Hei,' ysgyrnygodd ei thad, 'paid â siarad felna hefo dy fam!'

'Sori,' meddai'n amharod.

'Mae'n iawn, John, mae hi o dan straen.'

''Dach chi'm yn gwbod ei hannar hi,' meddai Beca yn dawel.

'Mae dy fam a finna'n poeni amdana chdi, Beca. Mae'r holl beth 'ma wedi bod yn anodd iawn arnan ninnau hefyd, cofia. A dydan ni ddim wedi gwneud dim ond dy gefnogi di. Ti wedi bod reit annifyr hefo dy fam yn ddiweddar, ond mi roedd hi'n benderfynol o ddod 'run fath. Alla hi ddim meddwl amdana chdi yn mynd drwy hyn ar dy ben dy hun.'

'Doedd dim rhaid i chi ddod. Dwi'n iawn ar fy mhen fy hun.'

'Nag wyt, Beca, dwyt ti ddim.'

Cododd Beca ar ei thraed yn bwdlyd gan grafu ei chadair ar lawr y caffi yn swnllyd.

'Ista lawr, rŵan!' meddai ei thad yn llym. Ufuddhaodd hithau heb feddwl ddwywaith.

'Rŵan 'ta, mae'n hen bryd i chdi gael trefn ar bethau, madam. Mae gen ti gymaint o bobl o dy gwmpas sy'n dy garu di, ond mi fyddi di wedi gyrru pawb i ffwrdd os fyddi di'n cario 'mlaen hefo'r agwedd yma. Mae Jean yn un ti wedi'i phechu'n barod, dydi.'

'Be ti 'di'i neud i Jean?' gofynnodd Glenda yn ddryslyd.

'Hitiwch befo am hynny rŵan,' meddai yntau. 'Mae gynnan ni bethau pwysicach i boeni amdanyn nhw.'

'Fel be?' gofynnodd Glenda, a'i llais yn dechrau codi.

'Wyt ti am ddeud wrthi 'ta dw i?' gofynnodd ei thad.

'Deud be?' gofynnodd Glenda, a'i llais wedi cyrraedd cresiendo erbyn hynny.

'Wel mae hi'n mynd i ffeindio allan ryw ben, dydi,' meddai ei thad.

Gwgodd Beca arno am ei rhoi yn y fath sefyllfa.

'Mae gen i newydd i chi, Mam. Do'n i ddim isio deud yn rhy fuan rhag ofn i rwbath ddigwydd. Ond gan fod Inspector Clouseau yn fama wedi datrys y dirgelwch, waeth i mi ddeud wrthach chi ddim … mi rydach chi'n mynd i fod yn nain.'

Neidiodd Glenda ar ei thraed wedi cynhyrfu'n lân.

'Wel am newydd arbennig! Faint wyt ti wedi'i fynd?'

'Ryw bedwar mis. *Due* ym mis Medi yn ôl y sgan.'

'Gruffydd druan. A'r doctor ddoe yn sôn fod yna rwbath yn bod hefo'i …' Dechreuodd y clociau droi ym meddwl Glenda yn araf bach, ac eisteddodd yn ôl yn ei sedd. 'Mi roedd y doctor yn deud fod yna rwbath yn bod hefo'i beipiau … ei beipiau …'

'Sberm,' bloeddiodd Beca ar ei thraws. Trodd y cwsmeriaid wrth y byrddau cyfagos i edrych arni.

'Felly, ydi hyn yn golygu …?'

Edrychodd Beca a'i thad ar ei gilydd yn euog.

'O Arglwydd hollalluog!' gwaredodd Glenda.

'Dydw i ddim gant y cant. Ond mae 'na siawns bach ella nad Gruffydd ydi'r tad.'

'Mae hi fath â pennod o Jeremy Kyle, myn dian i!' Estynnodd Glenda'r paced hancesi newydd o'i bag a sychu ei thalcen yn ddramatig. 'Mi fydd raid i ti gael prawf DNA a bob dim!'

'Groeswn ni'r bont honno pan gyrhaeddwn ni ati, ynde,' meddai John yn dawel. 'Be sy'n bwysig rŵan ydi fod Beca 'ma yn edrach ar ôl ei hun a bo'r bychan yn iawn.'

'Mae gen i un peth bach arall i ddeud wrthach chi, Mam,' meddai Beca yn ansicr. 'Wrth y ddau ohonach chi, a deud y gwir.'

Trodd ei rhieni i edrych arni gyda'i gilydd.

'Ynglŷn â'r tad … wel, mae petha'n mynd chydig bach fwy cymhleth.'

''Dim ond dau bosib sy 'na, gobeithio!' gofynnodd ei mam.

'Ia!' atebodd hithau yn biwis. 'Be 'dach chi'n feddwl ydw i?'

'Wel, Beca, 'swn i ddim yn synnu dim rŵan,' meddai wedyn.

'Mi rydach chi'n nabod y llall … ei nabod o reit dda, a deud y gwir. Mi roedd o'n arfer dod acw am swpar ar ôl 'rysgol …'

'Dim Aron?' gofynnodd ei thad mewn sioc. 'Plis paid â deud wrtha i nad ydi tad y babi 'na ar fin wynebu carchar am ladd gŵr ei fam?!'

Pendronodd Beca dros fathemateg gymhleth ei thad am eiliad cyn nodio. Bu bron iawn i'w mam lewygu yn y fan a'r lle.

'Ond ella bo' gynnan ni ddim byd i boeni amdano fo,' meddai Beca gan ryw how-wenu. 'Ella na Gruffydd ydi'r tad ac mi gawn ni anghofio am yr holl lanast 'ma.'

'Oes 'na rywun yn gwbod amdana chdi ac Aron?' gofynnodd ei thad.

'Nag oes.'

'Ac felly mae pethau'n aros, ti'n 'y nghlywed i?'

Nodiodd Beca yn dawel.

'Well i ni fynd yn ôl am y cwrt yna, mi fyddan nhw'n canu'r gloch yn y munud.'

'Sori, Dad.'

'Does 'na'm iws ymddiheuro wrthan ni, nag oes. Dydi'r un sydd yn haeddu'r sori go iawn ddim yma, nadi.'

Cerddodd y tri yn ôl am y llys heb ddweud gair wrth ei gilydd.

Safodd Ffion yn y blwch tystio ac estyn ei llyfr nodiadau o'i phoced.

'Ditectif Hawkins,' cyfarchodd Elin Williams hi. 'Beth oedd eich sail dros arestio'r tri sydd yn y doc?'

'Mi arestiwyd Glyn, Aron a Rhys ar y 23ain o Chwefror dan amheuaeth o ladd Gruffydd Jones ar yr 11eg o Ionawr. Y tri yma oedd y rhai olaf i weld Gruffydd yn fyw. Mi roedd yna gryn ddryswch ynglŷn â'r hyn yr oedden nhw'n ei gofio am y noson, a nerfusrwydd amlwg pan ddes i'w gweld yn y clwb rygbi. Ac wrth gwrs, wedi i ni ddarganfod Rohypnol yn system Gruffydd, mi roedden ni'n gwybod ein bod ni'n delio hefo mwy na damwain yma.'

'Gadewch i ni edrych ar gyfweliad Glyn i ddechrau, ditectif.'

'Roedd Glyn yn barod iawn i siarad ac mi gyfaddefodd wrthym ni ei fod yn un o'r rhai wnaeth annog Gruffydd i wneud y dêr. Ond mi roedd o'n bendant nad oedd yna falais yn yr hyn wnaeth o, ac allen ni ddim darganfod unrhyw gymhelliant fyddai ganddo i achosi niwed i Gruffydd mewn unrhyw ffordd.'

'A beth am Rhys?'

'Roedden ni'n ymwybodol pan arestiwyd Rhys ei fod wedi treulio cyfnod yn y carchar am ABH. Mae cyffuriau wedi bod yn broblem ganddo yn y gorffennol hefyd, yn gwerthu ac yn defnyddio'i hun. Ond mi gymrodd brawf yn yr orsaf pan gafodd ei arestio ddaeth yn ôl yn glir, ac ni chanfuwyd unrhyw gyffuriau yn ei gartref. Nid oes gan Rhys chwaith, o'n hymchwiliadau ni, unrhyw gymhelliant i fod eisiau achosi niwed i Gruffydd Jones.'

'Wnewch chi sôn ychydig bach wrthon ni am yr hyn wnaethoch chi ei ddarganfod yng ngardd Aron ar ôl i'r tri gael eu harestio?'

'Yn dilyn ein cyfweliad cyntaf gyda Rhys, mi yrrwyd criw fforensig i ardd Aron i archwilio hen goelcerth.'

'Ac allwch chi ddweud wrthym ni beth yn union wnaethoch chi ei ddarganfod yn y lludw?'

'Olion tracsiwt a chrys-T coch. Sef yr hyn oedd gan Gruffydd amdano yn y sesiwn ymarfer y noson honno, mae'n debyg.'

'A phwy gyfaddefodd ei fod wedi llosgi'r dillad?'

'Aron. Doedd ganddo ddim troed i sefyll arni. Ymateb byrbwyll oedd y llosgi, meddai, a dywedodd ei fod yn difaru ar ôl gwneud.'

'Unrhyw beth arall wnaeth eich taro'n rhyfedd am ymddygiad Aron?'

'Mi roedd o'n orhyderus,' meddai Ffion gan edrych i gyfeiriad y doc. 'Mi roedd y ddau arall yn chwysu chwartiau wrth i mi daflu cwestiynau atyn nhw. Ond mi roedd Aron ar y llaw arall yn eistedd yn ôl, yn gwenu hyd yn oed, a hynny ar fwy nag un achlysur. Yr unig adeg y gwelais i bryder yn ei lygaid oedd pan soniais i wrtho am y cyffur yn system Gruffydd.'

'Wedi dychryn oedd o o bosib?'

'Wedi dychryn ein bod wedi ffeindio allan.'

Ochneidiodd Aron o'r doc ac ysgwyd ei ben.

'Beth am fywyd personol Aron?'

'Mi roedd Aron a gwraig Gruffydd yn gyngariadon. Ac wrth i ni fynd ati i wneud ein hymholiadau yn dilyn marwolaeth Gruffydd, aethon ni i amau fod y berthynas honno wedi ailgynnau yn ddiweddar.'

Rhoddodd y rhai oedd yn y galeri ebychiad mawr gyda'i gilydd, a mynnodd y barnwr eu bod yn distewi. Trodd Jean i edrych ar ei merch yng nghyfraith, ond roedd eisoes wedi sleifio allan.

'Diolch, ditectif. Dyna ddiwedd ar fy nghwestiynu i am y tro.'

Cododd Mr Jenkins ar ei draed a chymryd anadl ddofn.

'Ditectif, oes gennych chi unrhyw dystiolaeth i gefnogi'r honiad fod gan Beca ac Aron berthynas rywiol?'

'Mae gennym ni luniau i brofi eu bod wedi bod yn cyfarfod.'

Aeth y clerc â'r lluniau at y rheithgor, ac astudiodd Ffion ei llyfr nodiadau.

'Mi dynnwyd llun o Beca yn mynd i dŷ Aron ar y cyntaf o Chwefror, ac ni welwyd hi'n gadael tan y bore wedyn. A rhannodd y ddau gusan ar stepen y drws.

Gwelwyd Aron hefyd yn ymweld â charafán Beca yn Ffrwd, Aberysgo ychydig oriau cyn hynny.'

'Wel mae'r ddau'n ffrindiau wrth gwrs, wedi adnabod ei gilydd ers pan oedden nhw yn yr ysgol. Pwy sydd i ddweud nad mynd yno roedd o i'w chysuro a chadw cwmni iddi?'

'Dim *slumber party* oedden nhw'n ei gael, alla i'ch sicrhau chi.'

'Ond os nad oeddech chi yno yn cuddio o dan y gwely hefo'ch camera, y cwbl allwch chi ei wneud ydi dyfalu beth oedden nhw'n ei wneud go iawn, ynde, ditectif?'

'Ia,' meddai'n amharod. 'Ga i ychwanegu ein bod wedi darganfod fod yna negeseuon testun wedi bod yn cael eu gyrru yn ôl ac ymlaen rhwng Beca ac Aron yn achlysurol am gyfnod o bedair blynedd.'

'Ond beth am gynnwys y negeseuon yma, ditectif?'

'Does yna ddim cofnod o'r negeseuon eu hunain,' atebodd hithau'n nerfus. 'Ond mi allwn ni ddychmygu sut fath o negeseuon mae dyn a dynes yn eu gyrru i'w gilydd am dri o'r gloch y bore.'

'Dyfalu eto, ditectif?'

Gwgodd Ffion.

'Mi sonioch chi nad oedd yna unrhyw gyffuriau yng nghartref Rhys. Beth am Glyn?'

'Nag oedd.'

'Ac Aron?'

'Nag oedd.'

'Dyna ddiwedd ar fy nghwestiynu innau am y tro,' meddai Mr Jenkins yn fodlon.

Martsiodd Ffion i lawr o'r blwch tystio yn flin gan

fynd i eistedd at Geth, a gwenodd Aron arni'n bryfoclyd.

'Mae'r diawl yna yn mynd i gael get awê hefo hi,' meddai Ffion yn flin.

'Dim os ydi Glyn a Rhys yn tystio yn ei erbyn o,' meddai Geth yn obeithiol.

'Dwi'm hyd yn oed yn siŵr os ydi hynny'n mynd i fod yn ddigon rŵan.'

NOS SADWRN, EBRILL 14, 2018

Wadlodd Gwenno at ddrws y Caban Cimwch yn ei sodlau newydd sbon, a'i gwallt yn chwythu i bob cyfeiriad yng ngwynt y môr. Cerddodd i mewn yn araf, gan wenu yn nerfus ar un o'r genod oedd yn gweini.

'Alla i'ch helpu chi?' gofynnodd honno, gan droi ei thrwyn.

'Ym, ro'n i fod i gyfarfod rhywun yma am saith. Dwi'n meddwl fod yna fwrdd wedi ei gadw i ni. Dydw i ddim yn siŵr o dan ba enw fysa fo. Aron ella?'

Astudiodd y ferch y sgrin gyfrifiadur o'i blaen am eiliad neu ddau.

'Mae yna fwrdd i ddau yma o dan enw Aron Evans.'

'Dyna chi,' meddai Gwenno wedi gwirioni.

'Ffordd yma, os gwelwch yn dda.'

Gafaelodd y ferch mewn dwy fwydlen a'i harwain at y bwrdd ym mhen pellaf yr ystafell.

'Be 'sach chi'n licio i'w yfad?'

Estynnodd Gwenno'r rhestr win o'i blaen a'i darllen heb gymryd yr un gair i mewn.

'Ym, gymwn ni botal o'r *house white*, os gwelwch yn dda,' meddai'n hyderus.

'*Classy*,' meddai llall dan ei gwynt.

Ymdrechodd Gwenno i dynnu'r gôt wlân drwchus oedd ganddi amdani, a'i llaw chwith wedi mynd yn sownd yn y leinin.

"Sach chi'n licio i mi gymryd eich côt chi?" gofynnodd y ferch gan biffian chwerthin.

'Na, dwi'n iawn, diolch,' meddai Gwenno o dan ei ffrinj chwyslyd. Llwyddodd i dynnu'r gôt o'r diwedd, a gosododd hi'n ofalus ar gefn ei chadair. Gwenodd ar y wetres cystal â dweud wrthi am adael llonydd iddi. Cerddodd honno at y bar i nôl y gwin, ac i chwerthin am ben ei chwsmer newydd.

Tynnodd Gwenno ddrych bach o'i bag er mwyn gweld sut siâp oedd arni. Doedd y bws ddim yn dod yr holl ffordd at y traeth, felly bu'n rhaid iddi gerdded bron i ddau gan medr drwy'r gwynt gwyllt. Taclusodd y blew bach oedd wedi dechrau cyrlio ar ei chorun a tharo minlliw coch ar ei gwefusau. Estynnodd ei ffôn o'i bag. Roedd hi bron iawn yn chwarter wedi saith erbyn hynny ond doedd yna ddim neges gan Aron i'w rhybuddio ei fod yn mynd i fod yn hwyr. Doedd hi ddim am yrru dim byd ato eto rhag ofn iddo feddwl ei bod yn rhy awyddus. Câi funud bach neu ddau i gael ei gwynt ati a mwynhau glasiad o win cyn iddo gyrraedd.

Daeth y wetres yn ei hôl hefo'r gwin a thywalltodd fymryn i'r gwydr. Safodd yno am eiliad a syllu ar Gwenno.

'Diolch?' meddai hithau'n ddryslyd.

'Ydach chi am flasu'r gwin?' gofynnodd y ferch.

'Ym, ocê,' meddai Gwenno yn ansicr. Sipiodd gegiad ohono a bu bron iddi ei boeri yn ôl i'r gwydr.

Ych a fi! Petai hi erioed wedi yfed pi-pi, dychmygai mai fel hyn y byddai o wedi blasu.

'Hapus?' gofynnodd y ferch.

'Mmmm,' meddai Gwenno gan nodio a'i cheg yn llawn.

Cerddodd y ferch i ffwrdd a phoerodd Gwenno'r gwin yn slei bach. Sylwodd ar ddwy ferch ar y bwrdd gyferbyn â hi'n chwerthin yn dawel. Edrychodd un arni, a throi ei phen yn sydyn pan welodd Gwenno yn edrych yn ei hôl arni. Anwybyddodd Gwenno'r teimlad anghyfforddus yn ei stumog ac estynnodd y fwydlen.

Dechreuodd y merched chwerthin eto ymhen rhyw funud neu ddau, a throdd Gwenno i weld y ddwy yn syllu arni. Gwenodd arnynt yn awgrymog, a pheidiodd y chwerthin. Aeth yn ei blaen i astudio'r fwydlen a throdd y chwerthin yn boeri geiriau cas dan eu gwynt.

'Gwrandwch,' meddai Gwenno ymhen hir a hwyr. 'Dydw i ddim yn gwbod be 'di'ch problem chi, ond dwi'n gwbod eich bod chi'n siarad amdana i. Felly mi fyswn i'n ddiolchgar iawn tasach chi'n stopio i mi gael mwynhau'n noson.'

'Be ti'n gael, *meal for one*?' gofynnodd un yn sbeitlyd.

'Nage, fel mae'n digwydd. Mi rydw i'n gwitsiad am rywun.'

'Gwitsiad am dy *bestie* Beca Davies wyt ti?' gofynnodd y llall.

Dychrynodd Gwenno.

'Ti'm yn ein cofio ni, nag wyt?' meddai'r gyntaf.

'Linda a Jane. Mi roeddan ni'n cael maths hefo chdi ym mlwyddyn deg.'

Am eiliad, roedd hi'n ôl yn y cantîn yn tynnu tsips o'i gwallt cyrliog.

''Nes i'm eich nabod chi,' meddai Gwenno yn dawel. 'Pawb 'di newid gymaint ers 'rysgol, 'do.'

'Neb yn fwy na chdi,' gwenodd Jane yn ffals. 'Ti'n sythu dy wallt rŵan.'

'Ym, yndw,' meddai Gwenno'n ansicr.

'Ac yn ei olchi o,' sibrydodd Linda.

Chwarddodd y ddwy dros y lle.

'Beca 'di cael cynnig gwell, beryg,' meddai Jane, gan gydymdeimlo'n ffals.

'Dim Beca dwi'n gyfarfod. Aron.'

'Aron? Aron Evans?!'

Nodiodd Gwenno, a chwarddodd y ddwy unwaith eto.

'Be sy mor ddoniol?' gofynnodd Gwenno'n amddiffynnol.

'Ti'm yn deud wrthan ni bo' Gwenno Hughes yn mynd ar ddêt hefo Aron Evans?' chwarddodd Linda. 'I be ddiawl 'sa fo isio gneud rwbath felly?'

'Mae'r ddau ohonan ni'n eitem rŵan i chi gael dallt.'

'Dyna 'di'r peth doniola dwi 'di'i glywad 'leni,' meddai Jane. 'Dipyn o *step down* iddo fo, dydi, i fynd o Beca i chdi.'

'Ella bod o'n cysgu hefo honno ar y slei. Hen slwtsan fuodd honno erioed, 'de,' meddai'r llall.

Safodd Gwenno ar ei thraed a gafael yn ei gwydr gwin yn fygythiol. Roedd ar fin taflu ei gynnwys ar ben ei hen gyd-ddisgyblion pan gofiodd am Aron a beth fyddai o'n ei feddwl ohoni petai o'n digwydd cerdded i mewn yr eiliad honno.

''Dach chi'n gwbod be, Linda, Jane? Mae'r gwin 'ma yn afiach. Ond mae o'n rhy dda i'w wastio arnach chi.'

Aeth Gwenno yn ôl i'w sedd a chodi un bys arnynt o'r tu ôl i'r fwydlen.

'Ydach chi'n barod i ordro?' gofynnodd y wetres iddi'n frysiog.

'Wel nadw, dydi 'nêt i ddim wedi cyrraedd eto.'

''Dach chi'n siŵr ei fod o'n dod?'

'Yndw, dwi'n siŵr!' meddai Gwenno gan godi ei llais. 'Sori ... 'Newch chi jest roi pum munud i mi, plis?'

''Dan ni'n brysur iawn heno, chi,' meddai'r ferch yn ddiamynedd. 'Dwi wedi gorfod gyrru tri grŵp o 'ma yn barod. Mae rhaid i ni gael y bwrdd 'ma erbyn wyth. Felly os nad ydi'ch ffrind chi yn troi i fyny yn y munud mi fydd raid i mi eich symud chi i ista wrth y bar, mae arna i ofn.'

'Mi wna i ei ffonio fo rŵan,' meddai'n ffrwcslyd. 'Mae o ar ei ffordd, dwi'n siŵr.'

Estynnodd Gwenno ei ffôn o'i bag a deialu'n frysiog. Gadawodd iddo ganu tan iddo fynd i'r peiriant ateb. Rhoddodd ddau neu dri chynnig arall arni heb lwyddiant. Penderfynodd yrru neges ffwrdd-â-hi yn holi oedd o ar ei ffordd. Arhosodd am ateb, ond ddaeth yna ddim yn ôl. Tywalltodd wydraid arall o win iddi hi ei hun a'i lowcio mewn un gegiad.

Y rheolwr ddaeth ati'r tro hwn gan wenu arni'n broffesiynol.

'Mae'n ddrwg iawn gen i orfod gwneud hyn, madam,' meddai'n anghyfforddus. 'Ond rydyn ni am orfod eich symud chi i eistedd wrth y bar. Mae'r bwrdd yma wedi ei gadw i rywun arall am wyth.'

'Peidiwch â phoeni,' meddai Gwenno, gan godi ar ei thraed. 'Dw inna wedi cael llond bol ar aros. Ga i dalu am y gwin?'

'Wrth gwrs, dewch hefo fi at y ddesg.'

Teimlodd Gwenno ddau bâr o lygaid yn syllu o'r tu ôl iddi, a gafaelodd yn ei chôt a'i bag yn frysiog.

'Mae 'na ddîl arbennig yn y Red Dragon, Gwenno!' bloeddiodd Linda ar ei hôl. 'Gei di ffeifar i ffwrdd os ti'n ordro dy dêc-awe cyn naw!'

Chwarddodd y ddwy wrach unwaith eto a theimlodd Gwenno ei bochau'n gwrido o gywilydd.

'*As if* bysa Aron Evans yn mynd allan hefo hi, 'de?' meddai Jane wedyn. 'Sbia golwg arni.'

Talodd Gwenno am ei diod yn sydyn a brysiodd oddi yno cyn i neb ei gweld yn crio.

'Pwy oedd 'na?' gofynnodd Beca.

'Neb pwysig,' meddai Aron, gan daflu'r ffôn ar lawr. ''Na i eu ffonio nhw'n ôl nes ymlaen.'

'Tyrd yma 'ta,' meddai Beca gan ei dynnu yn ôl i'r gwely chwyslyd.

DYDD MAWRTH, MAI 14, 2019, 2:30 y.p.

'Mr Edwards. Yn ôl adroddiad yr heddlu, chi oedd yr un roddodd y *tip off* iddyn nhw am y goelcerth gafodd Aron Evans yn ei ardd gefn. Ydw i'n iawn?'

Trodd Rhys i edrych ar ei gyfaill cyn nodio.

'Ydach,' meddai'n nerfus. ''Dach chi'n iawn.'

'*Thanks a bunch*, mêt,' meddai Aron. 'Braf gweld pwy 'di'n ffrindia go iawn i.'

Gwingodd Glyn yn ei sedd.

'Gawn ni dawelwch yn y doc, os gwelwch yn dda?' mynnodd y barnwr.

'Fel roeddwn i'n dweud,' meddai Elin Williams, 'chi oedd yr un ddywedodd wrth yr heddlu fod Aron wedi llosgi'r dillad. Pam wnaeth o hyn, 'dach chi'n meddwl, Mr Edwards?'

'Mi roedd ganddo fo ofn y bysa'r heddlu yn ffeindio'r dillad yn y clwb ac yn rhoi dau a dau hefo'i gilydd.'

'Wnaeth o drafod beth oedd ei fwriad o hefo chi?'

'Naddo. Dim ond deud ei fod o wedi gwneud.'

'Ydi o'n un sydd yn dueddol o wneud penderfyniadau drosoch chi fel tîm?'

'Dwi'm yn siŵr.'

'Ei syniad o oedd gwneud i Gruffydd dynnu ei ddillad, ia ddim?'

'Ia.'

'A'i syniad o oedd ei adael yn y cae i rynnu?'

'Ia.'

'A wnaethoch chi wrthwynebu ar unrhyw adeg?'

'Naddo.'

'Ga i'ch atgoffa chi, Mr Edwards, fod yna fachgen ifanc wedi marw am eich bod chi a'ch cyd-chwaraewyr wedi sefyll yn ôl a gadael i'r bwlio yma barhau. A dyna oedd o, Mr Edwards. Bwlio. Mi wnaethoch chi hwyl am ei ben o, codi cywilydd arno fo, a chael mwynhad o wneud hynny. Efallai mai Aron Evans oedd yr un wnaeth y gorfodi, ond mi roeddech chi'n bresennol, a wnaethoch chi ddim byd i'w rwystro fo.'

'Wel mae Aron yn un anodd iawn i ddeud na wrtho fo.'

'Be 'dach chi'n feddwl?'

'Mae gan lot o'r tîm ei ofn o … Mae o'n medru bod reit *intimidating*.'

'Oeddech chi'n ymwybodol fod yna berthynas yn mynd ymlaen rhwng Aron a gwraig Gruffydd Jones?'

'O'n.'

'Ac ydach chi wedi bod yn dyst i hyn?'

'Bob tro roeddan nhw'n gweld ei gilydd ar nosweithia allan mi roeddan nhw'n fflyrtio a ballu. Ddywedodd o ddim byd wrthan ni, ond mi roeddan ni'n gwbod yn union beth oedd yn mynd ymlaen. Mi gafodd fenthyg fy nghwch i ryw flwyddyn a hannar yn ôl i fynd â hogan allan. Doedd o ddim am ddeud wrtha i pwy oedd hi, ond mi ro'n i wedi ama.

Mi sleifiais i yno'r bore wedyn a gweld Beca yn gadael.'

'Y diawl clwyddog!' bloeddiodd Aron.

'Mr Evans!' gwaeddodd y barnwr. 'Os ydw i'n clywed bloedd o'r doc yna un waith eto mi fydd raid i mi eich gyrru chi i'r celloedd, ydach chi yn 'y nghlywed i?'

Nodiodd Aron.

'Oedd Aron yn genfigennus o Gruffydd?' holodd Elin Williams.

'Oedd siŵr. Mi roedd o wedi bod yn *obsessed* hefo Beca ers blynyddoedd. Mi roedd gan Gruffydd rwbath roedd o wedi breuddwydio amdano fo ers roedd o'n bymtheg oed.'

'Wnaeth o sôn wrthoch chi yr hoffai o achosi niwed i Gruffydd?'

Oedodd Rhys am eiliad cyn ateb.

'Naddo.'

'Ond ydach chi'n meddwl fod y gallu ganddo i fod wedi achosi niwed iddo?'

'Ella.'

'Dyna fy nghwestiwn olaf am y tro, Eich Anrhydedd.'

'Diolch. Mi gawn ni egwyl fer rŵan,' meddai'r barnwr. 'Mi fyddwn ni'n ailddechrau am dri o'r gloch.'

'Dwi'm yn coelio bo' chdi wedi sefyll yn fanna a palu clwydda!' bytheiriodd Aron dan ei wynt. 'Ti'n gwbod yn iawn na dim Beca oedd gen i ar y cwch y diwrnod hwnnw!'

'Felly ti ddim wedi bod yn ei shagio hi tu ôl i gefna pawb?' meddai Rhys yn flin.

'Dim dyna 'di'r pwynt, nage?'

'Ia! Dyna ydi'r blydi pwynt!'

'Rhowch gora iddi rŵan, wir dduw!' erfyniodd Glyn wrth weld y barnwr yn edrych i'w cyfeiriad.

Cerddodd dau heddwas tuag at Aron yn barod i fynd ag o i lawr i'r celloedd.

'Mi nest ti sefyll yn fanna a deud rwbath oedd yn gelwydd llwyr,' meddai Aron wedyn. ''Dan ni yn hon hefo'n gilydd i fod.'

'Dydan ni ddim yni hi hefo'n gilydd, dallta,' meddai Rhys ar ei ôl. 'Dydw i ddim yn mynd i fynd i lawr am hyn. Dydw i ddim wedi gneud dim byd o'i le.'

'A dwi wedi, do? Dyna ti'n feddwl? Ti'n meddwl na fi nath ddrygio Gruffydd?'

''Swn i'm yn synnu!'

'Ewch â'r tri ohonyn nhw i lawr, swyddogion!' gwaeddodd y barnwr o'i gadair. 'Wna i ddim dioddef ymddygiad fel yna yn y llys, egwyl neu beidio!'

Arweiniodd y swyddogion y tri i'r celloedd.

'Raid i chdi reoli'r dempar 'na, Aron,' meddai Glyn yn flin. ''Di o'n gneud dim lles i dy achos di na ninna.'

'Dwi'n gwbod, sori,' meddai gan roi ei law ar ei ysgwydd. 'O leia mi rydw i'n gwbod fod gen i un ffrind ar 'yn ochr i.'

'Ti'n meddwl?' chwarddodd Rhys, wrth iddo gamu i mewn i'r gell gyfarwydd.

'Be sy'n mynd ymlaen?' gwaeddodd Aron o'i gell yntau.

Gwasgodd Rhys ei geg ar yr hatsh, gan flasu'r metel yn chwerw ar ei wefusau.

'Mi ddudodd Ffion wrthan ni tasan ni'n tystio yn dy erbyn di y bysan nhw'n edrach yn fwy ffafriol arnan ni.'

'Mi wyt titha yn mynd i roi cyllall yn 'y nghefn i hefyd, Glyn?'

'Wel ... nadw, ddim yn hollol,' atebodd yntau'n nerfus.

'Gawn nhw neud hyn?' gofynnodd Aron i'w fargyfreithiwr, oedd yn eistedd ar y gwely yn pori drwy ei nodiadau mewn panig.

'Cawn, mae arna i ofn, Aron. Chdi ydi'r un maen nhw isio go iawn. Dim ond *bystanders* 'di lleill.'

'Shit.'

Eisteddodd Aron ar y llawr oer a chladdu ei ben yn ei freichiau.

'Does 'na'm pwynt i mi fynd i falu awyr hefo chdi, Aron, ti'n gwbod nad ydi pethau'n edrach yn grêt, 'dwyt. A dyna pam dwi'n dy atgoffa di eto am y cyngor rois i i chdi bora ddoe.'

'Gawn nhw fynd i grafu,' meddai Aron yn ddagreuol. ''Dyn nhw ddim yn mynd i gael cyfaddefiad gynna fi, a dyna ddiwedd arni.'

'Tasa chdi'n deud rŵan mai chdi ddaru roi'r cyffur yn niod Gruffydd mi lasa'r barnwr fod ychydig bach caredicach hefo chdi. Deud nad oeddach chdi wedi bwriadu ei frifo fo, mai dim ond ychydig o hwyl oedd o i fod. Ella mai rhyw bum, chwe blynedd gei di ar y mwyaf.'

'Dydw i ddim yn mynd i gyfadda i rwbath nad ydw i wedi'i neud, ocê! Ella bo' gynnach chi ddim llawar o ffydd yna i, ond mae gen i rom bach o egwyddorion.

Os dwi'n mynd i fyny fanna a deud na fi nath, dyna fydda i am byth. Llofrudd.'

'Mae gen i ffydd yna chdi, Aron,' gwaeddodd Glyn drwy ei hatsh.

'Ti o ddifri?'

'Ydw ...'

Eisteddodd Glyn ar y llawr y tu ôl i'w ddrws.

'Gwranda, dwi'n gwbod nad ydan ni wedi gweld lygad yn llygad bob tro. Ond fedrwn i byth fod wedi mynd i fyny fanna a tystio yn d'erbyn di. Mi wnes i feddwl am y peth. Ond dwi'm yn meddwl y medrwn i fod wedi byw hefo fi'n hun taswn i wedi gneud. A fi sy'n gneud y penderfyniad yma drosta fi'n hun, dallta, dim chdi na neb arall. Raid i mi jest gwynebu be sydd o 'mlaen i, a gneud hynny yn onast ... A dyna dwi'n feddwl y dylia chditha neud hefyd.'

'Diolch, boi.'

Gwgodd Rhys mewn cenfigen wrth wrando ar y ddau hen gyfaill yn cymodi.

'Mae Beca'n disgwyl,' bloeddiodd mwyaf sydyn.

'Be?!'

'Rŵan 'ta, 'dan ni ddim yn gwbod hynna go iawn, na 'dan, Rhys,' meddai Glyn yn nerfus.

'Be *ydach* chi'n ei wbod?' gofynnodd Aron yn flin.

'Haf fuodd yn siarad hefo Beca ac mi nath hi ddigwydd sylwi ar rwbath ddudodd hi am fod isio mynd i'r toilet bob munud. Ti'n gwbod fel mae genod yn meddwl bod gynnyn nhw ryw *sixth sense* am y petha 'ma.'

'Sgynni hi fol?'

'Nag oes, dwi'm yn meddwl,' atebodd Glyn. 'Soniodd Haf ddim beth bynnag.'

'Felly fedar hi ddim bod wedi mynd yn bell.'

'Gwranda, Aron. Hyd yn oed os ydi hi'n disgwyl, does 'na'm byd i ddeud na chdi ydi'r tad, nag oes,' meddai Glyn wedyn. 'Plis paid â gneud dim byd gwirion rŵan, dim tan wyt ti wedi cael cyfla i siarad hefo Beca.'

'Ella na hwn ydi'r cyfla 'dan ni isio i neud *go* iawn ohoni,' gwenodd Aron. 'Beca, fi a'r babi. A does 'na'm byd yn mynd i'n stopio i tro 'ma.'

Wrth i'r egwyl dynnu at ei therfyn, curodd y clerc ar ddrws y celloedd.

'Mae yna ryw oedi bach yn mynd i fod, mae arna i ofn. Mae'r barnwr wedi caniatáu i'r erlyniad gyflwyno tyst newydd.'

DYDD MAWRTH, MAI 14, 2019, 3:30 y.p.

Cleciodd ei sodlau wrth iddi nesáu at y blwch tystio gan atseinio fel tân gwyllt o amgylch yr ystafell. Cliriodd ei gwddw, a tharo'i bysedd drwy ei gwallt hir yn nerfus.

'Allwch chi gyflwyno'ch hun i'r rheithgor, os gwelwch yn dda?' gofynnodd Elin Williams.

'Gwenno … Gwenno Hughes.'

'Ac mi rydach chi'n adnabod y tri diffynnydd, Miss Hughes?'

Trodd Gwenno i edrych ar Aron.

'Ydw, mi roedd y tri ohonyn nhw yn yr ysgol hefo fi.'

'Rŵan 'ta, Gwenno. Mi wnaethoch chi oedi cyn cyflwyno'ch tystiolaeth i'r heddlu. Pam hynny?'

'Achos mi roedd gen i ofn.'

'Ofn?'

'Ofn pa lanast fysa'r wybodaeth yn ei achosi tasa hi'n dod allan.'

'A beth wnaeth i chi newid eich meddwl?'

'Mi ro'n i am gael chwara teg i Beca, fy ffrind gora i. Mae hi'n haeddu cael gwybod be ddigwyddodd i'w gŵr.'

'A beth ddigwyddodd i'w gŵr hi, Gwenno?'

'Mi roth Aron gyffuriau yn ei ddiod o.'

'A sut allwch chi fod mor siŵr?'

'Achos mi ro'n i yno.'

'Be ddiawl ti'n neud, Gwenno?!' bloeddiodd Beca o gyfeiriad y galeri gan sefyll ar ei thraed.

'Tawelwch, os gwelwch yn dda!' mynnodd y barnwr.

'Mi roeddech chi yn y clwb rygbi'r noson honno?'

'Mi es i yno yn ystod eu sesiwn ymarfer nhw i chwilio am Aron.'

'A pham oeddech chi'n chwilio amdano fo?'

'Mi ro'n i isio siarad hefo fo,' meddai'n nerfus. 'Isio dweud wrtho fo am gadw draw oddi wrth Beca.'

'A beth yn union welsoch chi yn y clwb?'

'Mi roedd y rhan fwyaf o'r hogia yn cael cawodydd a newid, neu allan yn cael smôc. Ond mi roedd Aron ar ei ben ei hun wrth y bar.'

'A beth oedd Aron yn ei wneud, Gwenno?'

'Mi roedd ganddo fo ryw dabledi bach gwyn yn ei law o ac mi roedd o ar fin rhoi dau ohonyn nhw yn niod rhywun.'

'Diod Gruffydd?'

'Ia, medda fo.'

'Paid â malu cachu, Gwenno!' bloeddiodd Beca unwaith eto. 'Mae pawb yn gwybod bo' chdi'n eu rhaffu nhw!'

'Aiff rhywun â'r ddynes swnllyd yna allan o 'nghwrt i, os gwelwch yn dda?!' mynnodd y barnwr.

Cafodd Beca ei hebrwng o'r llys yn anfodlon, a gwrandawodd pawb ar ei llais yn bytheirio o ben pellaf y coridor, cyn diflannu'n ddim.

'A beth oedd eich ymateb chi?' gofynnodd Elin Williams ymhen hir a hwyr.

'Mi ro'n i wedi dychryn, wrth gwrs. Do'n i erioed wedi gweld y fath bethau o'r blaen. Mi ddywedodd o wrtha i 'na *roofies* oeddan nhw, ei fod o wedi cael hanner dwsin ohonyn nhw gan ryw foi o dre am ei fod o wedi bod yn dioddef o stres yn ddiweddar ac wedi mynd yn benisel.'

'A beth ddywedodd o oedd o'n obeithio fyddai'n digwydd petai Gruffydd yn yfed y ddiod?'

'Mi roedd o am i Gruffydd godi cywilydd arno fo'i hun. Mi roedd o am iddo fo wneud rhywbeth gwirion a chael pawb i chwerthin am ei ben.'

'Oedd Aron am frifo Gruffydd?'

'Nag oedd, doedd o ddim am ei frifo fo,' meddai Gwenno yn ddagreuol. 'Doedd o ddim am frifo neb. Y cwbl roedd o isio oedd gwneud iddo fo deimlo fel ffŵl am dipyn bach, achos mai dyna sut yr oedd o wedi gwneud iddo fo deimlo ers blynyddoedd. Mae'n rhaid ei fod o wedi rhoi mwy nag yr oedd o i fod iddo fo a bo'r rheini wedi cymysgu hefo'r alcohol yn ei system o. Ond doedd o ddim wedi bwriadu ei ladd o.'

Roedd Gwenno yn ei dagrau erbyn hyn, ac estynnodd Elin Williams baced o hancesi iddi.

'Blydi hel,' meddai Aron gan rowlio ei lygaid.

'Welodd rhywun arall chi yn y clwb?'

'Dim i mi fod yn gwybod. Mi wnaeth Aron fy mygwth i a dweud y bysa fo'n dweud wrth Beca 'mod i wedi bod yn chwilio amdano fo. Felly mi es o 'na heb ddweud dim wrth neb. Pan ddeffrais i'r bore wedyn a chlywed fod Gruffydd wedi marw do'n i ddim yn gwybod be i neud hefo fi'n hun. Mi ro'n i ar dân isio dweud wrth Beca. Ond mi ro'n i'n gwybod gymaint o feddwl oedd ganddi o Aron. Doedd fiw i mi ddweud wrthi hi. Mi fysa'n ddigon i'w gyrru dros y dibyn.'

'Diolch yn fawr, Gwenno,' meddai Elin Williams.

'Ydach chi am gwestiynu'r tyst, Mr Jenkins?'

'Cais am ohiriad os gwelwch yn dda, Eich Anrhydedd ...'

'Ti'n mynd allan eto nos fory?' gofynnodd Gruffydd uwchben ei *spaghetti bolognese*.

'Ydw. Ydi hynna'n iawn gen ti?' gofynnodd Beca yn goeglyd.

'Ydi am wn i. Ond mi fysa wedi bod yn neis cael treulio nos Sadwrn hefo'n gilydd am newid, bysa. Dwi'n teimlo nad ydw i wedi dy weld di yn iawn ers diwrnodia.'

'Ti'n 'y ngweld i rŵan, dwyt.'

'Ydw, am hanner awr. Mae gen ti shifft hwyr eto heno, does, a finna'n gorfod mynd i'r treining gwirion 'ma.'

'Mi neith les i chdi gymdeithasu.'

'Does gen i ddim owns o fynadd mynd.'

Cododd Beca oddi wrth y bwrdd a mynd i wagio'i sbarion i'r bin yn flin.

'Ti wedi gaddo i mi dy fod di am drio cymysgu hefo pobl,' meddai Beca. 'Wnei di ddim gneud ffrindia os ti'n cau dy hun yn y garafán 'ma bob noson.'

'Do. Ond dwi'm yn cofio dim sôn am orfod sgrymio hefo dy *ex* di a'i fêts chwaith.'

''Dan ni ddim wedi bod yn gariadon ers oeddan

ni'n 'rysgol, Gruffydd. Oes raid i chdi neud môr a mynydd o bob dim?'

''Sa chdi'n mynd ar noson allan hefo hen gariad i mi?'

'Does gen ti'm hen gariad, Gruffydd,' chwarddodd Beca.

'Dim dyna 'di'r pwynt, nage.'

'Nage, Gruffydd. Y pwynt ydi, fedri di ddim diodda bod yn yr un stafall ag Aron achos fedri di'm peidio cymharu dy hun efo fo.'

'Paid â rwdlan.'

'Mae o'n ddel, yn gyhyrog, yn gapten tîm rygbi … Mae o'n dy intimidetio di.'

'Blydi hel, Beca! Ti'n gwbod sud ma' gneud i ddyn deimlo'n sbesial, dwyt!'

'Chdi 'di'r un 'nes i briodi 'de, er gwell neu er gwaeth.'

'Ia, a dwi'n cwestiynu'r penderfyniad hwnnw ers i chdi'i neud o.'

Brasgamodd Gruffydd am yr ystafell wely a mynd i chwilota yn y cwpwrdd am ei ddillad ymarfer.

'Dwi jest ddim yn medru dallt weithia pam dy fod di wedi dewis bod hefo fi,' meddai'n dawel.

'Achos … achos mai Gruffydd wyt ti, 'de.'

'Be ddiawl mae hynna fod i feddwl?'

'Chdi di'r un sy'n edrach ar 'yn ôl i, 'de. A dwi'n gwbod 'sa chdi byth yn gneud dim byd i 'mrifo i. Dwi'n teimlo'n saff hefo chdi.'

'Dwi'n saff ond yn boring.'

'Paid â bod yn wirion!'

Taflodd Gruffydd docyn o ddillad o'r cwpwrdd yn flin.

'Lle ddiawl mae 'nhracsiwt i?'

'Yn y bocs ar ben y cwpwrdd hefo'r petha erill ti byth yn eu gwisgo.'

Safodd Gruffydd ar ben cadair yn simsan ac ymestyn am goes y trywsus oedd yn sticio allan o waelod y bocs.

'Symud o'r ffordd, Gruffydd, neu mi fyddi di wedi torri dy wddw.'

Dringodd Beca i ben y gadair a rhoi plwc sydyn i'r trywsus nes i'r bocs cyfan ddod i lawr a'i daro ar ei ben yn galed.

'Blydi hel!' meddai, gan daflu ei hun ar y gwely mewn poen.

'O shit! Sori Gruffydd, 'nes i'm trio, wir i chdi.'

'Naddo gobeithio!'

'Gad i mi weld. Ydi o'n gwaedu?'

'Dwn i'm. Ond mae o'n blydi brifo, 'de.'

Eisteddodd Beca wrth ei ymyl ac astudio'r clwyf.

'Mae 'na friw bach yna, dim byd mawr. Tyrd i'r toilet i roi cadach oer arno fo neu mi fydd o wedi chwyddo fel ffwtbol.'

'Sydd reit eironig i feddwl 'mod i ar fin mynd i dreining rygbi.'

Chwarddodd y ddau a nyrsiodd Beca ei glwyfau yn ofalus.

'Ti'n gwbod nad petha fath â mysyls a ballu sy'n bwysig i mi, dwyt,' meddai wrtho ymhen hir a hwyr.

'Nage gobeithio, neu mae hi ar ben arna i.'

'Be dwi'n feddwl ydi, mae be sydd gynnan ni'n mynd yn ddyfnach na hynny, dydi. 'Dan ni wedi sticio hefo'n gilydd drwy bob dim. Mae hynny'n deud rwbath wrtha chdi, dydi.'

'Ydi?'

'Ydi! Blydi hel, Gruffydd! Ti wir isio ffrae cyn i mi fynd ar shifft?'

'Nag oes … sori.'

'Rŵan dos i chwilio am barasetamols a cau dy geg.'

Ufuddhaodd Gruffydd ac aeth i dyrchu drwy'r cwpwrdd yn yr ystafell ymolchi, cyn i'r ddau orfod rhedeg am y car.

Pingiodd neges ar ffôn Beca:

Hotel wedi ei bwcio at nos fory.x

'Gwenno?'

'O ia,' atebodd Beca'n nerfus. 'Isio gwbod be 'di'r trefniada at fory. Ro i ganiad iddi'n munud.'

'Gwranda, Aron mae gen i rwbath i ddeud wrtha chdi. Rwbath dwi wedi bod isio'i ddeud wrtha chdi ers tro, a deud y gwir.'

'Oes raid iddo fo fod yn fama, Gwenno?' sgyrnygodd Aron dan ei wynt.

'Be sy, Aron? Ofn i'r hogia'n gweld ni hefo'n gilydd?'

'Gwranda, Gwenno, dwi'n gwbod na wnes i dy drin di'n dda iawn, a dwi'n sori, ocê? Ond mae petha wedi pasio rŵan, 'do. Gawn ni anghofio amdano fo rŵan, ia?'

'Digon hawdd i chdi ddeud, dydi, Aron. Mae gen ti

dy ddewis o ferchaid. Dim poen yn y byd. Dim cyfrifoldeba. Wel, ti 'di troi 'mywyd i ben i waered go iawn, i chdi gael dallt!'

'Callia, Gwenno! Mond un dêt gafon ni. Doedd o ddim yn golygu dim, nag oedd.'

'Mi roedd o'n golygu lot i mi,' meddai Gwenno'n dawel.

'Wel, oedd ...' meddai Aron yn euog. 'Mi roedd hi'n noson sbesial, doedd ... Be dwi'n feddwl ydi, doeddan ni ddim yn *serious*, nag oeddan. Doeddan ni ddim hyd yn oed yn gariadon.'

'Ti 'di bod yn cysgu hefo Beca, 'do?'

'Paid â bod yn wirion!'

'Dydw i ddim yn ddwl 'sti, Aron. Dwi'n gwbod be sy wedi bod yn mynd ymlaen. Mae Beca wedi bod yn actio'n shiffti byth ers i ni dy weld di ar y noson allan yna dro yn ôl.'

'A be os ydan ni? 'Dan ni ddim yn brifo neb, na 'dan. Dim os nad oes 'na neb arall yn ffeindio allan.'

'Be amdana fi, Aron?'

'Be amdana chdi, Gwenno?'

'Dwi ddim 'di bod yn iawn ers tro. Dwi'n isal, dwi'n *stressed*, dwi ddim yn cysgu ...'

'Dyna sy'n digwydd pan ti'n cael babi, 'de.'

'Nage, Aron! Chdi sy 'di gneud hyn i fi!'

'Dwi'n meddwl y dylia chdi fynd i siarad hefo rywun 'sti, Gwenno. Ti'm yn dda.'

'Dydw i ddim yn sâl, Aron. Dwi jest wedi cael llond bol ar bawb yn 'y nhrin i fel cachu! Chdi, Beca, 'dach chi'n cymryd be 'dach chi isio. Mond bo' chi'n iawn, dim ots am neb arall ... Hefo hi

oeddach chdi pan oeddan ni fod i gyfarfod am swpar,
ynde?'

'Ia.'

Clywodd y ddau leisiau yn dod o gyfeiriad yr
ystafelloedd newid a llusgodd Aron hi at y drws.

'Brysia, wir dduw, cyn i neb dy weld di!'

'Gollwng fi rŵan hyn neu mi 'na i sgrechian dros y
lle.'

Gollyngodd Aron hi heb feddwl ddwywaith.

'Jin a tonic gyma i, diolch.'

'Ti'n gall, 'da?'

'Llai o galoris na lager.'

Brysiodd Aron y tu ôl i'r bar a chwilota am y botel
jin. Estynnodd Gwenno'r tabledi gwyn o'i bag a thaflu
dwy yn sydyn i mewn i'r Jack Daniels a *coke* oedd ar
y bwrdd.

'Leim, dim lemon!' gwaeddodd arno, gan guddio'r
paced bach plastig yn ôl yn ei bag.

'Gymi di joch bach o arsnig yno fo hefyd?'

'O Aron, doniol ti,' chwarddodd yn ffals.

Rhuthrodd Aron ati gyda'i diod a llowciodd hithau
o mewn un gegiad.

'Iechyd da!' meddai gan daro'r gwydr ar y bwrdd a
cherdded drwy ddrws y clwb.